USCHI UND KLAUS PFAFFENEDER

Die Schwester des
Ketzers

Propheten der
Apokalypse

Liccaratur Verlag

Historischer Roman

Besuchen Sie uns im Internet:
www.liccaratur-verlag.de

Erschienen im Liccaratur-Verlag

Illustration und Umschlaggestaltung:
Braun - Gestaltung & Produktion, Fürstenfeldbruck
Fotografie: Jakob Braun, München
Lektorat: Karin Schweiger, Prittriching,
www.rossquelle.de
Druck: CPI Books GmbH, Ulm
Copyright: © Liccaratur-Verlag, Landsberg

Erstausgabe 2024

ISBN 978-3-944810-13-3

Das Buch

Im Jahr 1527 hallen Luthers Thesen immer noch wie Donnergrollen durchs Land, und der Bauernkrieg hat weite Teile Süddeutschlands verwüstet. Inmitten dieses Chaos' kämpfen Anna Schuster und Lenz Kirchperger ums Überleben, gejagt von den Häschern des bairischen Herzogs und als Ketzer gebrandmarkt.

Ihre Flucht führt sie in die Reichsstadt Memmingen, wo sie auf ein neues Leben hoffen. Doch die dunklen Schatten ihrer Vergangenheit holen sie ein und zwingen Anna, nach Augsburg zurückzukehren, wo sie erneut in den Bann der Täuferbewegung gerät. Da die Stadt einem Pulverfass gleicht, ist der Stadtrat fest entschlossen, die Täufer ein für alle Mal zu vernichten. Anna schwebt in höchster Gefahr, und Lenz sieht nur einen Ausweg: Er muss alles aufs Spiel setzen, um die Frau zu retten, die er liebt.

„Die Schwester des Ketzers" entführt Sie in eine Welt voller Intrigen, Liebe und verhängnisvoller Geheimnisse. Finden Anna und Lenz ihre Freiheit oder verlieren sie sich in den Wirren der Geschichte? Eine packende Reise in eine Zeit des fundamentalen Umbruchs erwartet Sie!

Die Autoren

Uschi Pfaffeneder, Jahrgang 1962, arbeitete als Sozialversicherungsfachangestellte, bevor sie sich neben der Familie dem Studium der katholischen Theologie widmete. Außerdem liegt ihr das Menschenbild der Logotherapie nach Viktor Frankl sehr am Herzen. Aktuell ist sie in der Kinderbetreuung tätig, wo sie auch eine Lesewerkstatt an einer Grundschule leitet. In einer Kurzgeschichte in der Anthologie »Die Spur führt an den Lech« hat sie 2013 den Kommissar Viertaler aus der Taufe gehoben.

Klaus Pfaffeneder, Jahrgang 1962, ist Maschinenbauingenieur und arbeitet seit vielen Jahren als leitender Angestellter. Mit fünfzehn begann er, erste Sportberichte für das Landsberger Tagblatt zu schreiben. Er hat neben einigen Kurzgeschichten den historischen Roman »Der Baumeister von Landsberg« veröffentlicht.

Die beiden haben die Kriminalromane um den Kommissar Viertaler – »Entwurzelte Schatten« und »Täter-Opfer-Schuld« – sowie den ersten Band der »Schwester des Ketzers« gemeinsam geschrieben, leiten die Schreibwerkstatt der VHS Landsberg und haben drei erwachsene Söhne.

Wer im 1523sten Jahr nicht stirbt,
1524 nicht im Wasser verdirbt
und 1525 wird nicht erschlagen,
der mag wohl von Wundern sagen.

Sprichwort aus dem Jahr 1525

Inhaltsverzeichnis

Karte Memmingen

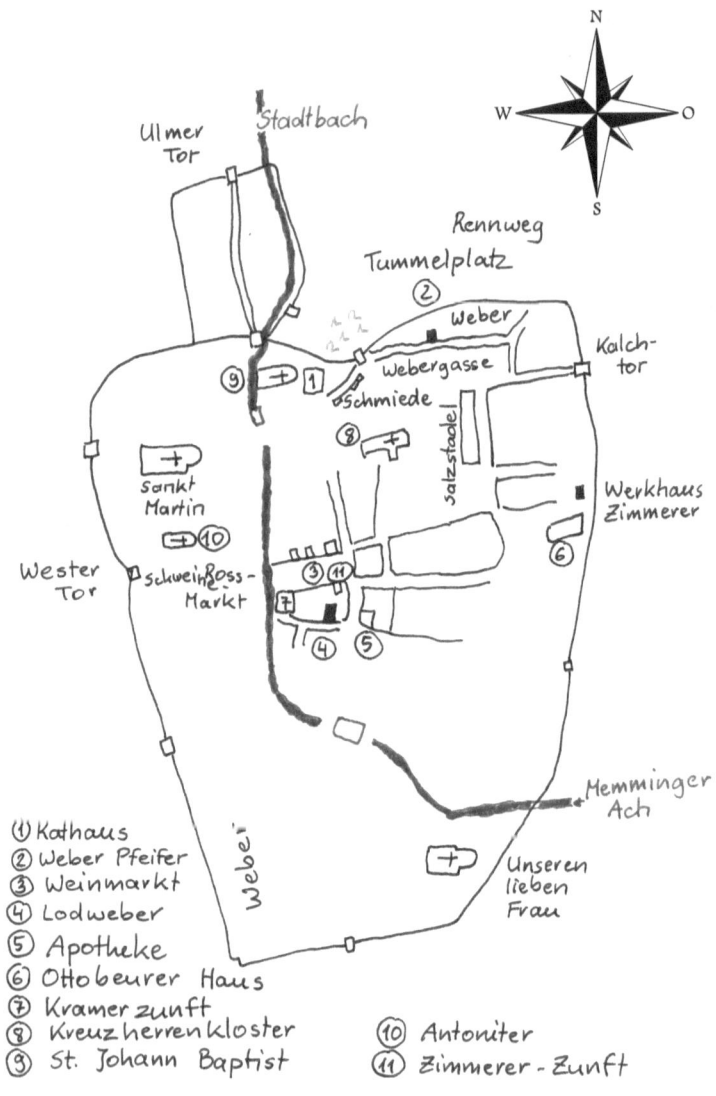

1. Rathaus
2. Weber Pfeifer
3. Weinmarkt
4. Lodweber
5. Apotheke
6. Ottobeurer Haus
7. Kramer zunft
8. Kreuzherrenkloster
9. St. Johann Baptist
10. Antoniter
11. Zimmerer - Zunft

Karte unterer Lechrain

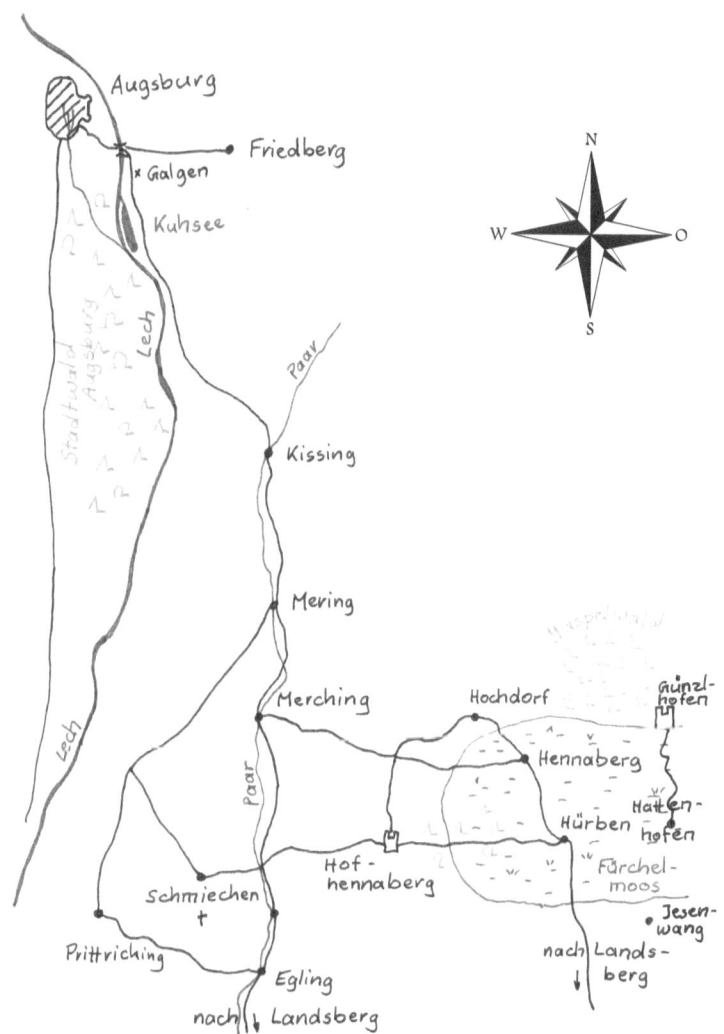

Karte Lechviertel Augsburg

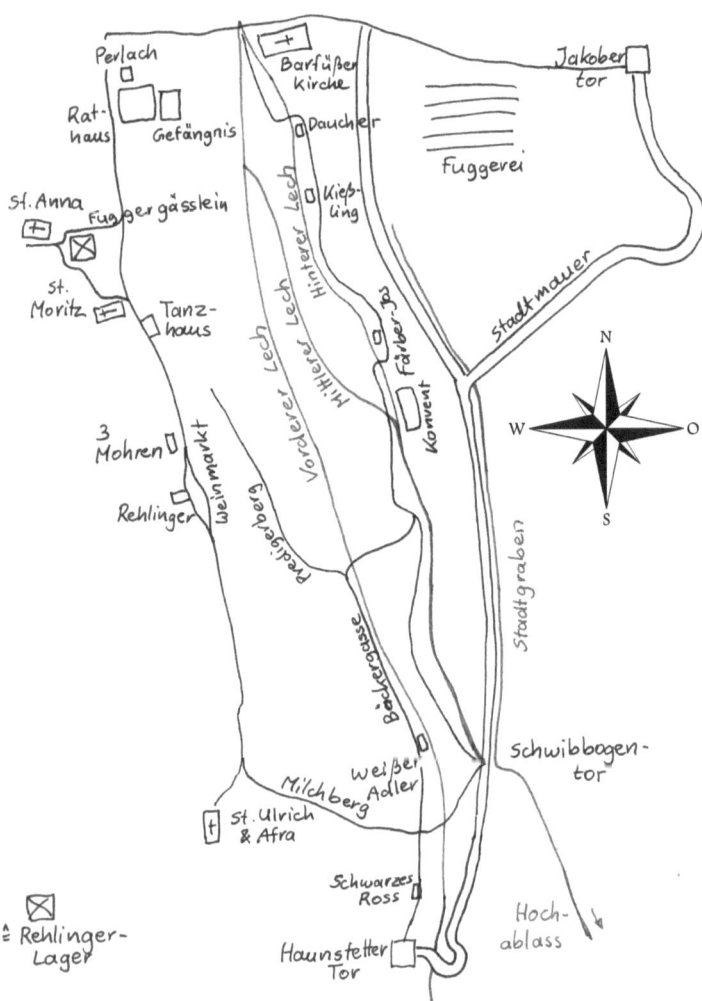

Karte Landsberg

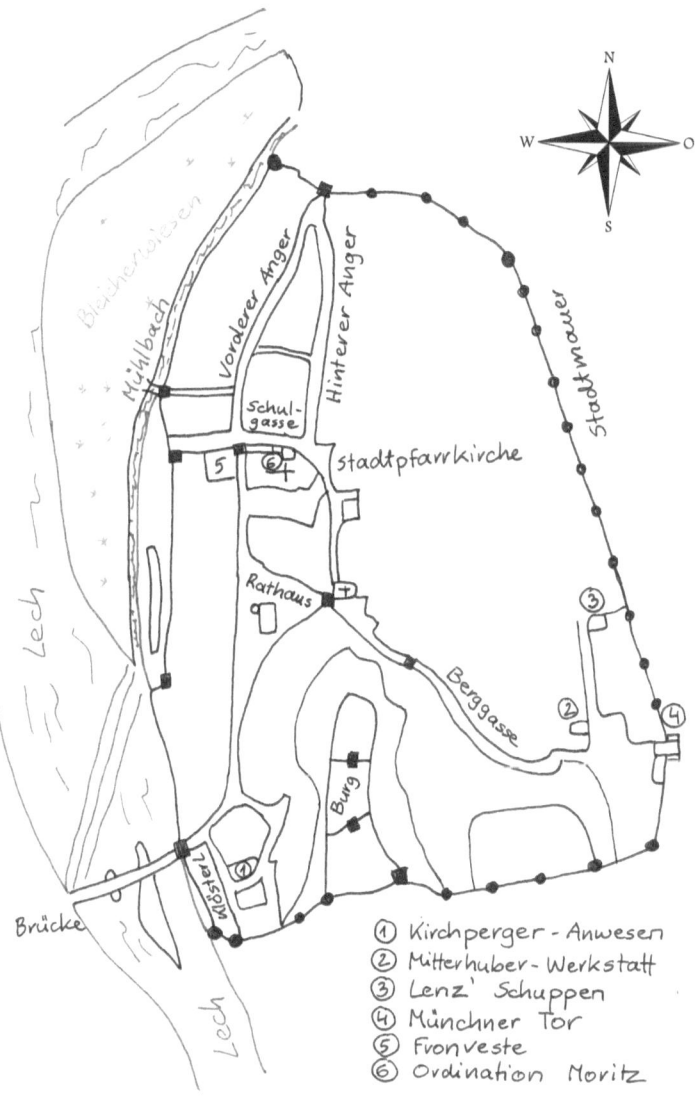

① Kirchperger - Anwesen
② Mitterhuber - Werkstatt
③ Lenz' Schuppen
④ Münchner Tor
⑤ Fronveste
⑥ Ordination Moritz

Dramatis Personae

Historische Persönlichkeiten sind mit (*) gekennzeichnet.

Die Hürbener (Hörbacher)

*Schuster, Anna	Tochter eines 16tel-Bauern, Schwester von Gebhart
*Schuster, Gebhart	Sohn eines 16tel-Bauern und Schuster († 23.10.1527)
Schuster, Agnes	Frau von Gebhart († 1527)
Schuster, Ignaz	Sohn von Agnes und Gebhart

Die Augsburger

*Thoma, Josef	Färbermeister, genannt der Färber-Jos, Täufer
*Kießling, Hans	Maurermeister und Täufer († 1529)
Kießling, Barbara	Frau von Hans
*Riexner, Ulrich	Webermeister, Spitzname Utz
*Daucher, Susanna	genannt Adolfin (* 1495), Bildhauergattin und Täuferin
*Rehlinger, Ulrich	Bürgermeister in Augsburg und Großkaufmann († 1547)
*Peutinger, Konrad	Stadtschreiber und Jurist (1465-1547)
*Dachser, Jakob	Theologe, Vorsteher der Augsburger Gartenbrüder († 1567)
*Leupold, Hans	Täuferprediger († 25.04.1528)
*Lang, Lukas	Spitzname Laux, Müllermeister und Täufer († 15.12.1535)
*Schleifer, Barbara	Frau des Claus Schleifer, Täuferin
*Schleifer, Claus	Augsburger Täuferführer
Naz und Laux	Fuhrleute

Die Günzlhofer

*Perwanger, Augustin	Herr der Hofmark Günzlhofen und Vogach, Täufer († 07.01.1528)
*Perwanger, Christoph	Bruder von Augustin, Täufer († 07.01.1528)
*Perwanger, Eustach	Sohn von Augustin († 1563), später Pfleger Landgericht Mering
*Rätzl, Michael	Herzoglicher Holzhey (Förster)
Josef	Tagelöhner, Täufer
*Kittl, Georg	Pfarrer der Hofmark Günzlhofen

Die Hochdorfer

*Sedlmaier, Jörg	Bauer auf dem Sedlhof in Hochdorf und Täuferprediger
Margarete	genannt Gretl, seine alte Magd

Die Ingolstädter

*von Eck, Johannes	Professor der Theologie (1486-1543), Gegenspieler Luthers
Pfettner, Christof	Magister der Theologie und Lutherischer, Freund von Lenz Kirchperger
Culinula, Hubertus	Kiechle Hubert, Freund von Christof, Doctor der Mathematik
*Apianus, Petrus	Apian Peter (1495-1552), Professor der Mathematik und berühmter Kartograph

Die Landsberger

Kirchperger, Lenz	Zimmerergeselle auf Wanderschaft
Kirchperger, Lienhart	Vater von Lenz
Kirchperger, Julia	Großmutter von Lenz, Tochter des Baumeisters Veit Maurer
*von Egloffstein, Gregor	Pfleger in Landsberg, Herr der Hofmark Grunertshofen im Lechrain
*Haidenbucher, Hanns	Kastner in Landsberg und Landrichter in Vertretung
*Vogt, Konrad	Landrichter in Landsberg seit 18.11.1527
*Haldenberger, Magnus	(1480-1541) Stadtpfarrer seit 1524, ehemaliger Pfarrer der Heilig-Geist-Spitalkirche
*Moritz	Stadtphysikus (Arzt)
*Schaller, Hanns	Amtmann des Landrichters
Mitterhuber, Alfons	Landsberger Maurermeister
Mitterhuber, Kreszentia	Frau von Alfons, Spitzname Zenzi
Mitterhuber, Magdalena	Tochter von Alfons und Zenzi erste Verlobte von Lenz
Kistler, Bartholomäus	Landsberger Schreiner, zweiter Verlobter von Magdalena
Hauner, Caspar	Weinhändler aus Landsberg
*Bucherle, Ulrich	Spitzname Utzen, Scherge der Hofmark Eresing
*Wagner, Johann	Wagner in Oberwindach, Täufer
*Wagner, Jakob	Bruder von Johann, Täufer
*Greilen, Frau	Bäuerin aus Eresing, Täuferin

14

Bekannte Täuferführer

*Hut, Hans	(1490-1527) fahrender Buch-drucker und -händler, charismatischer Prediger
*Denck, Hans	(1500-1527) Baccalaureus der Theologie, spiritueller Führer der Gartenbrüder-Bewegung
*Groß, Jakob	(1500-1531) Schweizer Theologe
*Spörle, Leonhard	Missionar und Prediger († 1527) aus Prittriching bei Landsberg
*Prenner, Jörg	Missionar und Prediger († 1528) aus Schmiechen bei Landsberg
*Waldhauser, Thomas	Theologe aus Memmingen, der häufig in Augsburg war, Anhänger Hans Huts

Die »Offiziellen«

*Wilhelm IV	Herzog von Baiern (1493-1550)
*von Ecken, Leonhard	Kanzler von Baiern (1480-1550) eigentlich von Eck
Pater Melchior	Zisterzienser-Mönch des Klosters Fürstenfeld in Jesenwang
*Pasenseer, Martin	Großinquisitor in Jesenwang ab 17.11.1527

Die Memminger

*Lodweber, Hans	Zunftmeister der Zimmerleute, Ratsherr bis 09.07.1525
Lodweber, Ursula	Frau von Hans († 1527)
Genoveva	Spitzname Vev, Täuferin
Leander	Lehrling von Meister Lodweber
Utz	ehemaliger Geselle von Meister Lodweber
Weber Pfeifer	verarmter Memminger Weber
Pfeiferin	Frau des Webers, Schwester der Mitterhuber Kreszentia
*Hewel, Georg	Zunftmeister der Zimmerleute seit Juli 1525, Ratsherr
*Keller, Hans	Bürgermeister und Angehöriger der Großzunft
*Simprecht Schenck	reformatorischer Prediger, Anhänger Zwinglis (1485-1532)
*Georg Gugy	reformatorischer Prediger, Anhänger Luthers und Zwinglis (1490-1561)
*Lotzer, Sebastian	Kürschnergeselle (* 1490), Autor und Mit-Verfasser der Zwölf Artikel der Bauernschaft

Kapitel 1

24. Oktober Anno Domini 1527,
auf dem Weg nach Mindelheim

Die Fingernägel gruben sich in die Handfläche. So, als könne sie durch den äußeren Schmerz die Qual übertönen, die in ihrem Inneren tobte. Anna blieb stehen und sah sich nach dem Überqueren der Lechbrücke ein letztes Mal um. Wie ein mahnend erhobener Zeigefinger ragte der Turm der Pfarrkirche gen Himmel. Dunkle Wolken kündigten die nächsten Graupelschauer an. Als der Kopf ihres Bruders Gebhart auf dem Landsberger Marktplatz zu Boden gepoltert war, hatte es auch gegraupelt.

„Anna, wir müssen weiter." Lenz' eindringliche Stimme riss sie aus ihren Gedanken. „Wenn wir heute Mindelheim erreichen wollen, dürfen wir nicht säumen."

Es war früh am Morgen und trotzdem waren schon Fuhrwerke unterwegs. Mit eiskalten Händen zog Anna die löchrige Decke über den Kopf ihres Neffen, der auf der Ladefläche des zweirädrigen Karrens schlief. „Der gestrige Tag war zu viel für ihn. Vergangene Nacht ist er immer wieder aufgeschreckt und hat nach seinem Vater geschrien." Ihre Stimme brach. Tränen schossen ihr in die Augen. „Mit seinen zwei Jahren ist er bereits Vollwaise. Er hat nur noch mich."

„Er hat uns." Lenz sah sie durchdringend an. „Vergiss das nicht. Ich werde für ihn sorgen, als wäre er mein eigener Sohn."

Anna wich seinem Blick aus. Wollte sie das wirklich? Nach allem, was in den letzten Wochen geschehen war? Aber wohin sonst sollte sie gehen? In ihrem armseligen Lechraindorf Hürben gab es niemanden, der sie und Ignaz aufnehmen würde. Dort würde ihr nichts anderes übrigbleiben, als irgendeinen Kleinhäusler zu heiraten, der selbst zum Sterben zu wenig hatte. Nach Augsburg zurückzukehren war unmöglich. Dort hatte sie mit Lenz Glück gefunden, bis das Unheil über sie hereingebrochen war. Hier in Landsberg wurde Lenz als narbengesichtiger Ketzer gesucht. So sehr sie auch hin und her überlegte, es blieb ihr nur das unbekannte Memmingen, wollte sie nicht in der Gosse enden. In der freiheitlichen Reichsstadt wären sie sicher.

Erneut hob Lenz an: „Dass ich deinen Bruder und seine Freunde nicht aus dem Gefängnis befreien konnte, tut mir leid. Aber ..."

Sie winkte ab. „Das mit meinem Bruder werfe ich dir nicht vor. Auch, dass du bereits in Augsburg nicht immer ehrlich zu mir warst. Aber dass du es mit Magdalena im Holzschuppen deines Vaters getrieben hast, trotz deiner Liebesschwüre." Der Gedanke an die rothaarige Schönheit löste noch immer eine Welle von Zorn in ihr aus.

Lenz holte tief Luft und schien nach Worten zu suchen, zog dann aber mit gesenktem Kopf den Karren auf dem matschigen Weg weiter.

Ihr Zorn verrauchte so schnell, wie er gekommen war, denn schließlich war sie selbst nicht unschuldig an ihrer momentanen Lage. Hätte sie auf Lenz gehört, gleich nach ihrer Flucht aus Augsburg nach Memmingen zu gehen, wäre vielleicht alles anders gekommen. Versöhnlicher fuhr sie fort: „Wohin müssen wir jetzt?"

„Da vorne an der Leprosenkapelle verlassen wir die Salzstraße und biegen nach rechts ab in Richtung der Papiermühle."

„Ist das der direkte Weg?"

„Ja. Die Salzstraße ist zwar in einem besseren Zustand, aber das wäre ein Umweg, weil sie über Unteregg im Süden verläuft. Außerdem ist sie viel stärker befahren und wir laufen Gefahr, entdeckt zu werden."

„Wie weit ist es nach Mindelheim?"

„Es sind fünf Meilen bis Holzhausen, wo wir das Gebiet des Hochstifts Augsburg erreichen. Sechs Meilen später überschreiten wir die Wertach und betreten das Frundsberger Hoheitsgebiet."

„Die Namen der Gebiete sagen mir nichts. Aber allein bis zur Wertach sind es bereits elf Meilen."

„Bis zum oberen Tor in Mindelheim sind es nochmal gute acht Meilen."

Ihre anfängliche Zuversicht, am Abend ein Dach über dem Kopf zu haben, schwand. „Ob wir das bis Sonnenuntergang schaffen?"

Lenz zuckte mit den Schultern. Schweigend gingen sie weiter. Mittlerweile waren nur noch vereinzelte Fuhrwerke zu sehen. Die meisten hatten die Salzstraße genommen. Nach einiger Zeit kam ein bewaldeter Hügel in Sicht. Kaum hatten sie die ersten Bäume erreicht, peitschte ein heftiger Graupelschauer herab und eine starke Bö zerrte an den Decken, die Ignaz einhüllten. Erschrocken fuhr er zusammen und sein Gesicht verzog sich zu einem Weinen.

Schnell nahm ihn Anna hoch. Er zitterte vor Kälte. „Lenz, warte! Ignaz ist wach!"

Als Lenz sich umdrehte, stahl sich ein Lächeln in die Augen ihres Neffen. Ein unverständliches Murmeln entwich seinen Lippen. Lenz legte die Zugstangen auf den Boden und setzte Ignaz zu sich nach vorne. Aus einem Sack holte er ein Stück Brot, das er dem Buben gab. Freudestrahlend griff dieser danach. Behutsam schlang Lenz die Decken erneut um das Kind.

Seine Fürsorge rührte Anna.

Mittlerweile stieg der Weg steil an, sodass Anna von hinten schieben musste. Immer wieder rutschte sie mit ihren dünnen Bundschuhen im angefrorenen

Matsch weg und nach kurzer Zeit war sie schweißgebadet. Der Wald war ihr unheimlich. Zwischen den Bäumen sah sie verlassene Feuerstellen und zusammengeschobene Laubhaufen. Zeichen dafür, dass sich Vogelfreie hier breitgemacht hatten. Einmal meinte sie, ein schmutziges Gesicht mit zerzausten grauen Haaren zu sehen. Oder war es doch nur ein verwitterter Busch mit herunterhängenden Flechten?

Hinter ihnen erklang Hufgetrappel, das rasch näherkam. Als fünf Soldaten um die Kurve trabten, schob sich Ignaz die Decke über den Kopf. Erschrocken sah Anna Lenz an, der sofort seine Kapuze tiefer ins Gesicht zog.

„Zur Seite!", zischte er. Doch es war zu spät.

„Aus dem Weg, Gesindel!" Der Anführer der Bewaffneten preschte so nah an Anna vorbei, dass sie strauchelte und mit dem Knie hart auf einer Wurzel aufschlug. Ein Schmerzensschrei entfuhr ihr. Unbeirrt ritten die Soldaten weiter.

Lenz half ihr auf. Auch ihm stand der Schreck ins Gesicht geschrieben. „Das war Amtmann Schaller!"

Anna sah ihn fragend an. Der Name sagte ihr nichts.

„Er hat mich und die anderen auf dem Hof deines Bruders in Hürben verhaftet. Auf dem Weg zur Fronveste in Landsberg bin ich ihm ja in Egling entkommen."

„Und jetzt?"

Resigniert schüttelte Lenz den Kopf. „Wir können nur hoffen, dass er keinen Haftbefehl für ein Narbengesicht an die Zollstation ausgibt. Sonst bin ich verloren."

Unter der Decke erklang ein leises Wimmern. Anna zog sie weg und strich Ignaz beruhigend über das Haar.

Fortan führte der Weg steil bergab und Annas Knie fing an zu pochen. Im Talgrund wich der Wald zurück und gab den Blick auf abgeerntete Felder frei. Hoch am Himmel zog ein Raubvogel auf der Suche nach Beute seine Bahnen. Anna hoffte, dass dies kein schlechtes Omen war.

Unerwartet begann Ignaz zu summen. Anna lauschte aufmerksam und erkannte die Melodie eines Schlafliedes, das ihm Lenz' Großmutter beigebracht hatte.

Auch Lenz hatte es bemerkt und lächelte ihr aufmunternd zu. „Vielleicht kann er irgendwann wieder sprechen."

Das hoffte Anna inständig. Der Tod seiner Mutter, den er mitansehen musste, hatte ihn verstummen lassen. Seitdem trug er ständig einen Rosenholzlöffel mit silbernen Einlegearbeiten mit sich herum. Ein wertvolles Stück, das Anna vorher nie gesehen hatte.

„Momentan ist es gut, wenn er nicht redet", merkte Lenz düster an. „Dann kann er uns nicht verraten, wenn wir uns an der ersten Zollstation als reisende Familie auf dem Weg nach Mindelheim ausgeben."

„Wie viel wird man dort von uns verlangen? Ich habe noch zwei Silberpfennige gespart, die mir der Färber-Jos als Magd bezahlt hat."

Lenz wehrte ab. „Bewahr sie dir gut auf. Mein Vater hat mir vor unserer Abreise genügend Silber zugesteckt. Das brauchen wir auch, um anfangs in Memmingen über die Runden zu kommen. Ich hoffe, dass mir mein alter Meister wieder Arbeit gibt. Ich will ihn nicht bereits zu Beginn um Lohn anbetteln."

„Dein Vater hat dir Geld gegeben? Nach allem, was war?"

„Ja, vermutlich hat ihm meine Großmutter den Kopf zurechtgerückt." Seine Miene verschloss sich und Anna drang nicht weiter in ihn.

Beim alten Kirchperger war Anna anfangs schlecht gelitten. Rückblickend konnte sie es ihm nicht verdenken. Dass Lenz heimlich im Holzlager hauste und sie unter einem Vorwand als Magd von Lenz' Großmutter angestellt wurde, hatte er erst durch die falsche Schlange Magdalena erfahren. Gott sei Dank kannte die den wahren Grund nicht, warum sich Lenz im Schuppen versteckt hielt.

Mit jeder Meile fiel Anna das Gehen schwerer, aber sie versuchte, sich ihren Schmerz nicht anmerken zu lassen. Sie passierten verstreute Gehöfte, die sie in ihrer Armseligkeit an Hürben erinnerten. Mittlerweile waren mehrere Gespanne und zu Fuß Reisende unterwegs. Meistens Männer, die schwere Säcke trugen. Nur eine Frau war unter ihnen, die einen Säugling mit einem Tuch um sich gewickelt hatte. Anna empfand Mitleid mit der ausgemergelten Gestalt, traute sich aber nicht, sie anzusprechen. Sie wusste nicht, wer Freund oder wer Feind war.

Die Zollstation kam in Sicht. Bewaffnete Reiter waren nicht zu sehen. Anna raunte Lenz zu: „Lass mich reden." Sie trat vor den Zöllner und bemühte sich, ihrer Stimme einen festen Klang zu geben: „Griaß enkch."

Der Wachmann hob eine Braue. „Aus Landsberg seid ihr nicht. Was machen zwei Lechroaner hier?"

„Wir sind auf dem Weg nach Mindelheim, Euer Gnaden. Mein Mann hat einen schlimmen Ausschlag im Gesicht und bei den frommen Jungfrauen in Mindelheim erhoffen wir uns Heilung."

Der Wachmann wich zurück und winkte sie schnell durch. Keine hundert Schritt entfernt stand eine Wache in den Augsburger Farben. Er war nur an den zwei Silberpfennigen interessiert und ließ sie unbehelligt passieren.

Lenz war die Erleichterung anzusehen. Anerkennend sah er sie an. „Dass du so gut lügen kannst, hätte ich nicht gedacht. Vielleicht war unsere Sorge wegen Schaller unbegründet. Warum sollten sie mich ausgerechnet hier suchen? Sie kennen mich nur als Lenz von Augsburg." Anna hoffte, dass er recht hatte.

Kurz darauf erreichten sie die Stadt Buchloe, die zum Fürstbistum Augsburg gehörte. Entsetzt deutete Anna auf die vielen Brandruinen zwischen neuen Gebäuden. „Wer hat hier gewütet?"

„Das ist das Werk das Landsberger Pflegers Gregor von Egloffstein. Vor gut zwei Jahren hat er den Ort niederbrennen lassen als Warnung an die aufständischen Bauern." Seine Stimme klang rau. „Hätte Buchloe eine Mauer gehabt, stünde noch alles."

Anna ahnte, dass die Ruinen dunkle Erinnerungen in Lenz weckten. „Lass uns schnell weitergehen. Dieser Anblick betrübt mich noch mehr." Der beißende Geruch der Zerstörung in der Luft beunruhigte auch Ignaz. Seine Hand stahl sich in die von Anna.

Die folgende Wegstrecke verlief größtenteils flach. Anna deutete auf den grauverhangenen Himmel, der nicht erkennen ließ, wie spät es war. „Ich weiß, dass wir uns eilen müssen. Aber wir sind jetzt schon so lange unterwegs. Ich brauche eine Pause." Ungeachtet der feuchten Kälte, die durch ihren dünnen Mantel kroch, ließ sie sich auf einem gefällten Baumstamm am Wegesrand nieder.

Lenz hielt an. „Ich verstehe dich, aber wir haben noch nicht einmal die Hälfte des Weges geschafft." Seine Stimme klang flehend. „Wir müssen vor Sonnenuntergang das Obere Tor in Mindelheim erreichen, sonst lassen sie uns nicht mehr in die Stadt. Gerade im altgläubigen Mindelheim sollten wir kein

Aufsehen erregen." Er holte eine Birne aus dem Sack und reichte sie ihr. „Iss, damit du bei Kräften bleibst."

Anna verlor die Beherrschung: „Du hast immer beteuert, dass wir westlich des Lechs sicher wären. Und nun das! Wie stellst du dir dann unsere Zukunft vor? Müssen wir uns ständig verstecken? Ja, schlimmer noch: Führen wir ein Leben auf der Flucht?"

„Ich habe nie gesagt, dass wir nicht aufpassen müssen. Hier in Schwaben sind nur die Reichsstädte nicht mehr altgläubig. In den kleinen Dörfern hat sich der alte Glaube erhalten. Doch in Memmingen hat sich die Reformation nach Zwingli durchgesetzt und anders als in Baiern werden Andersgläubige nicht verfolgt."

„Ist es dann für uns dort sicherer als in Augsburg?"

„Auch in Augsburg war es sicher, bis der lutherische Christof die Täufer verraten hat. Nachdem dein Meister Jos und mein Meister Hans Anhänger dieser Lehre waren, brachte dies auch uns in Gefahr. Außerdem hat dir Christof ständig nachgestellt."

„Jetzt bin ich auch noch schuld?", fauchte sie. Das wurde ja immer besser. „Gut, Christof hat mir nachgestellt. Aber dass er dabei die Flugblätter der Täufer bei mir entdeckt hat, dafür kann ich nichts."

Lenz unterbrach sie: „Das habe ich auch nicht gesagt. Das allein hat sicher nicht ausgereicht, um

Meister Kießling ins Gefängnis zu bringen. Da muss noch mehr geschehen sein."

„Vielleicht wollte sich dein ehemaliger Jugendfreund aus Landsberg einfach nur an *dir* rächen?" An seinem mahlenden Kiefer sah sie, dass ihn ihre Worte getroffen hatten.

„Lass uns ein anderes Mal darüber reden", antwortete er gepresst. Er deutete auf den wieder steiler werdenden Weg. „Schiebst du von hinten? Alleine schaffe ich das nicht."

Sie zog sich ihren dünnen Mantel über die von der Kälte rissigen Hände. Wenigstens hatte es zu graupeln aufgehört. Zwischen den von Windböen gepeitschten Wolkenfetzen blitzte ein blauer Himmel durch.

Kurz darauf kam die nächste Zollstation in Sicht. Der Andrang dort war größer, weshalb sie langsamer vorwärtskamen. Anna gewahrte, dass die Menschen zu einem mit einer Plane bedeckten Wagen Abstand hielten. In ihrer Ungeduld sprach sie Lenz an: „Warum schließen sie nicht auf?"

„Das Gespann transportiert ungelöschten Kalk. Deshalb auch die gewachste Plane, um ihn vor Feuchtigkeit zu schützen. Da genügt ein wenig Wasser und alles fliegt in die Luft."

„Das wusste ich nicht."

„Wir sollten ihm nicht nur deshalb nicht zu nah kommen. Es kann gut sein, dass der Händler von einer der Landsberger Kalkbrennereien kommt. Ich will nicht riskieren, dass er mich erkennt."

Nach der schnellen Abfertigung des gefährlichen Gespanns kam wieder Bewegung in die Schlange. Je näher sie der Zollstation kamen, desto unruhiger wurde Lenz. Immer wieder zupfte er sich die Kapuze tief ins Gesicht. Beruhigend legte Anna ihre Hand auf seinen Arm. „Ich erzähle wieder die Geschichte mit den Laienschwestern."

Endlich waren sie an der Reihe. Bevor sie etwas sagen konnte, war der Wachsoldat bereits zum Karren getreten und durchwühlte den Sack mit dem Essen. Anschließend zog er Ignaz die Decken weg, der daraufhin zu weinen anfing. Er herrschte Lenz an: „Ihr seid keine Händler. Was treibt euch Gesindel nach Mindelheim?" Dabei machte er Anstalten, Lenz die Kapuze vom Kopf zu ziehen.

Anna ging dazwischen. „Bitte nicht! Mein Mann hat die Krätze." Sie wusste, dass das weniger gefährlich klang als Ausschlag. Am Ende wurden sie gar der Pocken verdächtigt und aus Angst vor Ansteckung nicht durchgelassen. „Wir suchen Hilfe bei den Barmherzigen Jungfrauen."

Der Wachsoldat lachte schallend. „Das mache ich euch billiger. Mein Hund schleckt deinem Alten das Gesicht ab und die Sache ist ausgestanden."

Anna hatte Mühe, seine Mundart zu verstehen, die sich so sehr von der in Landsberg und in Augsburg gesprochenen unterschied. „Ich bitte Euch inständig, lasst uns weiterziehen. Wir sind schon so lange unterwegs und dem Buben zuliebe wollen wir vor Sonnenuntergang ankommen."

Ein Raunen lief durch die Umstehenden, die den Wortwechsel bisher eher belustigt verfolgt hatten. Das Kind weckte Mitleid in ihnen. Eine weitere Wache trat hinzu, der Kleidung nach ranghöher. „Zahlt euren Zoll und fahrt zu."

Erleichtert hielt ihm Anna die Silberpfennige hin, die ihr Lenz vorher zugesteckt hatte. Mit zittrigen Knien fasste sie mit der freien Hand die Zugstange, um Lenz zu helfen. Immer wieder warf sie einen bangen Blick zurück. Erst als das Zollhaus hinter einem Hügel verschwand, blieben sie stehen. Anna war am Ende ihrer Kraft.

Kapitel 2

24. Oktober Anno Domini 1527, Mindelheim

Als nach weiteren acht kräftezehrenden Meilen die Mindelburg links auf einem Hügel auftauchte, war Lenz erleichtert. Durch seine Wanderungen war er das Laufen gewöhnt. Aber da musste er keine Rücksicht auf eine Frau und ein Kind nehmen. Er blieb stehen, zog eine Dose aus seiner Tasche und hielt sie Anna hin. „Kannst du mir bitte die Paste von Meister Moritz auf meine Narbe schmieren? Hier übernachten manchmal Landsberger Händler. Ich will nicht riskieren, dass mich jemand erkennt und in Landsberg darüber tratscht."

Als sie mit sanftem Druck die Paste auftrug, stockte ihm der Atem. So nah waren sie sich zum letzten Mal im Haus seines Vaters gekommen. Auch dort hatte sie ihm geholfen sich zu tarnen, bevor er aufgebrochen war, um ihren Bruder Gebhart aus der Fronveste zu befreien. Am liebsten hätte er sie jetzt in seine Arme geschlossen, aber ihr abweisender Gesichtsausdruck hielt ihn davon ab.

Beim letzten Licht des Tages erreichten sie das Stadttor mit den drei Spitzen. Die Wache schickte sich an, das Tor zu schließen. „Haltet ein!", rief Lenz.

Der Hauptmann sah ihn mit zusammen gekniffenen Augen an. „Was wollt ihr in Mindelheim?"

„Wir sind unterwegs nach Memmingen und brauchen heute Nacht ein Dach über dem Kopf."

Herausfordernd stellte sich der Mann ihnen in den Weg. „Es gibt genug Gesindel in der Stadt! Wer sagt mir, dass ihr morgen weiterreist?"

„Ich war schon einmal hier. Der Wirt im *Gasthof Hecht* kennt mich."

Der Hauptmann zögerte. Sein Blick ging von Lenz zu Anna und Ignaz. „Also gut. Alleine hätte ich dich nicht mehr reingelassen. Aber deine Familie kann ja schlecht im Wald übernachten. Ich begleite euch zum *Gasthof Hecht* und versichere mich, dass ihr die Wahrheit sprecht." Mit einem lauten Knall schloss er das Tor und bedeutete ihnen, ihm zu folgen.

Nach einigen hundert Schritten auf der Hauptstraße erreichten sie die prächtige Gastwirtschaft.

Als der Wachsoldat die Tür zur Gaststube öffnete, schlug ihnen der Geruch von Holzfeuer, gesottenem Fleisch und gebratenen Zwiebeln entgegen. Der Wirt kam ihnen entgegen. Wie vor zwei Jahren auch, war alles an ihm speckig. Seine Haare, sein feistes Gesicht und seine Schürze, die er sich um den dicken Bauch gebunden hatte. Freundschaftlich legte er Lenz die Hand auf die Schulter. „Gott zum Gruße, Wandersmann. Beim letzten Mal warst du noch alleine hier, wenn ich mich recht erinnere. Schön, dass du heute deine Frau und dein Kind mitbringst."

Lenz war erleichtert und sah den Hauptmann an.

Der nickte nur kurz und machte auf dem Absatz kehrt.

Der Wirt wies ihnen seinen letzten freien Tisch neben der Tür an. Er deutete auf Ignaz, der ihn neugierig anstarrte. „Ein netter Kerl."

Lenz tischte ihm die vorher sorgsam zurechtgelegten Worte auf: „Meine Frau und mein Sohn wohnten bei ihren Eltern im Lechrain, während ich auf Wanderschaft war. Jetzt fahren wir nach Memmingen zu ihrem Onkel. Wir brauchen jetzt erst einmal etwas Warmes zu essen und für die Nacht eine Kammer."

„Ich habe nichts mehr frei." Er deutete über die Schulter: „Der Weinhändler dort drüben hat gerade meine letzte bekommen."

„Kannst du uns nicht irgendwo reinquetschen? Wir haben nichts dagegen, die Kammer zu teilen."

Der Wirt kratzte sich am stoppeligen Doppelkinn: „Wir machen das ganz anders. Der Hauner Caspar kann heute Nacht bei zwei Wandergesellen schlafen."

Lenz zuckte bei diesem Namen zusammen.

„Der will zwar immer eine Einzelkammer, aber in eurem Fall wird er das sicher verstehen."

Das bezweifelte Lenz. Er kannte den Weinhändler aus Landsberg. Der war selbst sein bester Kunde und handelte nicht nur mit billigem Bodenseefusel, sondern auch mit jeder Menge Geschwätz, das er in Wirtshäusern und Bädern zwischen Landsberg und dem Schwäbischen aufschnappte.

Anna schien Lenz' Unruhe zu spüren. Mit vor Schreck geweiteten Augen sah sie ihn an. Er schüttelte beruhigend den Kopf. Es half nichts, jetzt die Pferde scheu zu machen.

Die Bedienung kam mit dem Eintopf und Ignaz steckte sofort seinen Holzlöffel in die Schüssel. Eine Zeitlang waren alle drei ins Essen vertieft. Anna legte als Erste ihren Löffel zur Seite. Tiefe Schatten unter ihren goldbraunen Augen verstärkten die Blässe in ihrem Gesicht. Der Schmerz in ihrem Knie setzte ihr sichtlich zu. In diesem Moment wirkte sie älter als die zwanzig Lenze, die sie erst zählte. „Ich glaube nicht, dass wir mit deinem Knie morgen weit kommen werden."

Anna wehrte ab. „Ich lege das Bein über Nacht hoch und morgen geht es wieder." Sie erhob sich. „Wir reden morgen darüber."

Lenz wusste, dass die nächtliche Ruhepause nicht ausreichen würde. Er nahm Ignaz hoch und folgte ihr zur steilen Holztreppe nach oben. Aus dem Augenwinkel bemerkte er, dass ihnen der Weinhändler neugierig nachsah.

Ihre Unterkunft war ein fensterloser Verschlag unter dem Dach. Nur eine schmale Luke ließ Licht und Luft herein. Wenigstens war der Sack auf der Palette mit frischem Stroh gepolstert. Anna und Ignaz waren so erschöpft, dass sie sofort einschliefen. Lenz selbst fand keinen Schlaf. Unruhig wälzte er sich hin und her. Er konnte nur hoffen, dass ihn der Weinhändler nicht erkannt hatte. Denn sonst wusste bald halb Landsberg, dass der Kirchperger Lenz mit Frau und Kind auf dem Weg ins Schwäbische war.

25. Oktober Anno Domini 1527, Crispini-Tag, Mindelheim

Es war dunkel, als Anna erwachte. Ihr Knie pochte und sie konnte es kaum abbiegen. Sie erhob sich mühsam und tastete nach dem Nachttopf, um sich zu erleichtern. Knarrend öffnete sich die Tür. Verschämt ließ sie ihr Unterkleid fallen. „Lenz, wo kommst du her?"

„Vom Wirt. Ich habe ihm gerade unseren Handkarren verkauft. Für einen Schilling, Essen und Unterkunft."

Anna schüttelte verständnislos den Kopf. „Wie sollen wir jetzt nach Memmingen kommen?"

„Mit einem Augsburger Tuchhändler, der uns auf seinem Gespann bis nach Trunkelsberg mitnimmt. Von dort sind es nur noch zwei Meilen bis zum Haus des Meisters. Schaffst du das?"

Sie zuckte mit den Schultern und deutete auf Ignaz, der mittlerweile auch wach war. „Aber er kann noch keine zwei Meilen laufen."

„Ich nehme ihn einfach zwischendurch auf die Schulter. Das geht schon."

„Wann müssen wir los?"

„Gleich. Der Wirt hat uns noch einen Gerstenbrei hingestellt. Deshalb hole ich euch." Lenz nahm Ignaz auf den Arm.

Anna folgte ihm humpelnd.

Als sie vom Hof zuckelten, ging die Sonne auf.

Unbemerkt legte der Hauner Caspar auf der anderen Seite des Hofes seinen beiden Gäulen die Futtersäcke an. Er war sicher, dass der alte Kirchperger einen ordentlichen Batzen Silber springen lassen würde, um zu erfahren, wo sich sein verlorener Sohn aufhielt. Wie man hörte, war Lenz auf Wanderschaft in der Schweiz, aber dass er so nah an seiner Geburtsstadt übernachtete – noch dazu mit Frau und Kind – war höchst seltsam. Egal, wie man es drehte, es war eine lukrative Geschichte.

Der freundliche Augsburger Tuchhändler belieferte die Memminger Patrizierfamilie Sättelin. Bei diesem Namen war Anna zusammengezuckt, erinnerte er sie doch an einen heimtückischen Priester aus Hofhennaberg, der ihren Bruder Gebhart verraten hatte. Sie saß kommod mit Ignaz hinter dem Kutschbock zwischen zwei Ballen Tuch und lauschte gespannt der Unterhaltung zwischen Lenz und dem Händler. Unaufhörlich sprudelten die neuesten Nachrichten aus der Reichsstadt am Lech aus ihm heraus.

„Warum hat die Kaufmannsfamilie Sättelin ihr Lager nicht direkt in Memmingen, sondern außerhalb in Trunkelsberg?"

„Ihr habt von Kaufmannsgeschäften wohl keine Ahnung", erwiderte der Tuchhändler lachend. „Meine Ballen sind von fleißigen Dorfwebern rund um Augsburg gefertigt. Sie stehen der Qualität von städtischen Webern in Augsburg oder Memmingen in nichts nach."

Anna wusste, dass auch in ihrem Heimatdorf Hürben etliche Kleinbauern sich mit der Zuarbeit für Händler wie die Fugger etwas dazuverdienten.

Lenz lenkte das Gespräch in eine andere Richtung: „Als Weitgereister kommt Ihr doch viel herum. Was ist Eure Meinung zu den Irrungen und Wirrungen der Reformation? Unser gnädiger Herr Herzog will alles Lutherische mit dem Beelzebub austreiben. Er hat die Wiedertäufer sogar mit dem Schwert hinrichten lassen. Wie ist die Lage dazu in Augsburg?"

Der Tuchhändler war sichtlich erfreut, dass er auch hier sein Wissen zum Besten geben konnte: „Die Lutherischen und die Anhänger Zwinglis oder Bucers sind in Augsburg gut gelitten. Die meisten sind fleißige Handwerker und zahlen ihre Steuern. Aber die sogenannten Gartenbrüder oder auch Wiedertäufer schlagen dem Fass den Boden aus. Besonders dieser verrückte Hut Hans, der den Weltuntergang für das kommende Pfingsten prophezeit. Der ist noch in sicherer Verwahrung zusammen mit dem Kopf der Bande, dem Dachser Jakob, und noch einem, dessen Namen ich vergessen habe. Ich glaube Groß oder so ähnlich. Unser Stadtschreiber Peutinger versucht zusammen mit diesem lutherischen Prediger Urbanus Rhegius, die Kerle zur Umkehr zu bewegen."

Anna erinnerte sich gut an die langen Gespräche mit Hut im Haus des Färber-Jos. Der Täufer-Prediger hatte ihre Lesefortschritte gelobt und viele Fragen beantwortet, die ihr auf der Seele gebrannt hatten. Vermutlich drohte ihm in Augsburg am Ende ebenso die Hinrichtung wie ihrem Bruder. Sie lauschte weiter.

„Einige wurden vor einer Woche entlassen und der Stadt verwiesen, darunter auch der Maurer Kießling und Langenmantel, wohlhabender Spross einer angesehenen Patrizierfamilie in Augsburg. Die Namen sagen Euch zwar alle nichts, aber bei den beiden hätte ich es am wenigsten vermutet." Er schüttelte den Kopf. „Die armen Familien. Soviel ich weiß, wurde die Werkstatt vom Kießling verkauft. Außerdem munkelt man, dass Kießling und Langenmantel auf einem Hof außerhalb Augsburgs untergekrochen sind. Es ist gut, dass der Rat der Stadt durchgegriffen und diese Rattenlöcher ausgehoben hat."

Eine eisige Kälte durchfuhr Anna nach dem, was sie eben gehört hatte. Es gab keinen Zweifel: Sie konnte nicht nach Augsburg zurück. Ihre einzige Hoffnung lag nun bei Lenz und darauf, dass gemeinsam alles gut werden würde. Sie duckte sich tiefer hinter die gestapelten Ballen und zog ihren Umhang fester um sich.

Der Wagen hielt ruckartig an und Anna schreckte aus ihrem Dämmerschlaf hoch. Vorsichtig streckte sie ihre steifen Glieder und stieg von der Ladefläche. Ihr Knie pochte nicht mehr so stark wie tags zuvor. Sie schulterte den Sack mit dem Essen. Lenz steckte dem Fuhrmann zwei Silberpfennige zu, die dieser rasch in seinem Beutel verschwinden ließ.

Lenz sah Anna prüfend an. „Geht es dir besser?"

Sie nickte. „Ich hoffe, das Knie hält bis Memmingen."

„Wir haben nur noch zwei Meilen, also ungefähr eine gute Stunde." Lenz deutete zum Himmel, wo die Sonne schon deutlich tiefer stand. „Das müssten wir bis Einbruch der Dunkelheit schaffen."

Anna nickte erneut. Der strahlendblaue Himmel und die schneebedeckten Berge in der Ferne erfüllten sie mit neuer Kraft. Nachdem sie das letzte Stück Brot geteilt hatten, sprang Ignaz wie ein übermütiger Welpe vor ihnen her. Immer wieder sammelte er Steine und brachte sie Anna – ein Spiel, das sie früher in Hürben gespielt hatten. Zwischendurch ergriff er ihre Hände und lief zwischen ihr und Lenz. Als schließlich das Memminger Kalchtor in Sicht kam, spürte Anna Unruhe in sich aufsteigen. Was, wenn man sie am Tor abwies oder der Lodweber keine Arbeit für Lenz hatte?

Die Wache musterte sie misstrauisch. „Seid ihr Juden?"

„Nein, wir kommen aus dem Lechrain und …"

„Aus Baiern seid ihr! Von da kommen nur zwei Arten von unerwünschtem Gesindel. Altgläubige oder Ketzer auf der Flucht. Was davon seid ihr?" Der Wachmann trat bedrohlich auf die beiden zu.

Anna spürte, wie ihr Gesicht heiß wurde und sie rot anlief. Sie befürchtete, dass sie das verdächtig machte.

Lenz sprang in die Bresche: „Weder noch, mein Herr. Ich bin Zimmerergeselle und mit meiner Frau und meinem Sohn auf dem Weg zu Meister Lodweber. Dort werde ich arbeiten."

Der Wachmann hob die Brauen. „Zum Lodweber?"

„Ich war schon einmal bei ihm als Wandergeselle."

Der Soldat schnaubte verächtlich. „Der Lodweber braucht sicher keinen Gesellen. Ihr kommt nicht rein."

Anna war den Tränen nahe.

Der Hauptmann der Wache erschien. „Was ist hier los?"

Der Soldat erklärte: „Diese Leute behaupten, dass sie beim Lodweber in Dienst treten."

„Deshalb willst du sie nicht in die Stadt lassen? Das hast du nicht zu entscheiden." Er wandte sich an Lenz: „Folgt mir. Ich begleite Euch zur Werkstatt."

Lenz hob Ignaz auf die Schultern, der sich erschöpft an sein Bein geschmiegt hatte.

Anna atmete erleichtert auf, während sie versuchte, mit den Männern Schritt zu halten. Sie bemerkte, dass die Häuser immer prächtiger wurden, je weiter sie in die Stadt hineinkamen. Plötzlich blieb der Hauptmann der Wache abrupt stehen und deutete auf einen Betrunkenen, der über den Weinmarkt schwankte. „Das ist Meister Lodweber. Die Schänke ist praktisch sein zweites Zuhause. Er wird sicher froh sein, wenn ihn jemand nach Hause bringt."

Kapitel 3

25. Oktober Anno Domini 1527, Memmingen

Zögernd betrat Anna die kleine Kammer, die ihnen Meister Lodweber widerwillig überlassen hatte. Lenz und Ignaz fielen sofort in tiefen Schlaf, doch Anna fand keine Ruhe. Sie zweifelte daran, dass sie hier wirklich eine Zukunft hatten. Lodweber war ein Trunkenbold! Den kurzen Weg zum Haus hatte er nur Unverständliches gelallt und immer wieder in einer lächerlichen Geste, den Finger an die Lippen gelegt. Ihr war nicht entgangen, dass auch Lenz über den Zustand seines ehemaligen Meisters erschüttert war. Ihre Zukunft war so ungewiss wie nie zuvor, denn mit dem besoffenen Lodweber war das letzte Stück Zuversicht verloren gegangen. Was blieb ihnen jetzt noch? Leise setzte sie sich auf und betrachtete Lenz. Sanftes Mondlicht fiel auf sein ausgezehrtes Gesicht. Die wulstige Narbe, die sich vom linken Augenwinkel bis zum Mund zog, und der struppige Bart ließen ihn älter erscheinen. Schwer zu glauben, dass er noch keine zwanzig Sommer erlebt hatte.

Anna erwachte nach einem kurzen, unruhigen Schlaf. Von unten drangen gedämpfte Stimmen zu ihnen herauf. Lenz war bereits wach und sah mit Ignaz auf dem Arm aus dem Fenster. Anna zog das Überkleid über ihr Hemd und stellte sich zu ihnen. „Was machen wir jetzt? Denkst du wirklich, wir sind hier willkommen? Nach dem Empfang gestern."

„Ich verstehe das selbst nicht. Der Meister ist ein Anhänger Zwinglis und verabscheut das Trinken. Immerhin hat er uns aufgenommen."

„Weil er besoffen war?", erwiderte sie trotzig.

Lenz schwieg. Schließlich setzte er zu einer Erklärung an: „Meister Lodweber war bis zum Auftauchen der Soldaten des schwäbischen Bundes im Juli 1525 ein geachteter Mann und Zunftmeister. Obwohl er im Stadtrat saß, hat er die Reformation und die aufständischen Bauern unterstützt. Als der Schwäbische Bund den alten Glauben in Memmingen mit Gewalt wieder einführte, verlor er aufgrund der befohlenen Neuwahlen sein Amt. Was dann geschehen ist, weiß ich nicht, weil ich nach Bern weitergezogen bin."

„Er hat die Bauern unterstützt? Das spricht für ihn."

Lenz fuhr fort: „Ein Jahr später waren die Soldaten fort. Der neugewählte Rat hat dann die Reformation ein zweites Mal eingeführt. Diese Nachricht hat mich in Zürich erreicht. Daraufhin bin ich nach Memmingen zurück. Insgeheim habe ich ihn immer bewundert. Außerdem war ich für seine Frau Ursel wie ein eigener Sohn."

„Warum bist du dann vor vier Monaten nach Augsburg gegangen? Hier hattest du doch alles."

Lenz druckste herum. „Der Meister und seine Frau drängten mich, mir eine Frau zu suchen und in die Werkstatt einzusteigen."

„Das wolltest du nicht, weil du immer noch deiner Magdalena nachgetrauert hast. Habe ich recht?"

Lenz blieb ihr die Antwort schuldig. Wortlos öffnete er die Tür. Sie stiegen die knarzende Treppe hinunter in die Küche des zweigeschossigen Hauses.

Anna fiel auf, dass überall Staub lag. Spinnweben in den Gauben zeugten davon, dass die Fenster schon lange niemand mehr geöffnet hatte. Sie betraten die Küche und die Stimmen verstummten. Eine alte Frau stand am Herd und rührte in einem Topf.

Ein junger Mann sprang vom Tisch auf und stürmte auf sie zu. „Lenz! Wo kommst du denn her?"

Die Alte dagegen musterte sie misstrauisch.

„Leander! Schön dich wieder zu sehen. Wir sind gestern Abend angekommen. Der Meister hat uns aufgenommen." Lenz sah sich um. „Wo sind die anderen?"

Der junge Mann senkte den Blick. „Hannes, Nazl und Utz sind fort."

„Alle Gesellen? Wo sind sie hin?"

„Zum Hewel Georg. Dort gibt es Arbeit."

Lenz schüttelte verwundert den Kopf. „Und wo ist der Martin?"

„Der wurde freigesprochen und ist dann auch abgehauen", antwortete der Lehrling tonlos.

„Leander, was ist hier los?" Meister Lodweber stand in der Tür. Dicke Adern traten an seinem Hals hervor und sein Gesicht rötete sich. „Halt keine Maulaffen feil. Geh in die Werkstatt und räum den Reißboden auf. Wenn ich nachher runterkomme, ist alles blitzblank gefegt." Er deutete auf Anna: „Wer bist du, Weib?"

Lenz räusperte sich: „Das ist Anna. Erinnerst du dich nicht mehr, Meister? Sie war schon gestern Abend bei mir."

Lodweber schüttelte langsam den Kopf, so als ob er damit seine Gedanken ordnen könne. „Gestern?", murmelte er. „Du warst gestern auch schon bei Lenz? Kann mich gar nicht an dich erinnern." Mit rot unterlaufenen Augen sah er von Lenz zu Anna und dann zu Ignaz, der sich verängstigt an Lenz schmiegte. Schließlich machte er eine wegwerfende Handbewegung. „Sei's drum. Setzt euch. Vev! Bring Hafergrütze für alle." Damit ließ er sich schwer auf einen der Stühle fallen und rieb sich mit den Handballen die Augen.

Schweigend aßen sie ihre Grütze. Ignaz löffelte mit seinem Rosenholzlöffel Getreidebrei. Anna sah, dass er dabei immer wieder ängstliche Blicke zu Lodweber warf. Der legte schließlich seinen Löffel weg und schob die Schüssel von sich. „Was willst du hier?"

Lenz sah ihn unschlüssig an. „Äh ... Arbeiten. Ich dachte, du brauchst einen Gesellen."

„Wie lange bleibst du dieses Mal?"

Anna hörte den Vorwurf in Lodwebers Stimme.

„Ich will länger bleiben …"

Lodweber unterbrach ihn: „Die Dinge haben sich geändert, seit du fortgegangen bist."

„Wie meinst du das?"

Lodweber kratzte sich am Kopf. „Die Auftragslage ist nicht – so gut."

„Wie kann das sein?", platzte es aus Lenz heraus. „Als ich dich Mitte Juni verlassen habe, warst du doch wieder gut im Geschäft. Wo ist die Meisterin und warum sind alle Gesellen fort?"

Lodweber stierte in seine leere Schüssel. Die Worte schienen ihm ausgegangen zu sein.

Vev räumte die Schüsseln ab. „Bei einem Säufer, der sich den ganzen Tag selbst bemitleidet, will niemand arbeiten", keifte sie.

„Halt deine Schwertgosch!", fuhr sie der Meister an. „Mach den Abwasch, feg die Stube aus, aber halt dein vorlautes Maul, Vev."

„Ihr seid Witwer, Meister", konstatierte Anna.

Lodweber starrte sie feindselig an, bevor sein Blick weich wurde. Tränen liefen über seine von roten Äderchen durchzogenen Wangen.

Anna stand auf und legte Lodweber die Hand auf die Schulter. Mit sanfter Stimme fragte sie: „Wann ist Eure liebe Frau zum Herrn gegangen?"

Lodweber weinte stumm. Nur das heftige Zucken seiner Schultern verriet, welche innere Pein ihn plagte. Leise presste er hervor: „Der Herr hat sie Ende Juli zu sich heimgeholt."

Anna bekreuzigte sich. „Der Herr schenke ihr eine freudige Auferstehung."

Eine geschlagene Stunde später saßen sie immer noch am Tisch in der Stube. Der Meister hatte ihnen die ganze Geschichte erzählt: Wie der plötzliche Tod seiner geliebten Frau ihm den Boden unter den Füßen weggezogen hatte. Danach hatte er keinen Kopf mehr für die Arbeit gehabt, wichtige Aufträge falsch kalkuliert und es versäumt, notwendige Rohmaterialien zu bestellen. Alles war ihm aus den Händen geglitten. Nach und nach waren die Gesellen fortgegangen. Trost und Linderung hatte ihm nur der Wein gebracht, obwohl er wusste, dass Zwingli die Trunksucht verdammte. Lodweber wischte sich die Tränen aus den Augen. „Woher kommt ihr?"

Lenz sah Anna an und antwortete: „Aus Augsburg. Wir sind über Mindelheim gekommen. Gestern haben wir im *Gasthof Hecht* übernachtet."

Lodweber fragte nicht weiter nach. Schließlich warf er Lenz einen flehenden Blick zu. „Ich könnte eine zupackende Hand gebrauchen."

Im Hintergrund schnaubte Vev. „Er kann *jede* Hand gebrauchen, wenn er nicht sein Haus verlieren will."

Lenz sagte nichts. Der Meister schwieg. Entweder war er es müde, der vorlauten alten Magd über den Mund zu fahren, oder er stimmte mit ihr überein.

Vev fuhr fort: „Vor dem Bauernkrieg noch wurde sein Vermögen auf vierhundert Pfund Pfennige geschätzt und er hat dem städtischen Kastenamt damals zwei Pfund Pfennige an Steuer bezahlt. Heuer an Nicolai wird er vermutlich gerade mal sechs Schillinge zahlen – wenn er die überhaupt noch aufbringen kann. Wenn du also bei uns bleibst, Lenz, kommt eine schwierige Aufgabe auf dich zu. Du musst ihn erst einmal davon abhalten, sein Geld zu versaufen."

„Vev!", donnerte Lodweber. „Jetzt reicht es."

Vev keifte zurück: „Ich bin noch nicht fertig. Wir können keine weiteren Mäuler stopfen."

Anna entgegnete: „Ich kann dich verstehen und will nichts umsonst. Ich arbeite für Unterkunft und Essen. Mein Bruder und seine Frau sind vor kurzem verstorben und Lenz hat mich und meinen Neffen aus Augsburg hierher mitgenommen. Ich habe keine Familie mehr."

Lodweber nickte: „Ich sehe schon, auch du hast deinen Packen zu tragen." Er sah Vev an. „Anna und der Kleine bleiben hier. Sie geht dir zur Hand, und damit Basta."

Kapitel 4

29. Oktober Anno Domini 1527, Memmingen

Anna verließ das Lodweber-Haus und wandte sich nach links. Direkt vor ihr lag ein Gebäude mit hohen Fenstern im Erdgeschoss. Beim Näherkommen schlug ihr der Geruch aus getrockneten Kräutern, erdigen Aromen und einem Hauch von Gewürzen entgegen. In dieser Apotheke hatte Vev auch das Arnika für Annas Knie besorgt, das mittlerweile kaum noch schmerzte. Sie humpelte weiter in Richtung des Weinmarkts. Langsam kannte sie sich ein wenig aus. Aus westlicher Richtung zog ein bestialischer Gestank über den mit prächtigen Zunfthäusern gesäumten, langgezogenen Platz. Von Vev wusste sie, dass dort der Schweinemarkt lag. Direkt vor ihr lag das stattliche Zunfthaus der Weber. Sie ließ es links liegen und folgte der Kramergasse zum Stadtmarkt im Norden.

Seit drei Tagen wohnten sie bei Meister Lodweber. Sie und Ignaz teilten sich eine Kammer, während Lenz beim Lehrling Leander untergekommen war. Die alte Magd Vev begegnete Anna mit kühler Zurückhaltung, doch bei Ignaz schmolz die Strenge der Alten wie Eis in der Frühlingssonne.

Auf dem Stadtmarkt kaufte Anna einen Laib frisches Brot für zehn Silberpfennige. Bestürzt stellte sie fest, dass das zwei Pfennige mehr waren, als sie in Augsburg dafür bezahlen musste. Der Anstieg der Preise war ungebrochen. Das galt auch für die Pastinaken und die Roten Bete, die ein Bauer aus einem der umliegenden Dörfer anbot. Anna liebte es, auf den Markt zu gehen. Der Duft frischer Backwaren wechselte mit dem würzigeren eines Lebzelterstandes, der kräftige Geruch gebratener Spieße wich der betörenden Aromenvielfalt eines Standes für Gewürzspezereien. Unvermittelt wehte aus Richtung des prächtigen Rathauses eine Rauchwolke über die Marktstände. Anna sah auf. Das Klirren von Hämmern auf einem Amboss erinnerte sie an die Schmieden entlang der Augsburger Stadtmauer im Lechviertel.

Anna war bereits auf dem Rückweg, als sie Vev bemerkte. Die alte Magd des Meisters wollte heute ihre Base in Amendingen besuchen. Doch anstatt den Stadtmarkt in Richtung des Ulmer Tors zu verlassen, schlurfte sie an der prächtigen Fachwerkfassade des Rathauses vorbei, dorthin, wo die Schmiedefeuer ihren Ursprung hatten. Anna beschloss kurzerhand, ihr in einigem Abstand zu folgen. Am Ende der Gasse hinter dem Rathaus ragte der Gefängnisturm auf, vor dem eine Wache postiert war. Vev grüßte den Wachmann herzlich, als sie vorbeiging. Das wurde ja immer mysteriöser!

Der Turm war Teil der Stadtmauer hier im Norden. Ärmliche Häuser säumten die Gasse daneben. Vev hielt inne und ließ ihren Blick aufmerksam umherschweifen. Anna drehte sich hastig weg und begann an ihrem Korb herumzufingern. Es schien, als hätte die alte Magd sie nicht bemerkt. Sie klopfte viermal an eine unscheinbare Tür. Nach einigen angespannten Herzschlägen öffnete sie sich, und eine Hand erschien im Türspalt. Ohne zu zögern, verschwand Vev im Inneren des Hauses.

Anna blieb verwirrt zurück, beschloss jedoch, das Häuschen genauer zu inspizieren. Sie schlich daran vorbei und musterte es verstohlen. Es sah aus wie hundert andere in der Stadt. Sie folgte der Straße bis zum Ende, bog nach rechts ab und stand unvermittelt vor dem Kalchtor, durch das sie vor wenigen Tagen die Stadt betreten hatte. Anna drehte um, entschlossen, noch einen letzten Blick auf das Haus zu werfen, in dem Vev verschwunden war. Als sie wieder am Haus anlangte, sah sie einen jungen Mann, der ebenfalls viermal an die Tür klopfte. Diese öffnete sich, und er ergriff die Hand, die sich ihm entgegengestreckte. Anna hörte ihn murmeln: „Das Wort ist Fleisch geworden."

Die seltsame Begebenheit beschäftigte Anna noch, als sie schon längst wieder in der Kuchl beim Kochen stand. Die Worte, mit denen der junge Mann um Einlass gebeten hatte, waren eindeutig die Losung, mit der sich auch die Täufer in Augsburg zu erkennen gaben. Vev war nicht zu ihrer Base gegangen, sondern zu einer Winkelpredigt! Es musste also auch hier im Allgäu Zusammenkünfte geben, wie in Augsburg. Sie musste mit Lenz darüber sprechen.

Die Tür flog auf und Lenz trug den vor Freude glucksenden Ignaz auf dem Rücken herein. „Hier riecht es aber verführerisch. Gibt es Gemüsesuppe zum Nachtessen?" Er setzte Ignaz ab.

Lodweber trat in die Küche. „Da läuft einem ja das Wasser im Munde zusammen." Wie schon die letzten Tage war er nüchtern. Mit einem Lächeln im bärtigen Gesicht schnitt er den frischen Brotlaib auf. Er schickte Lenz in den Keller, um einen Krug dünnen Bieres zu holen.

Lodweber faltete die Hände und sprach das Tischgebet: „Sei nicht ferne von uns, o Gott, sondern segne durch deine Gegenwart, was deine Güte uns bescheret hat; damit wir es mit rechtem Danke gegen dich und mit rechter Mäßigung genießen. Amen."

Dann teilte Lodweber den Eintopf aus.

Während des Essens besprachen der Meister und Lenz, wie sie einen neuen Auftrag kalkulieren sollten. Trotz der angespannten Lage der Werkstatt war Lodwebers Zuversicht zurückgekehrt.

Ignaz kratzte mit seinem Rosenholzlöffel die letzten Reste aus der Schüssel vor ihm. Strahlend sah er zu Anna: „Essen." Sie tätschelte ihm den Kopf. Es würde nicht mehr lange dauern, bis er wieder richtig sprach.

„Bleibt die Vev über Nacht bei ihrer Base in Amendingen?", fragte Anna.

„Ja", antwortete Lodweber kurz angebunden. „Das hat sie mir gesagt."

Es schien, als hätte die Magd auch den Meister belogen.

„Der Leander ist bei seinen Eltern und kommt erst morgen Mittag zurück. Ihr kommt doch morgen mit in die Stadtkirche *Unserer lieben Frau*?"

Lenz hakte nach:„Warum gehen wir nicht nach *Sankt Martin*? Das ist doch deutlich näher, als die Südstadt."

„In *Sankt Martin* predigt mit Georg Gugy dieser Tage ein Lutherischer. In *Unserer lieben Frau* dagegen liest wieder Simprecht Schenck die Messe. Er ist zurück in der Stadt und hat im Gegensatz zu Luther die Sache der Bauern unterstützt."

Anna überlegte, ob sie Lodweber nach den Täufern fragen sollte, ließ es aber dann. Sie wusste nicht, wie der Meister darauf reagieren würde.

Kapitel 5

31. Oktober Anno Domini 1527, Memmingen

Anna streute frische Binsen, durchsetzt mit getrocknetem Rosmarin und Thymian auf den Boden der ausgefegten Wohnstube und der Kuchl. Sofort zog ein würziger Duft durch alle Räume im ersten Obergeschoss des Lodweber-Hauses. Sie stapfte die enge Stiege ins Dachgeschoss, wo die Schlafkammern lagen. Auch hier fegte sie zuerst aus, bevor sie einen Sack Binsen verteilte. Vev hatte Anna angewiesen, das Haus am Tag vor Allerheiligen gründlich zu lüften und sauberzumachen. „Unsere verstorbene Meisterin Ursel hat stets großen Wert auf ein sauberes Heim gelegt," erklärte sie. „Wer weiß, vielleicht schaut ihre Seele heute Nacht nach dem Rechten?" Sie schlug ein Kreuz, bevor sie zusammen mit Ignaz zum Markt aufgebrochen war.

Anna war froh, dass sie nützlich sein konnte. Außerdem lenkte sie die Arbeit im Lodweber-Haushalt ab. Die schrecklichen Erinnerungen der letzten Wochen quälten sie nur noch selten in ihren Träumen.

Zuletzt nahm sie sich die Kammer des Meisters vor. Auf einem Tisch lagen einige Flugschriften. Neugierig griff sie danach und versuchte, den Titel der obersten Schrift zu entziffern. Ihr Finger glitt von

Buchstabe zu Buchstabe und leise murmelnd wiederholte sie das Gelesene.

„Du kannst lesen?"

Erschrocken fuhr Anna zusammen. Sie hatte die Magd nicht kommen hören.

„Wo ist Ignaz?", wich Anna aus.

„Er ist in der Werkstatt beim Lehrling. Du kannst lesen?" Eindringlich wiederholte Vev die Frage. Dabei sah sie Anna prüfend an.

„Ja, ein wenig." Anna fühlte sich ertappt. „Das handelt von Zwingli. Soviel konnte ich erkennen." Anna hielt kurz inne, bevor sie weitersprach. „Während du bei deiner Base in Amendingen warst, waren wir mit dem Meister in der Stadtkirche, wo ein Schüler Zwinglis predigte."

Vev senkte kurz den Blick, doch schnell hatte sie ihre alte Sicherheit wiedergewonnen. „Wer hat dir das beigebracht?"

Anna wählte ihre Worte mit Bedacht: „Ich stand bei einem Färber in Augsburg im Dienst. Eine Nachbarin hat es mich gelehrt."

„Du hast im Lechviertel gewohnt?"

„Ja, und wie gesagt die Nachbarin ..."

„Wie hieß die Frau?", unterbrach sie Vev.

Anna beschloss, ihr die Wahrheit zu sagen: „Sie heißt Daucher Susanna, aber alle nennen sie die Adolfin. Kennst du sie?"

Die Alte wandte sich ab und murmelte: „Wenn du hier fertig bist, kannst du mir beim Kochen helfen."

Gleich nach dem Mittagsmahl verließ Vev ohne ein Wort der Erklärung das Haus und war bislang nicht zurückgekehrt. Anna nutzte die freie Zeit und schlenderte mit Ignaz zum nahen Rossmarkt, wo die letzten Händler ihre Tiere vor dem Aufbruch fütterten. Die dürren Klepper, die jetzt noch zum Verkauf standen, hatten Ignaz nicht sonderlich begeistert. Vielmehr hatte es ihm der nahe Stadtbach angetan. Mit einem langen dürren Ast versuchte er die braunen Blätter herauszufischen. Ein eisiger Wind pfiff um die Häuserecken. Waren die letzten Tage noch sonnig gewesen, so schlug nun das Wetter endgültig um. Zum ersten Mal graute Anna nicht vor den langen, kalten Wintertagen. Sie alle hatten ein Dach über dem Kopf und genug zu essen. Der Meister blühte regelrecht auf, seit ihm Lenz zur Hand ging. Weil in der Werkstatt viel liegengeblieben war, sah sie die beiden jedoch meist nur zu den Mahlzeiten. Auch deshalb hatte sich noch keine Gelegenheit ergeben, mit ihm über Vevs Besuch im Weberviertel zu sprechen.

Jammernd streckte Ignaz Anna seine eiskalten Hände hin. Sie eilten zurück. In der Stube traf sie auf Lenz und Meister Lodweber bei einem Krug Bier. Sofort kletterte Ignaz auf Lenz' Schoß.

Lodweber lächelte, doch sein Blick war wehmütig auf die beiden gerichtet. „Das Glück eines Sohnes war meiner Ursel und mir leider nicht gegönnt.

Dann wäre ich jetzt nicht so allein und hätte gleichzeitig einen würdigen Nachfolger für meine Werkstatt." Unvermittelt sprang er auf und fasste Lenz an die Schulter. „Könntest du dir vorstellen, für immer bei mir zu bleiben? Ich würde dich an der Werkstatt beteiligen, wenn du das Bürgerrecht erworben hast."

Er wartete die Antwort von Lenz nicht ab und fuhr zu Anna gewandt fort: „Auch für dich und deinen Neffen ist hier Platz. Vielleicht sogar als Lenz' Eheweib?" Er rieb sich die Nase. „Oder was meinst du, Vev?" Er wandte sich seiner alten Magd zu, die gerade auftauchte.

Anna wunderte sich, dass der Meister Vev um ihre Meinung fragte, vor allem nachdem er anfangs mit ihr sehr rüde umgegangen war.

Vev lächelte: „Vielleicht hat die drei ja der Himmel geschickt." Die Blicke der beiden Frauen trafen sich und Anna wusste in diesem Augenblick nicht, was sie von der Antwort der Alten halten sollte.

Lodweber klopfte auf den Tisch. „Da magst du recht haben."

Als Anna nach dem Nachtessen im Licht von zwei Öllampen die zerrissenen Beinkleider des Meisters flickte, kam Lenz in die Stube.

„Ignaz schläft jetzt."

„Hans und Vev sind auch gerade zu Bett gegangen."

Er nahm ihr das Flickzeug aus der Hand. „Was meinst du zu dem Vorschlag des Meisters?"

„Da fragst du mich?"

„Natürlich, wen denn sonst?"

Anna hörte die Ungeduld in seiner Stimme.

„Er will mich in die Werkstatt aufnehmen. So eine Möglichkeit bekomme ich nie mehr."

„Was geschieht mit der Zimmererwerkstatt deines Vaters in Landsberg?"

„Was soll diese Frage? Ich kann nicht mehr zurück."

„Ja. Aber du hast selbst gesagt, dass dich dieser Amtmann Schaller nur als Lenz von Augsburg kennt. Vielleicht bleibt er ja nicht ewig in Landsberg. Dann wäre der Weg zurück möglich."

Er kniff die Augen zusammen. „Geht es dir wirklich um die Werkstatt? Oder glaubst du, dass ich zu Magdalena zurückgehe, wenn die Gefahr nicht mehr so groß ist?" Er stieß die Luft aus. „Ich habe dich sehr enttäuscht. Ich weiß nicht, welcher Teufel mich damals geritten hat, aber mit Magdalena verbindet mich nichts mehr. Vielleicht hatte ich es für einen kurzen Moment gedacht. Das gebe ich zu. Aber sie hat sich in den letzten beiden Jahren nicht geändert. Sie denkt nur an sich. Dass sie sogar meinen Vater mit ihren Intrigen behelligt hat, werde ich ihr nie verzeihen." Er war mit jedem Wort lauter geworden und Anna legte mahnend den Zeigefinger an die Lippen.

Leiser fuhr er fort: „Der Meister hätte nichts dagegen, wenn aus uns beiden ein Paar wird." Seine Stimme wurde flehender. „Wir hätten unser Auskommen, könnten ein ganz normales Leben führen und müssten uns nicht mehr verstecken."

Anna zog ihre Unterlippe zwischen die Zähne. Lenz hatte recht. „Und was ist, wenn uns die Vergangenheit einholt? Vev weiß, dass ich lesen kann."

Lenz sah sie verständnislos an. „Ja und? In Augsburg können viele Frauen lesen."

„Ja, aber als sie gehört hat, dass ich bei der Adolfin lesen gelernt habe, war sie irgendwie seltsam. Außerdem glaube ich, dass es auch in Memmingen Täufer gibt, mit denen sie sich heimlich trifft." Flüsternd erzählte sie Lenz, was sie vor einigen Tagen beobachtet hatte.

Lenz fuhr sich durch den Bart, in dem noch feine Holzspäne hingen: „Ich weiß nicht, wie der Meister als Zwinglischer zu denen steht. In Zürich war Zwingli zunächst gut auf die Täufer zu sprechen. Aber als sie ihre Prediger selbst bestimmten und zudem die Obrigkeit ablehnten, wurde er, so wie Luther auch, zu einem entschiedenen Gegner der Täuferlehre. So weit ich weiß, haben die Täufer hier in der Stadt nie Probleme mit dem Rat gehabt." Er winkte ab. „Solange wir uns da heraushalten und weiterhin mit dem Meister zum zwinglischen Prediger gehen, kann uns nichts geschehen."

Kapitel 6

„Seit Stadtpfarrer Haldenberger hier in der Stadtpfarrkirche predigt, hat man das Gefühl, dass wir alle in der Hölle landen, wenn wir nicht für unser Seelenheil bezahlen."

Stadtphysikus Moritz senkte die Stimme: „Beim alten Pfarrer Lorenz hat man wenigstens alles verstanden."

„Stimmt! Für seine lutherischen Predigten in deutscher Sprache hat er aber teuer bezahlt."

Moritz flüsterte: „Haldenberger hat es mir gegenüber gleichsam eingeräumt, dass er es war, der den Lorenz und seinen Benefiziaten damals nach München gemeldet hat."

„Das denkt ohnehin die halbe Stadt."

Das Eintreffen weiterer Gläubiger am Altar der Bauleute ließ Julia zunächst verstummen. Sie studierte die an die Wände des Chors gemalten Engel und deutete auf einen der geflügelten Himmelsboten: „Weißt du eigentlich, dass mein Vater diese Engel vor vierzig Jahren auf den Putz malen ließ?"

„Ich erinnere mich noch gut an ihn."

Resigniert senkte Julia den Kopf. „Es scheint, als läge ein Fluch auf unserer Familie. Das Glück blieb meinen Eltern lange verwehrt, weil die Umstände meinen Vater damals zwangen, die Stadt zu verlassen."

„Vielleicht wäre alles anders gekommen, wenn deine Schwiegertochter nicht bei Lenz' Geburt im Kindbett gestorben wäre", mutmaßte Moritz.

Das Läuten der Glocke unterbrach sie und Stadtpfarrer Haldenberger zog mit seinen Ministranten ein. Huldvoll nickend schritt er den Mittelgang entlang. Am Hauptaltar angekommen, sank er auf die Knie, küsste den kühlen Stein und sprach die heiligen Worte der Begrüßung: „In nomine Patris et Filii et Spiritus Sancti. Amen." Während er sich beim darauffolgenden Schuldbekenntnis inbrünstig auf die Brust schlug, hatte Julia das Gefühl, dass sein Blick gezielt auf Moritz gerichtet war.

Nach einem kurzen lateinischen Tagesgebet stieg Haldenberger auf die Kanzel. Huldvoll nickend sah er auf die Gläubigen herab. „Liebe Gemeinde! Es tut mir in der Seele gut, euch wieder so zahlreich in der heiligen Messe zu sehen." Mit einem falschen Lächeln fuhr er fort: „Doch mir ist wohl bewusst, dass ihr nicht ganz freiwillig gekommen seid. Die Ereignisse der letzten Wochen haben viele von euch zur Vernunft gebracht."

Julia verdrehte die Augen.

Er erhob drohend den feisten Zeigefinger. „Doch es sind nicht nur die Anhänger Doctor Luthers, die Volkes Seele vergiften. Nein! Diese wirren Verdrehungen der Heiligen Schrift haben nun auch noch den Wahnsinn der Wiedertaufe geboren." Wieder blieb sein Blick prüfend am Stadtphysikus hängen, bevor er weitersprach. „Es ist nur der Entschlossenheit Unseres Durchlauchtigsten Fürsten in München zu verdanken, dass wir dieses Übel mit Stumpf und Stiel aus unserer Erde ausreißen konnten."

Julia raunte ihrem Liebsten zu: „Bei solchen Reden wütet die Galle in meinem Inneren. Wegen solcher wie ihm muss sich Lenz verstecken."

Der Stadtpfarrer kam indes zum Höhepunkt seiner Predigt: „... möchte ich alle Gläubigen daran erinnern, dass Unser Hoher Fürst Wilhelm die stolze Summe von 32 Gulden ausgesetzt hat für Hinweise, die zur Ergreifung eines Wiedertäufers führen." Er hielt kurz inne, bevor er mit einem teuflischen Grinsen fortfuhr: „Nicht zu vergessen die 20 Gulden für jemanden, der an einer lutherischen Winkelpredigt teilnimmt."

Julia zitterte vor unterdrückter Wut. Der Mistkerl forderte gerade alle dazu auf, Nachbarn und Freunde zu denunzieren!

Eine Stunde später saßen Moritz und Julia im Gasthof zur Post gegenüber des Südwestportals der Stadtpfarrkirche. Julia war immer noch aufgebracht. „Nicht nur, dass Lenz fliehen musste. Nein! Jetzt fordert diese Schlange im Priestergewand auch noch dazu auf, Freunde und Familienmitglieder zu verraten."

„Nach all dem, was die letzten Wochen war, habe ich das kommen sehen. Dieses vermaledeite Kopfgeld hat schon die Verhaftungen in Hürben ausgelöst."

Tränen traten in Julias Augen. „Vermutlich brennen bald überall die Scheiterhaufen."

Moritz nahm ihre Hand und drückte sie.

„Es tut mir gut, dich an meiner Seite zu wissen. Dass du meinen Lenz davor bewahrt hast, sich und uns alle in Gefahr zu bringen, vergesse ich dir nie."

Moritz winkte ab. „Es war die richtige Entscheidung, auch wenn ich ihm hinterher kaum mehr in die Augen schauen konnte. Aber allein der Gedanke, dich der Folter ausgesetzt zu sehen ... Lass uns etwas essen." Sie bestellten einen kalten Braten, der auf Brotscheiben serviert wurde. Dazu tranken sie einen Weißwein vom Bodensee.

Als die Bedienung die Essbretter abgeräumt hatte, nahm Moritz das Gespräch wieder auf. „Wie nimmt es dein Sohn, dass Lenz nach Memmingen flüchten musste?"

„Lienhart hat schwer daran zu kauen. Heimlich hatte er immer noch gehofft, dass Lenz eines Tages die Werkstatt übernehmen würde. Aber da sehe ich jetzt schwarz. Trotzdem hat es auch sein Gutes. Ich glaube, er hat endlich verstanden, was oder besser gesagt *wer* Lenz vor zwei Jahren aus Landsberg vertrieben hat."

„Ich weiß, dass du Lenz sehr vermisst. Wenn du willst, besuchen wir ihn in Memmingen. Wenn es nicht so arg schneit, könnte ich den Bürgermeister an Weihnachten um Urlaub bitten."

„Das musst du nicht, mein Lieber. Nicht nur, dass sich viele Leute an Weihnachten überfressen und zu viel saufen. Hinzu kommt, dass gerade dieser hartnäckige Husten in Landsberg umgeht. Der wird sich sicher noch länger halten. Da lässt dich der Bürgermeister bestimmt nicht wegfahren." Sie hielt kurz inne. „Außerdem habe ich Angst, Lenz durch unseren Besuch in Gefahr zu bringen. Ich zweifle daran, dass der Haldenberger deine Geschichte von der vermeintlichen Befreiung der Gefangenen geglaubt hat. Heute schien es mir, als hätte er dich besonders auffällig beobachtet."

„Und wenn schon. Er kann mir nichts beweisen und kann mich deshalb nicht beim Pfleger anschwärzen."

„Weil du gerade den Pfleger erwähnst: Man munkelt, dass von Egloffstein daran beteiligt ist, dass in Kürze ein neuer Landrichter ernannt wird. Hast du darüber etwas gehört?"

„Ja", bestätigte Moritz, „das hat mir gestern Abend der Lebzelter Hirschauer in der Ratsstube gesteckt. Der Herzog ist wohl nicht zufrieden gewesen mit unserem Herrn Haidenbucher. Er soll in wenigen Wochen zurückkehren auf sein Gut in Kaufering."

„Der Haidenbucher wird ganz abberufen? Bleibt er nicht wenigstens Kastner in Landsberg?" Julia nippte am Wein.

„Wilhelm schickt ihn in den Ruhestand. Da haben der Pfleger und unser Herr Stadtpfarrer sicher kräftig mitgeholfen, dass es so kommt."

Julia senkte ihre Stimme. „Haldenberger ist immer noch sauer, weil der alte Kastner sich geweigert hatte, seinen Sohn in die Lateinschule zu ihm zu schicken."

Moritz grinste. „Das stimmt. Aber dass er gegen die unbarmherzigen Befragungen der gefangenen Täufer aufbegehrt hatte, dürfte ihm mehr geschadet haben. Er ist eben ein Humanist."

Julia legte ihre Hand auf den Arm ihres Liebsten und deutete mit dem Kopf Richtung Eingang, wo die Mitterhubers gerade den Schankraum betraten. Sofort zog die Familie alle Blicke auf sich, boten sie doch ein eindrucksvolles Bild. Voran stolzierte der alte Mitterhuber. Er ging immer noch aufrecht, obwohl ihn der Tod seines Sohnes Georg vor zwei Jahren schwer getroffen hatte. Seiner Frau Kreszentia dagegen hatte der Schmerz tiefe Furchen ins Gesicht gegraben und ihre gebeugten Schultern waren Ausdruck ihres gebrochenen Stolzes. Die Tochter Magdalena war das jüngere Ebenbild ihrer Mutter, bei der sich die einstige Schönheit nur noch erahnen ließ. Mit ihren weiblichen Rundungen an den richtigen Stellen zog die hochgewachsene Magdalena alle Blicke auf sich. Sowohl die der gaffenden Männer als auch den unverhohlenen Neid der meisten Frauen. Ihre rote Lockenpracht trug sie als unverheiratetes Weib offen. Äußerlich sah man ihr den Schmerz über den Verlust des Bruders nicht an. Aber Julia Kirchperger wusste aus leidvoller Erfahrung, dass die Trauer ihr Herz verhärtet hatte. Magdalena hatte damals einen Schuldigen gebraucht, um den Schmerz auszuhalten. Da war Lenz als Sündenbock gerade recht gewesen. Ohne Julia und Moritz eines Blickes zu würdigen, zog die kleine Prozession an ihnen vorbei. Der Wirt kam persönlich und bot der Familie einen Platz an seinen neuen Butzenglasfenstern zur Judengasse hinaus an.

Julia wandte sich wieder dem Physikus zu. „Was der Bauernkrieg damals aus unseren Familien gemacht hat." Sie schüttelte nachdenklich den Kopf. „Der Mitterhuber Georg ist auf dem Schlachtfeld geblieben. Und Lenz ist vor seinen Schuldgefühlen weggelaufen, die ihn beim Anblick von Magdalena nicht losgelassen haben. Letztendlich waren es ihre ständigen Vorwürfe, die Lenz aus der Stadt getrieben haben."

„Gräm dich nicht, Julia." Zärtlich strich ihr Moritz über den Handrücken. „Wir können die Vergangenheit nicht ändern. Ich habe Lenz erklärt, dass er am Tod seines Freundes Georg nicht schuld ist. Auf dem Schlachtfeld kann man niemanden beschützen. Und so groß kann Magdalenas Liebe zu Lenz nicht gewesen sein, wenn sie so mit deinem Enkel umgesprungen ist. Wobei ..." Er sah prüfend zum Tisch der Mitterhubers. „Ganz egal scheint ihr sein neuerlicher Weggang aber nicht zu sein. Sie sieht blass aus, findest du nicht?"

Julia nickte. „Das hat sicherlich einen anderen Grund."

Moritz sah sie ungläubig an. „Ich hatte es insgeheim vermutet, wollte dich aber nicht beunruhigen. Ist das Kind von Lenz?"

„Ich weiß es nicht. Vielleicht. Angeblich will ihr Vater sie mit dem Kistler Barthl aus dem Vorderanger verheiraten. Bei dem Grobschlacht ist sie sicherlich nicht gelegen. Aber der schaut bestimmt darüber hinweg, dass seine Zukünftige nicht mehr unberührt ist. Schließlich ist die Werkstatt der Mitterhubers eine gute Mitgift."

„Glaubst du, dass Magdalena das mitmacht?"

„Ich bezweifle es." Mit einem resignierten Gesichtsausdruck stand Moritz auf. „Wir können nur hoffen und beten, dass Magdalena nie erfährt, wohin Lenz zusammen mit Anna und Ignaz gegangen ist. Ich traue ihr alles zu, weil sie sicherlich diesen Kistler nicht heiraten will."

Kapitel 7

Der Mitterhuber Alfons stürmte mit zornesrotem Gesicht aus der Kuchl. Er schlug die Tür mit solcher Wucht zu, dass sie mit einem ohrenbetäubenden Krachen ins Schloss fiel.

Magdalena starrte ihm fassungslos hinterher. Das konnte doch nicht wahr sein! Dass ihr Vater sie unbedingt verheiraten wollte, war schon länger Tischgespräch. Schließlich war sie mit ihren neunzehn Jahren immer noch ledig. Aber der Kistler aus dem Vorderanger kam nicht infrage. Der war doppelt so alt wie sie. Sie wandte sich zu ihrer Mutter um, die händeringend am Tisch saß. „Warum sagst du nichts?" Magdalena kniete sich vor sie hin. „Du kannst doch damit nicht einverstanden sein."

„Was bleibt *uns* anderes übrig? In deinem Zustand." Magdalena sprang auf. Sie spürte, dass eine verräterische Röte ihr Gesicht überzog. „Wie meinst du das?"

„So, wie ich es sage."

„Ich weiß nicht, wovon du sprichst." Magdalena senkte den Blick.

Kreszentia seufzte. „Der Tod deines Bruders hat mir viel von meiner Kraft geraubt, aber blind bin ich deshalb noch lange nicht. Meinst du, ich habe nicht bemerkt, wie du dem Wandergesellen Franz schöne Augen gemacht hast? Der Kistler ist deine einzige Chance. Da sind dein Vater und ich einer Meinung. Oder willst du mit einem Bankert Schande über unsere Familie bringen?"

Die Stimme ihrer Mutter war eisig geworden, und Magdalena wusste nicht, wie sie darauf reagieren sollte.

„Du kannst von Glück sagen, wenn dich der Kistler nimmt. Er ist zwar alt, aber nicht dumm. Er wird den Braten sofort riechen, vor allem wenn wir auf eine rasche Hochzeit noch vor der Adventszeit drängen. Dein Vater wird deshalb bei den Verhandlungen über die Mitgift große Zugeständnisse machen müssen. Vermutlich nimmt dich dein Zukünftiger nur, wenn er gleich mit in die Werkstatt einsteigen kann." Ihre Mutter stand auf und packte Magdalena an der Schulter. „Und dem wirst du dich nicht widersetzen."

Magdalena wich zurück. So bestimmend ihr gegenüber hatte sie ihre Mutter noch nie erlebt. Mit tränenerstickter Stimme murmelte sie: „Bevor ich den alten Sack heirate, gehe ich in den Lech."

Lienhart schärfte die Stemmeisen und Hobel, bevor er sie in die Kiste packte. In den bevorstehenden Wintermonaten gab es nichts mehr zu tun. Seinen einzigen Gesellen hatte er heute Morgen in die Winterpause geschickt, weil ein versprochener Auftrag ausgeblieben war. Die Zeiten waren schwer. Die Leute hielten ihr Geld zusammen. Von den Verbindungen des kaltschnäuzigen Mitterhuber profitierte er nicht, da aus der Heirat von Lenz und Magdalena nichts geworden war.

Er erschrak, als die Tür aufflog. Irritiert musterte er den Hauner Caspar, der leicht schwankend im Türrahmen stand. Den versoffenen Weinhändler hatte Lienhart noch nie leiden können. „Ich wollte gerade abschließen. Es sei denn, du hast einen Auftrag für mich. Aber soviel ich weiß, lässt du dein Fuhrwerk immer beim Dorfwagner in Schwifting reparieren."

Der Weinhändler winkte ab. „Ich bin eh pressiert. Eigentlich bin ich nur gekommen, um *dir* ein Geschäft vorzuschlagen." Dabei sprach er wie immer so laut, dass man ihn sicherlich im ganzen Klösterl hörte. „Du glaubst nicht, wen ich letzte Woche in Mindelheim gesehen habe."

Eine düstere Vorahnung beschlich Lienhart. „Du wirst es mir gleich sagen", murmelte er.

„Lenz ist dort zusammen mit seiner Frau und seinem Sohn abgestiegen."

„Da irrst du dich! Lenz ist auf Wanderschaft in der Schweiz."

„Wenn ich es dir sage. Sein Bart macht ihn zwar älter. Und auch seine Narbe im Gesicht war kaum zu sehen. Aber ich kenne deinen Sohn von Kindesbeinen an. Ich täusche mich nicht."

„Wir wüssten, wenn er Familie hat", wiegelte Lienhart ab.

Hauners Stimme klang gehässig, als er fortfuhr: „Bist du dir da sicher? Soweit ich mich erinnere, ist Lenz damals klammheimlich verschwunden. Er hat sogar seine Zukünftige, die Mitterhuber Magdalena, sitzen lassen."

Lienhart wusste, dass ein Wortgefecht sinnlos war. Lenz' überstürzter Aufbruch war das Gesprächsthema der ganzen Stadt gewesen. Er schob den Weinhändler hinaus auf die Gasse. „Dank dir für die Nachricht. Aber du hast meinen Sohn sicherlich verwechselt."

„Es ist dir doch sicher ein paar Gulden wert, wenn ich dir sage, wohin er gefahren ist, oder?" Die Stimme des Weinhändlers nahm einen drohenden Tonfall an.

Lienhart zwang sich, ruhig zu bleiben, um dem Hauner nicht an den Kragen zu gehen. Betont gleichgültig antwortete er: „Von mir bekommst du keinen roten Heller. Du versoffenes Wagscheitl solltest deinen billigen Fusel besser verkaufen, als ihn selbst zu trinken."

Der Kehlkopf des Weinhändlers zuckte vor Erregung auf und ab. „Wenn ich es dir sage. Dein Sohn war in Mindelheim und ist nach Memmingen ..." Abrupt hielt er inne. Dann machte er auf dem Absatz kehrt und verschwand laut schimpfend Richtung Lechbrücke.

Lienhart war fassungslos! Das Geheimnis über Lenz' zukünftigen Aufenthaltsort war enthüllt. Mit einer schwerfälligen Bewegung war er im Begriff, die Tür zu schließen. Doch dann erblickte er im Schatten der Hausecke eine Frau mit langen, roten Haaren, unverkennbar in ihrer Erscheinung.

Mit jedem Schritt die Berggasse hinauf nahm Magdalenas Plan mehr Gestalt an. Ihre Füße schienen sie von selbst zur Werkstatt geführt zu haben, und sie empfand dies als göttliche Fügung. Sie hatte gehofft, dass sie dem alten Kirchperger die Wahrheit über Lenz' Aufenthaltsort entlocken konnte, aber das war nicht mehr nötig. Sie hatte bereits gehört, was sie wissen wollte. Nun galt es nur noch, ihre Eltern zu überzeugen.

Als sie die Kuchl betrat, saßen beide Mitterhubers am Tisch. Dem Gesichtsausdruck ihres Vaters entnahm sie, dass er Bescheid wusste.

Wütend fuhr er sie an: „Welcher Hundsfott hat dich geschwängert?"

Trotzig stemmte Magdalena die Fäuste in die Hüften. Ihrem Vater brauchte man mit einem Tränenausbruch nicht zu kommen. „Das wirst du nie erfahren."

„Das ist alles deine Schuld!" Er schnaubte und funkelte seine Frau an.

„Lass Mutter aus dem Spiel. Sie ist die Einzige, die mir helfen kann."

Ihr Vater hob drohend die Hand. „Wie stellst du dir das vor? Soll sie mit dir zu einer Hebamme gehen, die dir das Kind wegmacht? Wenn das rauskommt, sind wir geliefert."

„Da wäre unsere Tochter nicht die einzige", unterbrach ihn trotzig seine Frau.

„Das kommt für mich nicht infrage."

„Dann bleibt dir nichts anderes übrig als den Kistler zu heiraten. Wenn ich ihm genug Mitgift biete, hält er bestimmt das Maul."

„Das glaubst doch nur du", giftete Magdalena. „Sobald er im Wirtshaus einen über den Durst trinkt, ist er geschwätziger als die Waschweiber am Lech."

„Da hat sie recht", murmelte Kreszentia.

„Und was jetzt?"

Magdalena sah die Ratlosigkeit im Gesicht ihres Vaters und wusste in diesem Moment, dass ihrem Plan nichts mehr im Wege stand.

Kapitel 8

5. November Anno Domini 1527, Landsberg

Mit klopfendem Herzen trieb Bucherle Utzen sein Maultier zur Eile, als das Münchner Tor in Sicht kam. Ein Lächeln huschte über sein wettergegerbtes Gesicht. Das Schicksal meinte es endlich gut mit ihm, eröffnete ihm die Gelegenheit seines Lebens. Wenn er es geschickt anstellte, wäre er bald ein wohlhabender Mann. Er musste nur einen überzeugenden Bericht bei den hohen Herren am Sitz des Landgerichts Landsberg abliefern. Einen Bericht über zwei Handwerker aus Windach.

Bis gestern hätte er es nicht für möglich gehalten, dass die Wagner-Brüder der Ketzerei anheimfallen könnten. Doch er hatte es mit eigenen Ohren gehört: Während der Arbeit in ihrer Wagnerei hatten sie ›*Ein feste Burg ist unser Herr*‹ gesungen. In deutscher Sprache!

„Blasphemie", murmelte Utzen, während es ihn beim Gedanken daran schauderte. Diese Kerle maßten sich an, ein Lied über Gott den Herrn in Deutsch zu singen. Es würde ihn nicht wundern, wenn die beiden Wagner und ihre Familien auch noch der Wiedertäuferei schuldig wären.

Utzen überlegte fieberhaft. Er würde einfach behaupten, dass die Wagnerbrüder Wiedertäufer waren. Während die Anhänger Luthers oft mit Geldstrafen davonkamen, wurden Wiedertäufer ungleich härter bestraft – so wie die hingerichteten Lechrainer vor zwei Wochen. Der Gedanke an deren Schicksal ließ ihm einen Schauer über den Rücken laufen. Doch das verlockende Kopfgeld war zu hoch, um es in den Wind zu schlagen: 20 Gulden für die Meldung eines Lutherischen und die stolze Summe von 32 Gulden für einen Wiedertäufer! Das war mehr als der Jahreslohn eines Handwerkers.

Er schob sein schlechtes Gewissen beiseite. „Unter der Folter gesteht man ohnehin alles", murmelte er, während er auf das prächtige Landsberger Stadttor zuritt. Immerhin half er mit, diesem gotteslästerlichen Treiben ein Ende zu setzen. In Gedanken versunken malte er sich aus, was er mit der Belohnung alles kaufen konnte. Vielleicht ein neues Rapier, oder ein Pferd ...

„Halt! Wohin des Wegs?" Die Torwache hinderte ihn am Weiterreiten.

Er zügelte sein Maultier. Ungehalten erklärte er: „Ich bin der Bucherle Utzen, der Scherge der Hofmark Eresing."

„Was willst du dann hier in Landsberg?" Der Wachmann grinste ihn unbeeindruckt an. „Suchst du entlaufene Bauern bei uns?"

„Ich habe eine wichtige Nachricht für den Herrn Landrichter", erklärte Utzen so würdevoll, wie er nur konnte.

Die beiden Wachmänner musterten ihn misstrauisch von oben bis unten. „Du siehst nicht aus wie ein Scherge. Du trägst zwar ein Rapier, aber deine Kleidung hat schon bessere Tage gesehen. Am Ende bist du nur ein Vagabund? Sag, was du hier suchst, oder wir verhaften dich und führen dich dem Pfleger vor. Der weiß, wie man eine verstockte Zunge löst."

In seiner Not beschloss Utzen, es mit der Wahrheit zu versuchen. Vielleicht konnte er die beiden Einfaltspinsel damit beeindrucken. „Bei uns am nördlichen Ammerseeufer treiben Wiedertäufer ihr Unwesen. Wenn ihr mich nicht sofort zum Herrn Landrichter durchlasst, hält sich am Ende der Herzog selbst an euch schadlos."

Seine Worte zeigten Wirkung. Der Wortführer sah unsicher zu seinem Kameraden. „Wiedertäufer? In Eresing?", krächzte er.

Die Erwähnung der Ketzer schien den großen Kerl wie ein Blitz aus heiterem Himmel zu treffen. Selbstsicherer setzte Utzen nach: „In Eresing und in Windach. Wer weiß, vielleicht ist das ganze nördliche Ammerseeufer betroffen. Das sollte der Herr Landrichter schnellstmöglich erfahren."

Die vorher so auftrumpfenden Wachsoldaten gaben kleinlaut den Weg frei: „Den Herrn Landrichter findet Ihr im Palas in der Hauptburg."

„Wo genau hast du deine Beobachtung gemacht?"

„In der Wagnerei in Windach. Die beiden Brüder Jakob und Johann haben während der Arbeit an einem Fuhrwerk ketzerische Lieder gesungen."

„Waren die beiden alleine?"

Utzen schüttelte den Kopf. „Nein, Euer Gnaden. Ein Bauer Greilen aus Eresing war auch dort. Für ihn sollte das Gespann repariert werden", fügte er hastig hinzu.

Landrichter Haidenbucher schnaubte. „Die beiden haben also nur in deutscher Sprache gesungen? Woher willst du dann wissen, dass sie Wiedertäufer sind? Haben sie davon gesprochen?"

„Nein, Euer Gnaden. Aber nach allem, was im Fürchelmoos geschehen ist, muss man damit rechnen ..."

„Papperlapapp!", fuhr ihn der Landrichter an. „Deine haltlose Behauptung führt dazu, dass unschuldige Menschen der Folter unterzogen werden. Wenn man dir die Finger zerquetscht, gestehst du auch alles."

„Was gibt es zu gestehen?" Der Pfleger Gregor von Egloffstein trat in die Kanzlei.

Der Landrichter fuhr herum. „Wer hat Euch gerufen?"

„Die Wache am Münchner Tor war geistesgegenwärtig genug und hat mich in Kenntnis gesetzt." Er sah den Schergen Bucherle an. „Wie man mir berichtet, hast du Beweise, dass wir es auch am Ammersee mit Ketzerei zu tun haben?"

„Ja, mein Herr", entgegnete Utzen. Er räusperte sich geräuschvoll. „Ich rechne damit, dass sich die Ketzerei dort bereits ausgebreitet hat." Prüfend sah er zum Landrichter hinüber. So, wie der Pfleger auftrat, konnte er nicht einschätzen, wer hier das Sagen hatte.

Von Egloffstein löste das Rätsel auf, indem er die Initiative ergriff. „Wir müssen dieses Nest ausheben."

Haidenbucher wagte einen letzten Versuch. „Mein Nachfolger kommt erst in zwei Wochen. Sollte das nicht Richter Vogt entscheiden?"

Von Egloffstein kniff die Augen zusammen. „Nach meinem Dafürhalten solltet Ihr im besten Einvernehmen aus dem Amt scheiden, Herr Haidenbucher. Dazu gehört, dem Vogt Konrad ein wohlbestelltes Haus zu übergeben. Darum schlage ich vor, Ihr stellt mir einen entsprechenden Fahndungspermiss aus. Ich werde zusätzlich Verstärkung aus München anfordern. Hier in Landsberg habe ich nicht genug Männer." Er zog die Mundwinkel in einer spöttischen Geste nach oben: „Euer Permiss signalisiert dem Münchner Hof überdies, dass Ihr ein verlässlicher Mann seid." An den Schergen Bucherle gewandt, fuhr er fort: „Du wirst mich begleiten. Wir müssen einen Handstreich in deiner Hofmark vorbereiten."

9. November Anno Domini 1527, Windach

Sie kamen von der Salzstraße. Gregor von Egloff-stein führte vierzig Soldaten und Bewaffnete durch das Dorf Unterwindach ins nebelverhangene Tal der Windach. Seit vier Stunden waren sie aus Landsberg unterwegs. Die Feuchtigkeit der Novembernacht klebte in ihren Haaren und Bärten und legte sich über ihre Wämser wie Tau auf Spinnennetze. Für den Schlag gegen die Ketzer hatte von Egloffstein alle verfügbaren Amtleute des Gerichtsbezirks zusammengetrommelt. Obendrein hatte der Münchner Rentmeister ihm zehn Fußknechte überlassen, die tags zuvor am Nachmittag eingetroffen waren.

Die Männer überquerten mit grimmigen Mienen das Flüsschen Windach auf einer knarzenden Holzbrücke. Der Pfleger hatte sie trotz des langen Anmarsches von München nach Landsberg zwei Stunden nach Mitternacht mobilisiert. Wortlos marschierten sie durch die feuchten Nebelschwaden, die die Umgebung des Flusses verhüllten. Endlich tauchten die ersten Häuser von Oberwindach auf. Die vordersten Männer blieben stehen und warteten auf ihren Anführer. Von Egloffstein suchte nach dem Schergen Bucherle und winkte ihn zu sich. „Wo ist die Wagnerei?"

Utzen deutete nach vorne. „Das übernächste Anwesen. Es ist nicht mehr weit."

Von Egloffstein befahl: „Du gehst voraus. Wenn wir dort sind, geht je ein Mann abwechselnd links und rechts von dir. Wir umstellen das Rattennest wie besprochen. Los jetzt!"

Wenige Augenblicke später war das Anwesen von übellaunigen Männern umstellt, die darauf brannten, ihren Unmut an den Ketzern auszulassen.

Ein Hund begann zu bellen.

Eine alte Magd erschien, beruhigte das Tier und erstarrte, als sie die Bewaffneten entdeckte.

In diesem Moment gab von Egloffstein den Befehl zum Zugriff.

Am Nachmittag desselben Tages saß ein missmutiger Gregor von Egloffstein in der Kanzlei des Landrichters Haidenbucher und berichtete von den Verhaftungen in Oberwindach und Eresing.

„Wie viele Verbrecher habt Ihr denn nun in Haft genommen, Herr Pfleger?" Landrichter Haidenbucher ließ sich mit einem Seufzer in seinen Sessel fallen.

Täuschte sich von Egloffstein oder machte sich der Richter insgehcim über ihn lustig? Eine Spur zu laut antwortete er: „Wir haben drei Verdächtige festgesetzt. Den Oberwindacher Wagner Johann und seinen Bruder Jakob. Dazu eine Bäuerin Greilen aus Eresing."

„Nur drei Personen? Mehr Fische sind Euch nicht ins große Netz gegangen?"

„Jemand muss die Kerle vorgewarnt haben", presste der Pfleger hervor. „Wie dem auch sei, ich werde die Leute befragen. Gleich morgen in der Frühe. Passt Euch das, Herr Haidenbucher?"

„Sehr wohl, Herr Pfleger. Dann beginnen wir mit den ersten beiden Graden der peinlichen Befragung."

Gregor von Egloffstein schlug mit der flachen Hand auf den Tisch des Richters. „Wir werden alle Grade einsetzen. Morgen! Der Münchner Hof wünscht schnelle Ergebnisse. So einen humanitären Hokuspokus wie beim letzten Mal im Oktober können wir uns nicht mehr leisten."

Der Richter erbleichte.

Mit Genugtuung erkannte der Pfleger, dass von diesem Richterlein keine Gegenwehr zu erwarten war. „Ich habe schon Meldereiter in Bereitschaft, die die Urgichten nach München bringen werden."

Kapitel 9

Die Spannung lag schwer in der Luft, wie ein Gewitter vor dem Ausbruch. Seit fast einer Woche hatte Magdalena geschwiegen, verweigerte selbst die einfachsten Aufgaben. Ihre Eltern, verzweifelt und ratlos, hatten sie beobachtet, ahnungslos über ihre Pläne. Doch nun, mit ihrem gepackten Beutel fest in der Hand stand sie in der Kuchl. Der Geruch von gesottenem Fleisch hing in der Luft und für einen Moment kämpfte Magdalena mit aufsteigender Übelkeit.

Die Mutter sah ihre Tochter verwirrt an, während der Vater die Fassung verlor: „Was soll das? Das Maß ist voll! Ich dulde deine Launen nicht länger. Morgen gehen wir zum Kistler und regeln die Hochzeit."

Doch Magdalena war entschlossen, ihre Stimme kalt wie Eis: „Das werden wir nicht. Ich gehe zur Tante nach Memmingen."

„Wie? Was willst du bei meiner Schwester?" Obwohl ihre Mutter sie immer noch fragend ansah, hörte Magdalena die leise Zustimmung in ihrem Tonfall.

„Nur über meine Leiche", brauste ihr Vater auf. „Wie stellst du dir das vor? Das sind Zwinglische. Die haben es nicht einmal für nötig befunden, zur

Beerdigung deines Bruders zu kommen. Leute wie sie waren es doch, die die Bauern mit ihrem Geschwafel von Freiheit aufgestachelt haben. Dein Bruder hat für diese Flausen mit dem Leben bezahlt. Hast du das vergessen?" In seinen Mundwinkeln sammelte sich Speichel. „Wenn Pfarrer Haldenberger erfährt, dass du zu den Ketzern nach Memmingen gehst ... Was glaubst du, wird er sagen?"

„Nichts, wenn du ihm die richtige Antwort gibst. Ich bin bei der Tante, um sie zu unterstützen. Verkauf es ihm als christliche Nächstenliebe und dass ich sie vielleicht auf den rechten Weg des Glaubens zurückbringe. Dann wird er die Kröte schon schlucken." Die Schärfe ihrer Worte überraschte Magdalena selbst. Sie zwang sich zur Mäßigung: „Wenn ich zurück bin, habe ich so viel im Haushalt gelernt, dass ich den Kistler heiraten kann." Doch soweit würde es nie kommen. Da war sich Magdalena sicher.

„Und das Kind?", flüsterte ihre Mutter tonlos.

„Deine Schwester ist mit ihren einunddreißig Lenzen zehn Jahre jünger als du. Ihre Ehe ist kinderlos geblieben. Als Webern geht es ihnen schlechter als uns. Gegen einen kleinen Obolus sind sie sicher bereit, es aufzuziehen."

„Aber ..."

„Was aber?", keifte Magdalena. „Es ist die beste Lösung. Der Vater bringt mich morgen mit dem Wagen nach Memmingen."

„Wir können doch nicht einfach bei ihr auftauchen. Fragen müssen wir sie schon", brachte der alte Mitterhuber fassungslos hervor.

„Ich bin sicher, dass dir da etwas einfällt", antwortete Magdalena zynisch. „Du bist doch bekannt für dein gutes Händchen bei schwierigen Geschäften."

Ihr Vater starrte sie mit offenem Mund an, unfähig zu sprechen. Dann senkte er den Kopf und murmelte: „Ich schaue nach einem Salzfuhrwerk. Du fährst mit deiner Mutter am Sonntag."

Die Dunkelheit umhüllte Magdalena und ihre Mutter, als sie am Sonntag die Berggasse hinabstiegen. Sie setzten ihre Schritte mit Bedacht, um nicht auf den nebelfeuchten Lechsteinen auszurutschen. Magdalena wich den neugierigen Blicken der Landsberger aus, die zur ersten Frühmesse um die sechste Stunde in die Stadtpfarrkirche eilten. Vermutlich würde ihre Abreise schon bald Stadtgespräch sein. Wortlos hatte der Vater die Mutter zum Abschied kurz umarmt und ihr einen Beutel mit goldenen Florentinern zugesteckt. Magdalena hatte er keines Blickes gewürdigt.

Was würde sie in Memmingen erwarten? War Lenz wirklich dorthin gegangen? Und was, wenn er sie trotz ihrer Schwangerschaft nicht wollte? Doch diesen düsteren Gedanken verbannte sie sofort. Sie kannte Lenz zu gut. Er fühlte sich ihr gegenüber immer noch schuldig, das hatte sie in seinen Augen gesehen, als sie sich im Holzlager begegnet waren. Das war auch der Grund, warum er ihren Verführungskünsten so schnell erlegen war. Doch diese verdammte Anna stand zwischen ihnen. Was fand er bloß an dieser dürren Ziege? Und was war mit diesem Kind, von dem der Weinhändler gesprochen hatte? War es von Lenz oder der Bankert dieser Anna? Auf all diese Fragen hatte sie keine Antwort. Doch nun gab es keinen Weg mehr zurück.

Das Salzfuhrwerk stand vor der Leonhardikapelle bereit. Die Stadtwachen am Lechtor ließen das beladene Gespann schon vor Sonnenaufgang aus der Stadt, damit es die lange Strecke bis nach Memmingen an einem Tag bewältigte. Ihre Mutter händigte dem Kutscher, einem wortkargen Griesgram, das vereinbarte Fahrgeld aus. Sein Begleiter war etwas gesprächiger und wies sie an, hinten aufzusteigen, wo sie eingepfercht zwischen Salzfässern saßen. An diesem düsteren Novembertag fuhr zum Glück niemand sonst mit. Magdalena bemerkte die Erleichterung auf dem Gesicht ihrer Mutter, die nicht nur diesem Umstand geschuldet war. Die eigene Tochter bei lutherischen Ketzern war vermutlich besser als ein Bankert als Enkelkind, das man dem zukünftigen Bräutigam gegen Geld unterschob. Immer in der Angst, dass das Kuckuckskind irgendwann für Tratsch sorgte. Magdalena kämpfte gegen die aufsteigenden Tränen an. Obwohl sie ihre Mutter verstand, tat es ihr weh.

Lienhart schritt unruhig vor der Stadtpfarrkirche auf und ab, fern von den tuschelnden Grüppchen, die überall standen. Das Gerücht über die neuerlichen Verhaftungen von Ketzern hatte sich wie ein Feuer in trockenem Gras verbreitet. Man hatte die Unglücklichen nach München gebracht, wo sie vermutlich der Scheiterhaufen erwartete. Deshalb war die Messe heute voller als sonst, die Angst trieb die Landsberger in das Gotteshaus. Niemand wusste mehr, wer den Nachbarn oder Freund für ein paar Silberlinge verriet. Inmitten dieses Aufruhrs ging fast unter, dass die Mitterhuber Kreszentia und ihre Tochter heute Morgen in ein Salzfuhrwerk nach Memmingen gestiegen waren. Wenn Lienharts Befürchtungen wahr wurden, stand ihnen Ärger bevor. Er musste unbedingt den alten Mitterhuber sprechen, der gerade bei Pfarrer Haldenberger stand und eindringlich auf den Geistlichen einredete.

„Und? Weißt du schon was?" So als hätte sie seine Gedanken gelesen, eilte seine Mutter auf ihn zu.

„Nein. Du siehst ja selbst, dass er immer noch mit dem Pfarrer spricht", entgegnete Lienhart mürrisch.

Der Stadtphysikus Moritz gesellte sich zu ihnen. Mit besorgtem Gesichtsausdruck sah er seine Geliebte an. Seine Stimme klang düster: „Ich habe gerade erfahren, dass Magdalena ihre Tante in Memmingen unterstützt. Nächstes Frühjahr kommt sie zurück und heiratet den Kistler aus dem Vorderanger."

„Das kann doch kein Zufall sein", flüsterte Julia kreidebleich im Gesicht. Sie griff nach Moritz' Hand.

„Das ist auch kein Zufall", antwortete Lienhart trocken. „Vor ein paar Tagen war der Weinhändler Hauner bei mir. Er hat getönt, dass er Lenz in Mindelheim zusammen mit einer Frau und einem Kind gesehen hat. Er wusste auch, dass sie nach Memmingen wollten."

„Was hat das mit Magdalena zu tun?" Seine Mutter sah ihn verständnislos an.

„Sie hat das Ganze belauscht."

„Warum hast du mir das nicht gleich gesagt?"

„Ich wollte dich nicht beunruhigen," verteidigte sich Lienhart. „Ich konnte nicht ahnen, dass sie so weit gehen würde."

„Aber so wird ein Schuh draus." Moritz nickte bedächtig. „Magdalena ist raffinierter, als ich dachte. Sie versucht sicher, Lenz mit dem Kind, das sie erwartet, für sich zu gewinnen."

„Magdalena erwartet ein Kind?"

Seine Mutter fasste ihn am Arm. „Lass uns nach Hause gehen. Dort erzählen wir dir, was du von Magdalenas Ränkespiel um ihre neuen Heiratspläne noch nicht weißt."

Die letzten zwölf Stunden auf der Ladefläche waren eine Tortur für die beiden Frauen gewesen. Wenn es die Salzstraße zuließ, preschte das Fuhrwerk in halsbrecherischem Tempo vorwärts, sodass sie hin- und hergerüttelt wurden, während die Salzfässer bedrohlich wackelten. Sie hatten nur einen Kanten Brot und etwas Käse gegessen und ein paar Schluck verdünntes Bier gegen den größten Durst getrunken. Zu peinlich war es ihnen gewesen, unter den Augen der beiden Männer ihre Notdurft zu verrichten; nur spärlich hinter einem Busch verborgen.

Die löchrigen Decken hatten sie kaum gegen die feuchte Kälte geschützt, sodass ihnen ihre Glieder mehr schlecht als recht gehorchten, als sie beim Kalchtor in Memmingen von der Ladefläche stiegen. Die Mitterhuberin sah sich um. Nebel und Dunkelheit verschleierten die Umrisse der Häuser, hinter deren Fenstern man die brennenden Öllampen nur anhand eines gelben Scheins erahnen konnte. Sie war schon ewig nicht mehr bei ihrer Schwester gewesen und wusste nur noch, dass eine Gasse rechter Hand zum alten Viertel der Weber führte. Wie sollte sie die nur finden?

Ein monotoner Singsang näherte sich. Der Nachtwächter! Sie zog die vor Kälte zitternde Magdalena mit sich. Erschrocken fuhr der alte Mann zusammen, als die beiden Frauen plötzlich vor ihm standen.

„Ja, Herrgott, habed ihr mi erschreckad." Er hob seine Laterne höher und musterte sie mit zusammengekniffenen Augen. „Zwoi Weibsleit, ganz aloi."

„Guter Mann! Wir müssen zu meiner Schwester, der Pfeiferin im Weberviertel."

„Die kenne ich. Aber ich wusste nicht, dass die Pfeiferin eine Schwester hat."

„Wir sind aus Landsberg auf Besuch."

„Ah! Ihr seid mit einem Salzfuhrwerk gekommen." Mit Blick auf Magdalena erklärte er: „Es ist nicht weit von hier. Damit der hübschen Feel nix passiert, bringe ich euch." Er bedeutete ihnen, ihm zu folgen.

Kurz darauf standen sie vor einem Häuschen, das schon bessere Tage gesehen hatte. Kreszentia steckte dem Mann einen Silberpfennig zu, für den er sich überschwänglich bedankte. Nachdem der Nachtwächter wieder verschwunden war, klopfte sie. Nichts tat sich. Sie klopfte noch einmal kräftiger. Durch das Fenster sahen sie den Lichtschein einer näherkommenden Kerze. Schlurfende Schritte ertönten, die Tür öffnete sich knarrend und sie blickten in das überraschte Gesicht der Pfeiferin. Selbst im Halbdunklen war ersichtlich, dass ihr Besuch nicht willkommen war.

Kapitel 10

13. November Anno Domini 1527, Augsburg

„Groß und wunderbar sind Deine Taten, Herr und Gott, Du Herrscher über die Schöpfung. Gerecht und zuverlässig sind Deine Wege, Du König der Völker." Mit geschlossenen Augen spürte die Adolfin den Worten nach. Dann sah sie wieder in die Bibel und beendete ihre Lesung mit den Worten: „Offenbarung des Johannes, Kapitel 15, Vers 3." Sie lächelte.

„Amen!", riefen die Brüder und Schwestern der Gemeinschaft, die sich in ihrer gemütlichen Stube versammelt hatten. Die Adolfin strahlte vor Freude, dass auch der Sedlmaier Jörg an diesem Sonntag die 14 Meilen lange Reise vom bayerischen Hochdorf ins Lechviertel auf sich genommen hatte, um dabei zu sein. Doch sobald sie daran dachte, dass der Augsburger Rat ihre Zusammenkunft als Winkelpredigt verunglimpfen könnte, zog sich ihr Magen vor Angst zusammen. Entschlossen schob sie diesen Gedanken beiseite und bekreuzigte sich. „Ich bringe das Mahl herein. Jos, könntest du bitte den Wein einschenken?"

Während des Essens erörterten die Täufer angeregt die vorgetragene Bibelstelle. Besonders die zahlreichen Frauen beteiligten sich eifrig daran.

Nach dem Mahl setzte sich die Adolfin zur Kießling Barbara, deren Mann Hans drei Wochen zuvor aus dem Gefängnis entlassen und der Stadt verwiesen worden war: „Es ist nicht nur mir aufgefallen, dass du oft mit den Tränen kämpfst. Kein Wunder, nachdem der Rat eure Werkstatt verkauft hat. Aber immerhin hat er dir das kleine Austragshäusl gelassen." Sie legte Kießlings Frau eine Hand auf die Schulter. „Hast du Nachricht von Hans?"

Wieder kamen Barbara die Tränen. „Er hat mir geschrieben. Er ist vorerst in Göggingen beim Müller Lang untergekommen."

„Das sind gute Nachrichten. Der Lang Laux ist ein Gleichgesinnter. Vertrau auf den Herrn, Barbara. Er wird dir Gerechtigkeit schenken." Sie umarmte sie und setzte sich zum Färber-Jos und dem Sedlmaier Jörg. Mit gesenkter Stimme fragte sie Jörg: „Schön, dass wir uns mal wieder alle zum Gebet treffen. Bleibst du über Nacht?"

Jörg schüttelte den Kopf. „Ich möchte zurück in den Lechrain."

Mit gerunzelter Stirn musterte ihn die Adolfin. „Denkst du, es ist in Baiern sicherer für dich als hier bei uns in Augsburg?"

„Natürlich nicht. Aber ich habe den größten Hof im unteren Lechrain und möchte ihn nicht im Stich lassen."

„Du musst damit rechnen, dass der Landsberger Pfleger nach dir sucht. Sicherlich kennt er deinen Namen aus den Verhören unserer Brüder."

Jörg schnaubte. „Damit muss ich rechnen. Deshalb breche ich am Nachmittag auf und gehe auf abseits gelegenen Pfaden am Lech entlang nach Schmiechen. Dort werde ich mich in der Scheune eines Glaubensbruders ausruhen und erst in der Nacht nach Hochdorf zurückkehren."

„Und dann? Auf deinem Hof kannst du nicht bleiben."

„Ich lebe vorerst in einer Hütte im Haspelwald nördlich von Hürben, bis Gras über die Sache gewachsen ist. Im Wald des Herzogs sucht man mich am allerwenigsten."

„Dann lass uns aufbrechen, wenn du vor dem langen Marsch noch etwas Ruhe finden willst", drängte der Färber-Jos. Sie verließen das Daucher-Anwesen im Norden der Hinteren Lechgasse und erreichten keine hundert Schritte später die verlassene Maurerwerkstatt ihres Glaubensbruders Kießling. Der Färber-Jos hielt an. „Wie steht es um die Mission im Lechrain?"

„Wie soll es schon stehen?", brauste Jörg auf. „Ich kann sie nicht fortführen, weil ich gesucht werde." Er deutete auf die verwaiste Maurerwerkstatt. „Du siehst ja, wie es Kießling ergangen ist. Er hat nur seine Werkstatt eingebüßt. In Baiern hätte er auch seinen Kopf verloren."

Jos nickte bedächtig. „Da hast du wohl recht. Ich gebe allerdings zu bedenken, dass sich die Sammlung der 144.000 Gerechten nicht vergrößern wird, wenn wir keine Risiken eingehen. Du weißt, dass unser Bruder, der Hut Hans, das nächste Pfingstfest als Datum für das Jüngste Gericht ermittelt hat."

„Wer sagt uns, dass Hut richtig liegt mit seiner Vermutung?"

„Das ist keine Vermutung", beharrte Jos. „Gott hat zu Hut gesprochen nach der Schlacht in Frankenhausen. Das ist so gewiss, wie etwas nur gewiss sein kann." Der Färber-Jos sprach mit großer Ernsthaftigkeit.

Jörg schüttelte den Kopf, erwiderte aber nichts.

Den Rest des Weges bis zum Haus am südlichen Ende der Hinteren Lechgasse legten sie schweigend zurück. Sie überquerten die kleine Brücke über den Lechkanal, der zu Jos' Haus führte. „Komm, wir gehen nach oben in meine geheime Kammer. Dort kannst du dich ausruhen, bevor du nach Hause aufbrichst."

Die Haustür wurde aufgeschlossen und schwere Schritte stapften die knarzende Stiege herauf. Die Adolfin wischte sich die Hände an der Schürze ab.

„Hallo, wie geht es meinem guten Weib?" Breit grinsend stand ihr Mann Adolf im Türrahmen.

Sie lächelte und umarmte ihren Gatten. „Adolf, mein Lieber. Ich habe dich noch gar nicht zurück erwartet."

Er löste sich aus ihrer Umarmung und deutete auf die Anrichte in der Ecke, wo sich ein gutes Dutzend benutzte Schüsseln und Becher stapelten. Misstrauisch fragte er: „Ich dachte, die Gesellen und Lehrlinge essen sonntags bei ihren Angehörigen oder auswärts? Du hast doch nicht wieder deine Wiedertäufer im Haus bewirtet?" Er schnaubte. „Du weißt ganz genau, dass es der Rat vor einem Monat verboten hat, Winkelprediger zu speisen und Versammlungen abzuhalten. Was, wenn uns jemand anzeigt?"

„Unsere Treffen sind keine *Winkelpredigten*. Wir lesen das Wort Gottes und essen zusammen. Was ist daran verkehrt?"

„Das siehst du so. Aber am Sonntag gehen gute Christen in die Kirche. Die Bibelkreise mit deinen Frauen kannst du auch unter der Woche abhalten. Der Stadtrat sieht das bestimmt genauso. Nicht umsonst halten die Stadtoberen einige deiner Wiedertäufer-Freunde immer noch im Gefängnis fest." Er sah sich um. „Wo sind die Buben?"

„Reg dich nicht auf. Alles ist in bester Ordnung. Der kleine Adolf und Paul sind bei meiner Schwester Maxentia", erklärte sie eilig. Die Adolfin wechselte das Thema: „Sag, wie war es in Wien?"

Ihr Mann wich der Frage aus. „Du setzt alles, was wir erreicht haben, aufs Spiel! Wir haben eine der größten Bildhauerwerkstätten in Augsburg. Ich arbeite für die einflussreichsten Familien. Meine Werke zieren alle Kirchen, sowohl diejenigen, in denen nur Altgläubige beten, als auch solche, die Anhänger der Reformation einlassen. Glaubst du, dass ich weiterhin in meinem Keller Leichen sezieren darf, um deren Körper zu studieren, wenn herauskommt, dass du Ketzer bewirtest?"

Die Adolfin wusste, dass er recht hatte. Trotzdem glaubte sie, das Richtige zu tun. Sie legte die Arme um ihn, aber er stieß sie weg.

„Denkst du auch mal an die Kinder? Wenn man dich wie den Kießling aus der Stadt wirft, wer soll sich dann um sie kümmern?" Seine Zähne mahlten und er war eindeutig kurz davor, völlig die Beherrschung zu verlieren.

„Du hast ja recht", lenkte sie ein. „Ich würde nie etwas tun, das unsere Buben in Gefahr bringt. Außerdem ist auch die Rehlinger Maria heute dabei gewesen."

„Was?" Er starrte sie entgeistert an. „Die Frau des Bürgermeisters war auch da? Weiß ihr Mann davon?"

Sie wich aus. „Das geht mich nichts an. Sie kann jedoch bezeugen, dass wir nur in der Bibel lesen."

Adolfs Gesichtszüge entspannten sich.

Die Adolfin bemerkte es sofort und hakte nach. „Hast du Hunger? Ich habe noch Reste des Mittagsmahls da. Dann kannst du mir auch erzählen, ob du den Auftrag in Wien erhalten hast."

Die Erwähnung seines Vorhabens lenkte ihn tatsächlich ab. Er küsste sie auf den Mund. „In der Tat, ich habe nur eine Kleinigkeit gegessen heute Morgen." Er setzte sich. „Und ja, ich habe den Auftrag. Man möchte von mir eine Kopie der *Beweinung Christi*, die ich mit meinem Vater im Elsass gefertigt habe."

„Das ist ja großartig, Adolf! Ich freue mich so für dich, mein Lieber." Sie stellte ihm kalten Braten hin und goss ihm einen Becher Südtiroler ein.

Er umfasste ihre Hüfte und zog sie an sich. „Wann kommen die Buben wieder?"

„Erst gegen Abend."

„Dann lass uns die Zeit nutzen." Er trank einen großen Schluck Wein und biss ins Fleisch, bevor er sein Weib hinauf in die Schlafkammer zog.

Während die Adolfin und ihr Mann das Lager teilten, schlich der Sedlmaier Jörg nur wenige hundert Schritte entfernt aus der Färberei seines Freundes Jos. Mit gesenktem Kopf eilte er die halbe Meile bis zum Schwibbogentor. Aus den Augenwinkeln beobachtete er dabei alle Menschen, die ihm begegneten. Doch niemand musterte ihn oder starrte ihn gar feindselig an. Trotzdem pochte sein Herz heftig, als er die enge Gasse betrat, die zum Schwibbogentor führte. Die beiden Stadtsoldaten, die dort postiert waren, kontrollierten sorgfältig die Hereinkommenden. Wer die Stadt verließ, blieb in der Regel unbehelligt.

Jörg atmete tief durch und setzte sich in Bewegung, bemüht, so unauffällig wie möglich zu wirken. Mit ruhigen Schritten passierte er die Wachposten und überquerte die steinerne Brücke, die schon die Römer errichtet hatten. Jörgs Herz raste, doch nichts geschah. Niemand rief ihm nach. Erst als er eine Bogenschussweite zwischen sich und die Stadtmauer gebracht hatte, wagte er es, sich umzudrehen. Die Wachposten standen beieinander und plauderten. Erleichtert atmete er auf. „Ich sehe Gespenster!", schalt er sich selbst und beschleunigte seinen Schritt, entschlossen, das Zollhaus bei der Lechbrücke noch bei Tageslicht zu erreichen.

Nach einer halben Stunde erreichte er die Zollstelle am westlichen Lechufer. Es dämmerte bereits. Als er die Brücke betreten wollte, rief eine barsche Stimme: „Hey, du da. Stehen bleiben!" Ein Wachtposten torkelte auf Jörg zu und packte ihn am Kragen. „Was hattest du in Augsburg zu schaffen?"

„Nichts", krächzte Jörg. „Ich war bei einem Freund. Wir haben zusammen die Messe besucht und waren dann noch einen trinken", log er.

Der Wachtposten starrte ihm misstrauisch in die Augen, sein fauliger Atem voller Branntwein. „Das soll ich dir glauben? Drüben in Baiern gibt es doch auch Kirchen. Was hast du wirklich gemacht?"

„Ich habe nur meinen Freund besucht. Ihr müsst mir glauben, mein Herr."

„Mein Herr! Es wird dir nicht helfen, wenn du mir Honig ums Maul schmierst. Am Ende bist du einer dieser Wiedertäufer! Habe ich recht?"

Jörg rutschte das Herz in die Beinlinge. Verzweifelt suchte er nach einem Ausweg. Wenn dieser Narr ihn verhaftete, war alles verloren. „Ihr irrt Euch, mein Herr."

Der grobschlächtige Kerl schubste Jörg, der auf dem feuchten Boden ausglitt und stürzte. Der zweite Wachmann kam hinzu, die Hellebarde drohend erhoben.

Jörg rappelte sich hoch. „Vielleicht sind die Herren hungrig vom anstrengenden Dienst? Ich habe noch einen halben Schinken bei mir und ein Brot. Beides teile ich gerne mit Euch."

Die Soldaten stutzten. Dann breitete sich ein Grinsen auf dem Gesicht des Trunkenbolds aus. „Das klingt gut. Lass mal sehen."

Kapitel 11

Die alte Magd Gretl wusste, dass der Tod bereits auf
sie wartete. Hoffentlich blieb ihr noch genug Zeit,
um ihren Jörgl, wie sie den Bauern nannte, vor dem
drohenden Unheil zu bewahren. Sie zog den Mantel
fest zu und legte sich zum Schutz vor der feuchten
Kälte ein Tuch über den Kopf. Die Öllampe in ihrer
Kammer ließ sie brennen, um den Schein für das andere Gesinde zu wahren. Niemand durfte erfahren,
dass sie sich nachts vom Sedlhof schlich, um den
Bauern in der Hütte des herzoglichen Holzhüters zu
versorgen. Lange konnte sie die Mär nicht mehr auf-
rechterhalten, dass der Sedlbauer auf Reisen war,
um neue Abnehmer für sein Getreide und das
Schlachtvieh zu gewinnen. Außerdem war Ende Oktober der Amtmann aus Landsberg mit seinen Soldaten auf dem Hof aufgetaucht und hatte nach dem
Bauern gefragt. Der kam bald wieder. Vor allem
nach der gestrigen Nachricht, die sich wie ein Lauffeuer im ganzen Fürchelmoos verbreitete.
Der Mond war fast voll und erleuchtete mit seinem
blassen Licht den Weg. Erst am Waldrand traute sie
sich, die Laterne anzuzünden. Der Regen gefror
mittlerweile an den Bäumen und ihre gichtigen Fin-

ger umschlossen für einen Moment das warme Licht. Vorsichtig setzte sie einen Fuß vor den anderen, um nicht auf den glitschigen Wurzeln auszurutschen. Hinter ihr knackte es und sie blieb erschrocken stehen. War ihr jemand gefolgt? Sie beruhigte sich mit dem Gedanken, dass es vermutlich nur ein Tier auf Futtersuche war. Kaum in der Hütte angekommen, entfachte sie ein Feuer im Kamin. Der verräterische Rauch diente gleichzeitig als Abschreckung für die Dörfler. Nur auf Befehl des Herzogs in München durfte hier Holz geschlagen werden, und das nur für seine Bauprojekte. Wer beim Holzdiebstahl erwischt wurde, war des Todes – dafür sorgte der gefürchtete Holzhey Rätzl, der während der Fällarbeiten in der Hütte lebte. Rätzl, ein Freund von Jörg, hatte diesem erlaubt, sich hier zu verstecken. Doch spätestens Mitte November musste Jörg verschwunden sein, denn dann rückten die Waldarbeiter zum Holzschlagen an.

Erschöpft setzte sie sich in den Stuhl vor dem Kaminfeuer und wickelte sich in eine Decke. Beides vermochte kaum die Kälte zu vertreiben, die in ihren alten Knochen steckte. Ihre Gedanken wanderten zurück in die Vergangenheit. Gretl hatte sein ganzes Leben lang auf ihn aufgepasst. Seinem früh verstorbenen Vater hatte sie versprochen, jedes Unglück von ihm fernzuhalten. Dann tauchte plötzlich der Schuster Gebhart aus Hürben auf, gefolgt von seiner verdorbenen Schwester Anna, die sich später in Augsburg als Magd verdingte. Obwohl sie bald reumütig auf den Hof zurückkehrte, brachte sie ihren zwielichtigen Begleiter Lenz mit, dem Jörg sogar Arbeit in Schmiechen verschafft hatte. Mit ihrer Rückkehr nahm das Unheil seinen Lauf: Kurze Zeit später wurden der Schuster Gebhart, seine Kumpane und der mysteriöse Lenz als Ketzer verhaftet. Sofort eilte Anna dem Gesindel nach Landsberg hinterher. Doch das Schlimmste war, dass sie ihren kleinen Neffen mitnahm, der nach dem plötzlichen Tod seiner tiefgläubigen Mutter alleine gewesen wäre. Der Kleine war Gretls einziger Lichtblick! Und nun war ihr geliebter Jörgl auch verdächtig. Nur weil er so gutmütig war. Diese Gedanken raubten Gretl seit Tagen den Schlaf und auch jetzt fand sie keine Ruhe, obwohl eine bleierne Müdigkeit ihr die Augen zudrückte.

Sie sah aus dem Fenster. Dem Stand des Mondes nach zu urteilen, musste es bereits nach Mitternacht sein. Eigentlich sollte Jörg schon längst aus Augsburg zurück sein. Sie nestelte den Rosenkranz aus ihrer Schürzentasche. Ihre Finger glitten von Perle zu Perle und wie von selbst murmelten ihre Lippen das *Ave Maria*. Das Gebet verschaffte ihr zwar keinen Schlaf, aber wenigstens etwas Ruhe im Kopf.

Jörg lauschte angestrengt in die undurchdringliche Finsternis. Es war nur noch eine halbe Meile bis zur Hütte. Immer wieder strauchelte er auf dem gefrorenen Boden, traute sich aber nicht, eine Laterne anzuzünden. Bisher war alles gutgegangen. Am bairischen Ufer des Lechs hatte er den gierigen Grenzern fünf Silberpfennige in die schmutzigen Hälse stopfen müssen, damit man ihn unbehelligt ziehen ließ. In Schmiechen hatte er sich in der Scheune eines Glaubensbruders ausgeruht. Von dort war er kurz vor Mitternacht aufgebrochen. Bei Tageslicht wären die acht Meilen in drei Stunden zu bewältigen. Aber der Weg im Finstern an Hürben vorbei bis in den Haspelwald zog sich nun schon vier Stunden hin. Endlich fand er den überwucherten Pfad, der zur Hütte führte. Je näher er ihr kam, desto stärker roch er den Rauch. Jemand musste in der Hütte sein. Gut, dass er keine Laterne angezündet hatte. Obwohl er vorsichtig weiter schlich, konnte er die knackenden Zweige unter seinen Füßen nicht verhindern. Er blieb wie angewurzelt stehen, als die Tür aufgerissen wurde. „Jörg! Bist du das?"

Erleichtert atmete er auf. Es war seine alte Magd Gretl. „Ja, ich bin's. Was machst du denn hier? Ich habe dir doch beim letzten Mal gesagt, dass mir der Färber-Jos Proviant mitgibt."

„Komm erst mal rein." Sie winkte ihn in die Hütte, schloss die Tür.

Jörg stellte sich vor den Ofen. Eine wohlige Wärme ging von dem schwarzen Ungetüm aus und er merkte erst jetzt, dass er völlig durchgefroren war.

Gretl nahm eine Kanne vom Ofen und goss ihm einen Becher Würzwein ein, der ihn augenblicklich belebte. Ein seltenes Gefühl der Zuneigung für Gretl durchströmte ihn. Immer hatte sie sich um ihn gekümmert. Mit eiserner Hand sorgte sie für Ruhe unter dem Gesinde. Sie durfte nie von seinem Doppelleben erfahren. Das würde ihr das Herz brechen.

Prüfend musterte sie ihn. „Was ist los? Du wirkst bedrückter als die letzten Tage."

Das war er auch. So deutlich wie gestern Nachmittag hatte ihn der Färber-Jos noch nie zur Missionierung gedrängt. Jörg winkte ab. „Ich bin einfach nur müde. Und ich vermisse meinen Hof."

„Dann komm zurück! Die werden dir keinen Strick daraus drehen, nur weil du mit dem Schuster Gebhart bekannt warst und seiner Schwester und diesem Lenz geholfen hast." Sie ereiferte sich: „Du bist einer der reichsten Bauern im ganzen Lechrain. Du hast Einfluss. Pfarrer Sättelin kennt dich als guten Christen. Du gehst regelmäßig zur Messe, wenn du in Hochdorf bist."

Pfarrer Sättelin! Für einen Moment spielte Jörg mit dem Gedanken. Vielleicht würde der Hofhennaberger Pfaffe tatsächlich gegen eine großzügige Spende ein gutes Wort bei Amtmann Schaller einlegen. Für die verirrte Seele, die unter schlechtem Einfluss auf dem rechten Weg des Glaubens gestrauchelt war. Aber selbst als reicher Großbauer konnte er keine 32 Gulden aufbringen. So hoch war mittlerweile die Belohnung für die Ergreifung eines Wiedertäufers. Warum sollte sich Sättelin mit weniger zufriedengeben, wenn er deutlich mehr haben konnte? Jörg winkte ab. „Das ist gut gemeint von dir, aber das wird nicht klappen. Warum bist du eigentlich hier?"

„Man hat den Prenner Jörg verhaftet."

„Den Tagelöhner Prenner?" Jörg war entsetzt. Die Schergen des Herzogs gaben keine Ruhe!

Gretl nickte. „Ich habe es selbst erst erfahren. Sie haben ihn auch gleich ins Schloss nach Hofhennaberg gekarrt."

Hatte Jörg bisher insgeheim noch gehofft, dass er der drohenden Verhaftung irgendwie entgehen konnte, so raubte ihm diese Nachricht die letzte Zuversicht. Auch der Prenner würde unter der Folter Namen preisgeben. Schließlich waren sie alle zusammen mit Gebhart vergangenen Januar in Augsburg getauft worden.

Unbeirrt fuhr Gretl fort. „Das ist auch gut so. Ketzer müssen bestraft werden. Außerdem munkeln die Leute, dass bald ein ganz hoher Herr als Inquisitor aus München kommt. Der wird dem falschen Glauben endgültig die Wurzel ausreißen." Triumphierend sah sie ihn an.

In diesem Moment spürte er, wie seine Zuneigung zu Gretl wie ein Schatten in der Abenddämmerung verblasste.

Thun allen und yeden Unnsern Pflegern, Richtern, Ambtleuten in unnsern Lande zu wissen, daß wir dem Martin Pasenseer von Jesenwang, sondern bevelch geben haben, auf die, so mit dem laster der Widertauff, und annderen Ketzerein beflegt sind, Ze laut unnser ausgangen mandat (13.11.1527) und landpot sein spech, und nachfrag zuhaben, und dieselben Mißtäter zum Gestentnis zubringen, demenach wollet Ime, wo Er hierInn an euch gelangen werdet, von Ambts wegen Hilf, und Anstande thun, damit solch Mitater In vencklich verwarung angenomen, und vermut unser ausgangen mandat, und Landpot gegen denselben gehandelt werde, des wollen wir uns zu euch allen, und yeden in ganzen ernst verlassen. Datum unnter unsern aufgedruckten Secrete zu München an Errichtag nach Andree Apostoli anno 1527.

Landesherrliche Original-Vollmacht für den Großinquisitor

Kapitel 12

Ein eisiger Wind aus Nordost blies dem Pasenseer Martin in den Rücken. Immer wieder zog er sich den Pelzkragen seiner Schaube in den Nacken. Nichts fürchtete er mit seinen vierzig Jahren so sehr wie einen Hexenschuss.

Heute Morgen war er vom Zisterzienser-Kloster Fürstenfeld aufgebrochen, mit den besten Wünschen des Abtes im Gepäck. Zusätzlich hatte ihm der Abt ein Gebäude im Dorf Jesenwang für seine Amtsgeschäfte versprochen, das dem Kloster gehörte. Jesenwang lag an den Grenzen des Fürchelmooses und in unmittelbarer Nähe zum unteren Lechrain, was es zu einem idealen Stützpunkt für Pasenseers Aufgabe machte.

Im Kloster war auch der Landsberger Amtmann Schaller zu ihnen gestoßen. „Der Landrichter in Landsberg hat mich zusammen mit dem Henker und zwei seiner Knechte ausgesandt, um Euch zu unterstützen."

„Ihr habt den Henker mitgebracht?", war es Pasenseer entfahren. „Ist das nicht ein wenig verfrüht?"

„In Landsberg haben wir Erfahrung mit Wiedertäufern. So verlieren wir keine Zeit, wenn peinliche Befragungen anstehen. Immerhin soll unser Herr Herzog die Wiedertaufe zu einem Malefizverbrechen erklärt haben, wie uns zu Ohren gekommen ist."

Irgendwer in Landsberg musste im Umfeld des Herzogs gut vernetzt sein, mutmaßte Pasenseer. Schnippisch erwiderte er: „Ob eine peinliche Befragung notwendig sein wird, entscheide ich, Herr Amtmann! Die Blutgerichtsbarkeit ist mir überantwortet worden. Darüber braucht Ihr Euch nicht den Kopf zu zerbrechen. Im Übrigen erwarte ich von allen meinen Untergebenen bedingungslosen Gehorsam sowie Treue zum Herzogshaus und zur Heiligen Mutter Kirche. Schreibt Euch das hinter die Ohren."

Pasenseer verabscheute diesen aufgeblasenen Wichtigtuer. Seit ihrem Aufbruch in Fürstenfeld folgte ihm der Amtmann wie ein räudiger Hund. Pasenseer war sich sicher, dass er diesen Kerl noch öfter in die Schranken weisen musste. Andererseits benötigte er jede helfende Hand, um erfolgreich zu sein.

Als ob der Amtmann Pasenseers Gedanken lesen konnte, ritt Schaller mit seinem prächtigen Hengst neben den Zelter des Inquisitors. Der Hengst schnappte sofort nach Pasenseers Stute, und das kleinere Pferd wich ängstlich aus. Pasenseer konnte sich nur mit Mühe im Sattel halten. Amtmann Schaller grinste. „Hier draußen ist es wohl etwas wilder als im beschaulichen München, Euer Gnaden. Habe ich recht?"

Pasenseer hielt sein Barett fest und schluckte eine wütende Bemerkung hinunter. Er überging die Unverschämtheit und erwiderte mit einem gezwungenen Lachen: „Wie es scheint, geht es den himmlischen Mächten nicht schnell genug, dass ich nach Jesenwang komme. Deswegen der stramme Ostwind."

Schaller wurde ernst: „Euer Gnaden werden auch dringend gebraucht, um den Sumpf im Fürchelmoos im wahrsten Sinn des Wortes trocken zu legen."

Pasenseer betrachtete den schmächtigen Kerl auf seinem viel zu großen Streitross misstrauisch. Eine derart offensichtliche Arschkriecherei konnte er schon in seiner Zeit als Amtmann in Dachau nicht leiden. Trotzdem antwortete er diplomatisch: „Wir werden sehen, was dort zu tun ist. Bis dahin ergehe ich mich nicht in Mutmaßungen."

Hinter den beiden ungleichen Reitern marschierten zwanzig Fußknechte in den Farben des Herzogs. Dahinter schloss sich der Wagen des Henkers an, in dem er seine Werkzeuge transportierte.

Nur kurze Zeit später erreichten sie den Ort Jesenwang, wo ihnen der hochaufragende Turm der Pfarrkirche Sankt Michael den Weg wies. Sie bogen nach Norden ab auf den Kirchweg, der schnurstracks zur Kirche führte. Nach wenigen Schritten begrüßte sie eine Gruppe Mönche im für die Zisterzienser typischen weiß-schwarzen Habit. „Gott zum Gruße, Euer Gnaden. Ich bin Pater Melchior und soll Euch hier vor Ort nach Kräften unterstützen."

„Habt Dank, Pater." Mit einem Seitenblick auf Amtmann Schaller ergänzte er: „Für ein wärmendes Feuer und heißen Wein wäre ich in der Tat dankbar." Er wandte sich zu seinen Männern um: „Lasst euch von den Mönchen euer Quartier anweisen. Zur Mittagsstunde beraten wir uns mit ihnen." Er saß ab, entließ die Männer mit einer knappen Handbewegung und folgte den Mönchen ins Haupthaus des großen Dreiseithofes.

Die Glocke von Sankt Michael schlug zwölf Mal, als der Inquisitor Pasenseer in einem behaglichen Sessel vor dem offenen Kamin saß. Er wärmte sich an einem Becher heißen Würzweins und starrte gedankenverloren in die Flammen.

Die Tür ging auf und Melchior betrat den Raum. Hinter ihm der Hauptmann seiner Soldaten und der unvermeidliche Schaller. „Seid Ihr gut versorgt, Euer Gnaden?", erkundigte sich der Mönch.

Pasenseer nickte kurz und bedeutete den Männern, um einen großen Tisch im Herrgottswinkel Platz zu nehmen. Als sie saßen, legte er einen Stapel Dokumente auf den Tisch. „Das ist meine herzogliche Vollmacht, die alle Pfleger, Richter und Amtleute verpflichtet, mir Amtshilfe zu leisten. Ich möchte, dass diese Vollmacht an jede Kirchentür im unteren Lechrain genagelt wird. Die Priester und Diakone sollen sie nach der Messe am kommenden Sonntag verlesen." Er deutete auf den Hauptmann der Soldaten. „Übertragt diese Aufgabe euren beiden besten Männern. Pater Melchior", er sah den Mönch an. „Stellt den Soldaten je einen Bruder Eures Ordens zur Seite."

Melchior nickte devot. „Erlaubt mir eine Frage, Euer Gnaden. Warum habt Ihr einen Henker dabei?"

„Letzten Samstag hatte der Henker in München Arbeit zu tun. Ein Bauer aus Windach und ein Prediger der Wiedertäufer aus Prittriching wurden enthauptet, nachdem sie widerrufen hatten."

Melchior schlug die Hand vor den Mund. „Ihr sprecht vom Spörle Leonhard?"

„So hieß der Mann. Danach hat Unser Durchlauchtigster Herzog Wilhelm ein Mandat erlassen, das die Wiedertaufe generell mit dem Tode bestraft."

Jetzt meldete sich erstmals Amtmann Schaller zu Wort: „Ich habe vor ein paar Tagen einen bedeutenden Fang gemacht. Euer Gnaden werden erfreut sein, dass Eure Mission sogleich mit einem Erfolg beginnt."

Der Inquisitor zog eine Augenbraue hoch. „Einem Erfolg? Ist das so?"

„Letzten Sonntag ist mir der Prediger Prenner aus Schmiechen ins Netz gegangen. Er wird heute noch hierhergebracht. Der Kerl hat überall im Lechrain gepredigt und soll sogar andere getauft haben."

„Sobald er eintrifft, werde ich ihn befragen. Vielleicht ist das wirklich ein gutes Zeichen für meine Aufgabe hier." Damit entließ er die Männer.

Es dämmerte bereits, als Amtmann Schaller erneut die Stube betrat, in der Pasenseer residierte.

Martin Pasenseer erhob sich. „Ist der Gefangene endlich angekommen?"

„Ja, Euer Gnaden. Der Schuldige wartet draußen."

„Solange ich ihn nicht verhört und mein Urteil gesprochen habe, ist er nur verdächtig."

Schaller lächelte schmallippig. „Ich habe da so meine Methoden. Der Prenner Jörg hat gepredigt und seine Irrlehren in fast allen Dörfern am unteren Lechrain verbreitet. Er hat über ein Dutzend Narren getauft und ist somit des Todes. So, wie es Unser Durchlauchtigster Herzog in München beschlossen hat."

„Ihr habt ihn schon verhört? Noch bevor *ich* mit ihm sprechen konnte?"

„Ich musste sicher gehen, dass der Kerl der Mühen wert war und ich auch die Belohnung bekomme, wenn ich ihn hier abliefere."

Mit zornesrotem Gesicht antwortete Pasenseer: „Wenn Ihr glaubt, Ihr könnt mir hier auf der Nase herumtreten, habt Ihr Euch geirrt, Schaller. Sollte sich herausstellen, dass der Mann unschuldig ist, werde ich Euch für Eure Anmaßung zur Rechenschaft ziehen. Die *Belohnung* ist für gehorsame Untertanen. Sollte es Euch an Gehorsam fehlen, Schaller, so kenne ich Mittel und Wege, ihn Euch beizubringen. So, und nun geht mir aus den Augen."

Kapitel 13

19. November Anno Domini 1527,
Haspelwald, östlich von Hochdorf

Er stand kniehoch in einem Holzstapel. Die Handgelenke waren hinter seinem Rücken so eng an den Pfahl gefesselt, dass er seine Finger nicht mehr spürte. Als der Henkersknecht das Holz entzündete, begann die Menge zu johlen. Augenblicklich stieg heiße Luft nach oben. Der Geruch von versengten Haaren ließ ihn würgen. Dann überfiel ihn der Schmerz wie ein wildes Tier. Auf seinem nackten Oberkörper bildeten sich große Brandblasen. Als sie platzten, erwachte Jörg von seinem gellenden Schrei.

Sein Herz raste und seine Haut brannte. Er hob sein durchgeschwitztes Hemd und sah an sich hinab. Er war unversehrt. Aber wie lange noch? Der neue Inquisitor Pasenseer würde nicht ruhen, bis er Jörg aufgespürt hatte. Er griff mit eiserner Hand durch, so wie es der bairische Herzog von ihm erwartete. Die Schaudergeschichten über den unerbittlichen Inquisitor und dass die Wiedertaufe nun ein Malefizverbrechen sei, verbreiteten sich gerade in Windeseile im ganzen Lechrain. Gretl hatte ihm das gestern noch mit dem Prenner zugetragen. Sie hatte letztlich eingesehen, dass Jörg auf keinen Fall zurück auf seinen Hof konnte. Da vermochte selbst der Pfaffe Sättelin nichts mehr auszurichten. Zum Abschied hatte sie ihm ein Kreuz auf die Stirn gezeichnet und ihn umarmt. Sie wussten beide, dass sie sich in diesem Leben nicht mehr sehen würden.

Jörg erhob sich von seinem Strohlager. Er warf sich den Mantel über und trat vor die Hütte. Sein warmer Atem dampfte in der Kälte. Ihn schauderte. Im Schein seiner Laterne glitzerte der gefrorene Regen an den Baumstämmen, die sich langsam aus der Dunkelheit schälten. Er hatte nicht mehr viel Zeit. Wenn es hell wurde, käme der Rätzl Michael, um ihn in eine andere Hütte zu bringen. Wollte er das? Sollte er nicht besser wieder zu Jos nach Augsburg gehen? Sich in dessen geheimer Kammer unter dem Dach der Färberwerkstatt verstecken? Doch der Färber-Jos wollte lieber einen Missionar im Lechrain aus ihm machen. Jörg raufte sich die Haare. Welcher Teufel hatte ihn geritten, sich den Täufern anzuschließen? Als Sedlbauer hatte er alles: einen großen Hof, fruchtbare Felder, gesunde Tiere und eine angesehene Stellung in der Gemeinde. Und doch hatte er sich vom Färber-Jos überreden lassen, ein Treffen in Augsburg zu besuchen. Das verlogene Geschwätz der Pfaffen und die ungerechte Ständeordnung, unter der Menschen wie Gebhart und Anna litten, hatten ihn damals abgestoßen. Er fragte sich, ob er seinen Stand als Großbauer und seine Sicherheit für eine höhere Wahrheit geopfert hatte oder nur einem Traum nachgejagt war.

Er griff nach dem Spaten, der noch an der Rückwand der Hütte lehnte. Die Schatulle war schnell ausgegraben. Das Geld darin sicherte sein Überleben für die nächste Zeit als Vogelfreier, vorausgesetzt, die Häscher erwischten ihn nicht.

Gretl wurde beim Herrichten des Mittagmahls vom Hufgetrappel vieler Pferde aufgeschreckt. Das Unheil nahm seinen Lauf! Mit zitternden Händen öffnete sie die Tür und schlurfte hinaus auf den Hof. Der hakennasige Knecht mit dem verschlagenen Blick war schneller gewesen. Er stand bereits bei den Berittenen und sprach mit dem Landsberger Amtmann Schaller. Dessen Aussehen hatte sich bei seinem letzten Besuch in ihren Kopf eingebrannt.

Schaller beugte sich von seinem Ross und packte den Knecht am Kragen. Für einen kurzen Moment blieb ihr das Herz stehen. Sie konnte nicht hören, was sie sprachen, doch Gretl ahnte es. Der Hakennasige deutete nach Osten, in Richtung des Haspelwaldes, woraufhin der Amtmann den Knecht zur Seite stieß und seinem Pferd die Sporen gab.

Gretl eilte, so schnell sie konnte, auf den am Boden Liegenden zu. „Was wollte der von dir?", krächzte sie.

„Das weißt du alte Vettel wohl am besten. Er sucht den Sedlbauern." Der Knecht erhob sich und wandte sich zum Gehen.

„Was hast du ihm gesagt?"

„Was wohl? Glaubst du, ich habe nicht mitbekommen, dass du dich nachts mit Essen aus dem Haus schleichst?", fauchte er.

„Du bist mir nachgeschlichen?" Ihre Stimme klang brüchig.

Er nickte grinsend. „Von wegen der Bauer sucht Abnehmer für die nächste Ernte. Er ist ein gesuchter Ketzer. Nachdem dieser Amtmann vor ein paar Wochen hier aufgetaucht ist, war das dem ganzen Gesinde klar. Oder warum sonst haben einige Knechte bereits den Hof verlassen?"

„Der Winter kommt. Es gibt nicht mehr viel zu tun."

„Es gibt hier bald gar nichts mehr zu tun", höhnte er. „Der Hof wird eingezogen. Ich hoffe, dass sie ihn schnappen, denn dann bist du auch dran. Du wirst das Höllenfeuer bei lebendigem Leib kennenlernen. Jeden Sonntag in die Kirche rennen und gleichzeitig der Ketzerei frönen." Mit diesen Worten ließ er sie stehen.

Ihre Beine trugen sie kaum noch, als sie zurück in die Kuchl wankte. Sie zog den Topf vom Feuer und setzte sich an den Tisch, wo sie den Rosenkranz in die Hand nahm. Gewohnheitsmäßig murmelten ihre Lippen die Gesätze, während in ihrem Kopf nur ein Gedanke kreiste: War ihr Jörgl tatsächlich ein Ketzer? Aber das hätte sie doch gespürt! Es war nicht mehr wichtig. Sie wollte nur noch schlafen. Ein tiefer Atemzug entrang sich ihrer Kehle und ihr Kinn sank auf die Brust.

Als der hakennasige Knecht kurze Zeit später zum Mittagsmahl kam, fand er Gretl tot auf ihrem Stuhl. Er schloss ihr die gebrochenen Augen und sprach das Totengebet. Zumindest das glaubte er ihr schuldig zu sein.

Kapitel 14

20. November Anno Domini 1527, Memmingen

„Ich bin seit einer Woche hier. Und heute, am heiligen Sonntag, sagt ihr mir, dass ich Magdalena morgen wieder mit nach Landsberg nehmen soll." Kreszentia sah ihre Schwester erbost an. „Ich dachte, wir sind uns einig."

Die Pfeiferin knetete ihr verschlissenes Wolltuch. „Er will es nicht." Dabei deutete sie mit dem Kopf auf ihren Mann, der mit einer steilen Zornesfalte zwischen den Augenbrauen am Herd der Kuchl lehnte.

Magdalena, die bisher stumm in der Ecke gesessen hatte, stand auf. Jetzt hieß es, klug vorzugehen. Mit gepresster Stimme wandte sie sich an den Weber. Dabei hielt sie ihren Blick gesenkt, um ihrem Schauspiel mehr Nachdruck zu verleihen. „Ich weiß, dass du mich für eine Metze hältst, die für jeden Mann die Beine breit macht." Sie hörte, wie ihre Mutter geräuschvoll die Luft einsog.

Unbeirrt fuhr Magdalena fort: „Ich versichere dir, dass dem nicht so ist. Ich wurde genötigt und der Vater des Kindes war so schnell verschwunden, wie er aufgetaucht ist." Sie hob den Kopf und presste eine Träne aus ihrem Auge. Dabei sah sie dem Weber direkt ins Gesicht. „Ich habe meinen Eltern genug Schande bereitet. Ich brauche eure Barmherzigkeit, damit ich nächstes Frühjahr den Kistler heiraten kann, so wie es mein Vater wünscht. Außerdem soll es euer Schaden nicht sein. Nicht nur, dass ihr für eure Dienste einige Goldgulden erhaltet. Deine Zunftgenossen werden dich im Wirtshaus als Hengst feiern, der nach einer so langen Zeit der Kinderlosigkeit endlich Nachwuchs gezeugt hat."

Die Gesichtszüge des Webers entspannten sich. Magdalena wusste, dass sie fast am Ziel war. Sie fuhr fort: „Ich bin hochgewachsen. Deshalb wird man mir meine Schwangerschaft nicht so bald ansehen. Außerdem kommen die kalten Monate, wo ein weiter Mantel zusätzlich die Rundungen verbirgt. Deine Frau ist klein. Mit ein paar Decken unter dem Rock erscheint sie fülliger und jeder wird ihr ihren Zustand abnehmen."

„Spätestens bei der Geburt wird die Hebamme den Schwindel bemerken", brummte der Weber.

„Das lasst meine Sorge sein." Kreszentia schaltete sich wieder ein. „Eure Hebamme wird sicherlich gegen einen zusätzlichen Obolus ihren Mund halten." Sie zog ein Säckchen aus ihrer Rocktasche. Das Klimpern versprach reiche Entlohnung für das Schweigen.

Das Glockenläuten der Memminger Kirchen drang gedämpft durch die geschlossenen Fenster. „Ich überlege es mir. Wir gehen jetzt erst einmal alle zusammen in die Kirche", beschied der Weber.

„Ohne mich! Keine zehn Pferde bekommen mich in eine lutherische Kirche", entfuhr es Kreszentia.

Der Weber musterte sie verächtlich. „Wie du willst." Er sah Magdalena an. „Aber du musst mit! Nach dem Kirchgang werde ich euch meine Entscheidung mitteilen."

Die Kälte des Steinfußbodens in der Kirche *Unserer lieben Frau* kroch Anna unter ihren dünnen Rock. Unruhig trat sie von einem Fuß auf den anderen. Die Worte des zwinglischen Predigers über die Sündhaftigkeit des Menschen bohrten sich wie Dolche in ihre Gedanken und erinnerten sie sofort an den Pfettner Christof in Augsburg. Ihr Magen zog sich schmerzhaft zusammen, und eine unbändige Wut loderte in ihr auf. Dieser hinterhältige Verräter hatte ihr nicht nur lüstern nachgestellt, sondern auch die geheimen Treffen der Augsburger Täufer bespitzelt. Wegen ihm hatten Anna und Lenz aus Augsburg fliehen müssen, und letztlich hatte er auch den Tod ihres Bruders und seiner Freunde in Landsberg mit verschuldet.

In ihre Wut mischte sich die Trauer über alles, was sie in den letzten Wochen verloren hatte. Die vertrauten Menschen, das Lesenlernen bei der Adolfin, und die zärtliche Nähe zu Lenz. Seit Augsburg waren sie sich nie wieder so nah gewesen. Die rothaarige Hexe Magdalena hatte ihrer Liebe einen schweren Schlag versetzt. Und doch konnte Anna ihre tiefen Gefühle für Lenz nicht verleugnen. So wie jetzt, als sie ihn vor sich stehen sah, mit Ignaz an seiner Hand. Ohne Lenz' liebevolle Zuwendung würde Ignaz vermutlich immer noch kein Wort sprechen. Doch nun hallte seine glockenhelle Stimme durchs Haus, was Meister Lodweber und die Magd Vev erfreute.

In den letzten Wochen war in Anna das Gefühl gewachsen, dass Memmingen ihr Zuhause werden könnte. Vielleicht deshalb, weil es auch hier Täufer zu geben schien. Vev verbrachte nach wie vor die Sonnabende bei ihrer angeblichen Base, wobei sich Anna sicher war, dass sie im Weberviertel übernachtete.

Ein blassblauer Himmel hatte das Novembergrau der letzten Tage abgelöst. Auf dem Heimweg von der Messe schob Lenz seine Hand verstohlen in Annas. War sie seinen vorsichtigen Berührungen bisher immer ausgewichen, so ließ sie es dieses Mal geschehen.

Lodweber brummte: „Ihr beide seid ein schönes Paar. Nach einer Heirat könnt ihr auch weiterhin bei mir wohnen. Das Haus ist groß genug."

In seinen Augen sah Anna die stumme Hoffnung, dass dieser Wunsch Wirklichkeit werden möge.

„An mir soll es nicht liegen. Ein besseres Weib als Anna kann ich mir nicht vorstellen", stimmte ihm Lenz zu.

Zärtlich drückte sie seine Hand. Lächelnd gab sie zu bedenken: „In der Fastenzeit im Advent darf man nicht heiraten."

Der Meister frohlockte: „Dann findet die Hochzeit im neuen Jahr gleich nach Dreikönig statt und Lenz kann schon zu Lichtmess Memminger Beisitz werden."

Magdalena war froh, dass sie dem Sermon der zwinglischen Predigt in *Unserer lieben Frau* endlich entronnen war. Sie befürchtete, dass ihr das nun häufiger bevorstand – vorausgesetzt der Weber stimmte zu, dass sie bleiben konnte. Magdalena hakte ihre Tante unter, die sie überrascht ansah. „Wir sollten uns ganz so verhalten, als ob ich dich unterstütze. Schließlich erwartest du ein Kind."

Zögernd nickte der Weber seiner Frau zu: „Also gut! An mir soll es nicht liegen. Auch wenn ich noch mit mir hadere, so sehe ich doch, dass ein Kind dein Herzenswunsch ist, meine Liebe."

Die Pfeiferin strahlte von einem Ohr zum anderen.

Magdalena frohlockte innerlich. Der erste Schritt war geschafft! Sie musste jetzt nur noch Lenz ausfindig machen.

Kapitel 15

Schweigend schritten sie nebeneinander her. Die Feuer in den Werkstätten der Eisenschmiede brannten schon, doch der Nieselregen wusch den beißenden Rauch aus der Luft. Kreszentia hatte deshalb das Gefühl, zum ersten Mal durchatmen zu können, seit sie eine Woche zuvor in Memmingen angekommen war. Nach wenigen Schritten erreichten sie das Rathaus. Um diese Zeit war der Stadtmarkt noch leer. Die auswärtigen Händler drängten sich vermutlich vor den Stadttoren, bereit, in die Stadt zu strömen, sobald die Büttel die Torflügel öffneten.

Am Südende des Marktes folgten sie der Kramergasse, die direkt zum Weinmarkt führte. Obwohl es stockdunkel war, herrschte hier bereits ein großes Durcheinander. Immer wieder wichen sie fluchenden Fuhrknechten aus, die Geschirre schleppten, oder schwer bepackten Huklern. Kreszentia fragte sich, wie sie in dem Gewühl das Fuhrwerk nach Landsberg finden sollte. Vom Weber wusste sie nur, dass es ein Händler war, der die Raststätten zwischen Memmingen und Landsberg mit günstigem Bodenseewein versorgte. Die Glocke von Sankt Martin schlug sechs Mal.

Sie wandte sich an ihre lustlos dreinblickende Tochter und deutete auf die zahlreichen Gespanne, die Platz für zahlungskräftige Mitfahrer boten. Der warme Atem der Pferde dampfte. „Es hilft nichts. Wir müssen uns durchfragen. Halt nach Fässern auf der Ladefläche Ausschau und frage nach, ob sie über Landsberg fahren. Du beginnst gleich hier und ich gehe an das andere Ende der Reihe."

Sie erspähte zwei Fuhrwerke mit Fässern und ging eilig darauf zu, doch beide fuhren nicht in ihre Richtung. Der Markt war mittlerweile voller Menschen, die ihre Waren und Dienste anpriesen. Stimmen hallten durch die Luft: „Freie Plätze nach Ulm!", „Restposten Burgunder, fassweise zum Abgeben!", „Wer möchte nach Kempten mitfahren?". Zwischen den Rufen der Händler und dem Lachen der Käufer hörte sie plötzlich eine vertraute Stimme: „Kreszentia!" Erschrocken drehte sie sich um. Das konnte nicht wahr sein! Vor ihr stand der Hauner Caspar aus Landsberg. Das weinrote Barett saß schief auf seinem Kopf und starrte vor Schmutz. In seinem rotbraunen Bart hingen noch Reste des Frühmahls. Sie wandte sich angewidert ab. Caspar war der letzte Mensch, den sie hier treffen wollte.

„Ich fasse es nicht. Die Mitterhuberin. Dass du mit deiner schönen Tochter nach Memmingen gefahren bist, hat sich in Landsberg schon herumgesprochen." Er deutete auf Magdalena, die gerade näherkam. „Da ist ja auch die reizende Feel. Und nachdem ihr zu nachtschlafender Zeit hier steht, gehe ich davon aus, dass ihr eine Rückfahrgelegenheit braucht."

„Meine Tochter bleibt hier. Sie geht meiner schwangeren Schwester zur Hand."

Mit einem verschlagenen Grinsen musterte er sie von oben bis unten. „Du hast Glück. Heute bin ich der Einzige, der Richtung Landsberg fährt. Die Knechte laden gerade die Fässer auf. Aber neben mir ist auf dem Kutschbock noch Platz." Ein heiseres Lachen entwich ihm. „Für einen kleinen Aufpreis bekommst du sogar ein weiches Kissen und eine Decke." Er ging voran und bedeutete den Frauen, ihm zu folgen.

Magdalena hielt Kreszentia am Arm fest. „Du willst doch nicht mit diesem hinterfotzigen Kerl zurückfahren? Er ist ein Waschweib, der dir ein Loch in den Bauch reden wird. Außerdem: Mit den zwei dürren Kleppern vor dem wackeligen Karren kommst du heute nie nach Landsberg. Ihr werdet irgendwo übernachten müssen."

Kreszentia schüttelte die Hand ihrer Tochter ab. „Deine Ratschläge kannst du dir sparen. Schließlich bist du nicht ganz unschuldig daran, dass ich in dieser misslichen Lage bin."

Magdalena zog einen Schmollmund.

Kreszentia blieb keine Wahl. Doch die Aussicht, zwei Tage mit diesem Kerl zu verbringen, machte ihr Angst. Der einst angesehene Weinhändler hatte vor langer Zeit um sie gefreit. Doch Kreszentias Eltern hatten sich für den bodenständigen Mitterhuber Alfons entschieden. Caspar hatte dies nie überwunden. Er suchte Trost in billigem Fusel und bei den Hübschlerinnen. Geheiratet hatte er bis heute nicht. In Landsberg waren sie sich immer aus dem Weg gegangen. Sie hoffte nur, dass die Fahrt keinen neuen Ärger mit sich brachte.

Die zwei Knechte waren fertig und begannen die Fracht unter einer groben Plane zu verzurren.

Kreszentia blieb nicht mehr viel Zeit. Sie maß ihre Tochter mit einem strengen Blick: „Ich hoffe, dir ist bewusst, welches Glück du hast. Wenn du deinen Teil der Abmachung einhältst, es so machst, wie ich es mit meiner Schwester besprochen habe, hast du wieder eine Zukunft."

Magdalena starrte auf ihre Schuhspitzen und antwortete nicht.

Kreszentia drängte weiter: „Du kannst nach deiner Niederkunft das Kind meiner Schwester überlassen und nach Landsberg zurückkehren. Der Kistler wird dich heiraten und alles wird gut." Kreszentia packte ihre Tochter an den Schultern und zwang sie, ihr ins Gesicht zu schauen. „Ich bitte dich nur um eines: Halte deine freche Zunge im Zaum und ordne dich dem Schwager unter. Er ist zwinglisch und hat keine hohe Meinung von dir."

Magdalena fuhr auf: „Dieser prüde Dipferlscheißer will mich kriechen sehen. Aber den Gefallen ..."

„Er ist deine einzige Chance!", fiel ihr Kreszentia eine Spur zu laut ins Wort.

Der Weinhändler Hauner und seine Knechte hielten inne, ihre Blicke gespannt auf die beiden streitenden Frauen gerichtet.

Kreszentia fuhr leiser fort: „Denk an deine Heirat mit dem Kistler. Meine Schwester nimmt dir deinen Bankert ab. Also, sei demütig und dankbar."

„Auf geht's, Mitterhuberin." Hauner verabschiedete die Knechte und stieg auf den Kutschbock. „Wir müssen los."

Kreszentia umarmte ihre Tochter, die die Geste ungerührt über sich ergehen ließ und sofort im lebhaften Gewühl der Kramergasse verschwand.

„Deine Tochter scheint nicht begeistert, dass sie sich hier dienstbar machen soll. Kann ich sogar verstehen. Sie ist doch Arbeiten gar nicht gewohnt."

„Das soll deine Sorge nicht sein, Caspar! Kümmere du dich, dass wir so schnell wie möglich zurück in Landsberg sind. Dafür zahle ich dir schließlich einen Batzen Geld. Meine Magdalena wird hier alles erlernen, was sie als gute Ehefrau braucht. Nächstes Frühjahr heiratet sie den Kistler Barthl aus dem Vorderanger."

Der Weinhändler verzog das Gesicht zu einem schiefen Grinsen. „Wenn du dich da mal nicht täuschst."

Sie sah ihn irritiert an. Bevor sie etwas erwidern konnte, schnalzte er mit der Zunge. Auf sein Kommando: „Hoppla!", legten sich die beiden Pferde ins Geschirr.

Eine halbe Stunde später wurde es hell und das Dorf Trunkelsberg tauchte aus dem Nieselregen auf. Beiläufig erklärte Hauner: „Dann hat das also gar nichts damit zu tun, dass der Kirchperger Lenz auch mit seiner Frau und seinem Sohn in Memmingen arbeitet."

Kreszentia erstarrte wie weiland Lots ungehorsame Ehefrau. Hinter Magdalenas Entschlossenheit, nach Memmingen zu wollen, verbarg sich also etwas anderes, als es den Anschein hatte.

Kapitel 16

22. November Anno Domini 1527, Landsberg

Das Fuhrwerk holperte über den mit Lechkieseln gepflasterten Marktplatz. Jeder Stein erschütterte Kreszentias durchgefrorenen Körper. Sie schlug drei Kreuzzeichen und versuchte, die Unruhe zu unterdrücken. Der aufdringliche Hauner saß dicht neben ihr, und sie konnte es kaum erwarten, ihm zu entkommen. Schon in ihrer Unterkunft in Mindelheim hatte er dem Wein zu viel zugesprochen, und das hatte sich seit ihrer Abfahrt heute Morgen nicht geändert. Nach jedem Schluck aus seinem Weinschlauch war er ihr näher gerückt, sein Atem schwer.

Den ganzen Weg über hatte er mit Geschichten geprahlt, von denen vermutlich nur die Hälfte stimmte. Immer wieder hatte er die gescheiterte Heirat von Lenz und Magdalena aufgewärmt, in dem Versuch, ihre Gründe für die Wahl des Kistlers als Bräutigam herauszufinden. Kreszentia hatte sich bemüht, seine aufdringlichen Fragen abzuwimmeln, aber er schien ihre Unsicherheit über Magdalenas falsches Spiel zu spüren. Die letzten Meilen nach Landsberg waren in einem gespannten Schweigen verstrichen, was Kreszentia noch mehr beunruhigte.

Der Wagen zuckelte am zentralen Brunnen vorbei, wo die Landsberger Bürger frisches Wasser für die Zubereitung des Nachtessens holten. Einige sahen neugierig herüber. Sie senkte den Kopf. Vermutlich wusste morgen jeder in der Stadt, dass sie mit dem zwielichtigen Weinhändler zurückgekommen war.

Der trieb die müden Gäule mit der Peitsche an, damit sie die Steigung hoch zum Schönen Turm schafften. Quälend langsam ratterte das alte Fuhrwerk zum Markt hoch, wo die Bauern gerade ihre Stände abbauten. Die Pferde hatten Schaum an ihren Flanken und Kreszentia fürchtete mehrmals, dass der Wagen einfach stehen bleiben würde. Doch die Pferde mühten sich hoch zum alten Torturm und zogen das Fuhrwerk hindurch zum Spitalplatz, wo Caspar die Bremse einlegte. „So, die Berggasse musst du schon selbst hochlaufen, Mitterhuberin. Ich fahre die Schlossergasse runter zum Schafbräu."

Kreszentia sah sich rasch um. Der Platz vor dem Spital war menschenleer, im Gegensatz zum geschäftigen Treiben auf dem Marktplatz. Nur vereinzelt hasteten Menschen die Berggasse hinauf oder die Schlossergasse hinunter. Sie beeilte sich, den vereinbarten Preis von vier Kreuzern zu zahlen. Umständlich zählte Hauner die Summe von 16 Silberpfennigen auf seiner schwieligen Hand nach. Schließlich steckte er das Geld in seinen Beutel und Kreszentia schickte sich an, vom Fuhrwerk zu steigen. Jeder Knochen tat ihr weh und sie war vom langen Sitzen und der Kälte auf dem harten Kutsch-bock ganz steif.

„Ich lade dich ein auf ein Gläschen meines guten Weines." Er griff nach ihrer Hand und hielt sie unnachgiebig fest.

„Nein, danke."

„Der Schafbräuwirt tischt uns einen hervorragenden Schinken dazu auf, weil ich ihm einen guten Preis mache für meinen Burgunder vom Bodensee. Und hinterher gehen wir über die Gasse zum Storchen-bader." Caspar fuhr sich mit der Zunge über die Lippen. „Was sagst du?"

Kreszentia schüttelte energisch den Kopf. „Wie stellst du dir das vor? Als Frau eines angesehenen Handwerksmeisters werde ich den Teufel tun und mit einem heruntergekommenen, ledigen Wein-händler das Mahl teilen. Geschweige denn, in einen Badezuber zu steigen." Sie versuchte, sich wieder loszureißen, doch es gelang ihr nicht. Langsam bekam sie Angst. „Such dir eine Magd dafür."

Caspar grinste anzüglich. „Du wärst sicher eine At-traktion im Bottich." Dabei musterte er ungeniert ihre großen Brüste, die sich trotz des dicken Woll-kleides deutlich abzeichneten.

Kreszentia zog ihren Mantel vor die Brust. Mit einem Mal verwandelte sich ihre Angst in Wut und sie trat ihm kräftig gegen das Schienbein.

Laut aufheulend ließ er sie los. Seine Augen verengten sich zu Schlitzen. Bevor sie vom Fuhrwerk springen konnte, packte er sie am Hals und zog ihren Kopf zu sich heran, seine Lippen dicht vor den ihren. „Einen Kuss bist du mir noch schuldig."

In diesem Moment stieg jemand auf den Tritt und packte den Hauner von hinten. Das Gesicht des Stadtphysikus kam zum Vorschein.

Augenblicklich konnte Kreszentia wieder atmen und sprang sofort vom Wagen. Genauso wie der Stadtphysikus, sodass der Schlag vom Hauner ins Leere ging.

Fluchend löste der Weinhändler die Bremse und gab seinen erschöpften Gäulen die Peitsche, die daraufhin die Schlossergasse hinabpreschten.

Moritz half der gestrauchelten Mitterhuberin auf. „Geht es wieder? Soll ich dich nach Hause bringen?" Kreszentia schüttelte den Kopf. Ihre Wangen brannten vor Scham. „Danke, es geht schon. Ich komme alleine zurecht." Sie wich seinem besorgten Blick aus.

„Der Hauner hat dich aus Memmingen mitgenommen?"

Die Frage war eher eine Feststellung. Sie nickte. Bevor er weiter in sie dringen konnte, reichte sie ihm verabschiedend die Hand: „Dank dir nochmal, aber ich muss jetzt nach Hause."

Moritz war immer noch in Gedanken, als er bei den Kirchpergers im Klösterl klopfte. Julias von Falten durchzogenes Gesicht strahlte bei seinem Anblick.

„Ich hoffe, du hast einen gesunden Hunger mitgebracht." Sie küsste ihn zärtlich auf den Mund.

Er hielt sie einen Moment fest. Auf seine alten Tage war Julia Balsam für seine einsame Seele. „Ich habe dich vermisst, meine Liebe. Mein Heim ist so kalt und leer ohne dich. Ich wünschte …"

Sie legte ihm den Finger auf die Lippen. „Still, Liebster. Ich kann nicht als dein Eheweib zu dir ziehen. Lienhart braucht mich. Nach der Sache mit Lenz noch mehr als vorher."

Er nickte resigniert und folgte ihr ins Haus. „Ist Lienhart auch da?"

„Nein. Er ist mit einem alten Freund aus der Zunft zum Lechtorwirt gegangen. Ein wenig Ablenkung tut ihm gut. Nachdem Magdalena Lenz bis nach Memmingen gefolgt ist, hängt die Sorge über uns wie ein Damoklesschwert, dass sie dort neuen Ärger macht." Sie führte ihn die knarrende Stiege hinauf in die gute Stube und bot ihm einen Platz im Herrgottswinkel an.

„Das kann ich verstehen", antwortete Moritz. Er nahm sein Barett ab und setzte sich. „Was da gerade sonst vor sich geht, schlägt einem wahrlich auf den Magen."

„Dann hast du es auch schon gehört?"

Moritz nickte. „Du meinst den *Kriegszug* bei Nacht und Nebel gegen die Wagner-Brüder in Oberwindach? Die Landsberger reden gerade nur noch von dem peinlichen Verhör bei uns in der Fronveste, und dass man sie nach München gekarrt hat. Nach und nach kommen immer erschreckendere Einzelheiten ans Licht. Der Hirschauer hat mir gesteckt, dass unser Pfleger anscheinend aufgrund einer Anzeige alle Amtleute des Gerichtsbezirks zusammengezogen hat. Von Egloffstein gibt ganz den Kettenhund des Herzogs. Er hat für diesen Einsatz vom Münchner Rentamt zusätzlich noch einen Trupp Kriegsknechte angefordert."

„Vermutlich war das nur eine üble Verleumdung von jemandem, der die Aufgeregtheit der Obrigkeiten für sich nutzt."

„Wundert dich das?", stieß Moritz erregt hervor. „Auf eine solche Denunziation sind 32 Gulden ausgelobt. Das ist mehr, als ein ehrlicher Mensch im Jahr verdienen kann. Mit diesem Geld lassen sich viele Mäuler stopfen und die Hustenmedizin für die Kinder kann man sich dann auch leisten." Er sprang auf und lief in der Stube auf und ab. „Das ist noch nicht alles: Der Herzog hat direkt nach den letzten Hinrichtungen ein neues Religionsmandat erlassen, das am kommenden Sonntag in allen Kirchen Baierns verlesen wird. Die Wiedertaufe ist ab sofort ein Malefizverbrechen und wird immer mit dem Tode bestraft. Damit das alle Amtleute umsetzen, hat er gleich darauf im Fürchelmoos einen Großinquisitor eingesetzt. Von Jesenwang aus verbreitet der nun Angst und Schrecken."

„Diese Teufel! Woher weiß der Hirschauer das alles?"

„Das hat ihm der ehemalige Landrichter Haidenbucher nach dem vierten Humpen Wein erzählt."

Julia schüttelte traurig den Kopf: „Der Haidenbucher ist einer der wenigen, die diesen Wahnsinn nicht mitmachen wollten."

„Deshalb ist er jetzt auch seinen Posten los. Herzog Wilhelm hat den Haidenbucher sogar gezwungen, die armen Seelen persönlich nach München zu begleiten. Die drei Leute waren schwer verletzt und niemand hat mich gerufen, um nach ihnen zu sehen. Trotzdem wurden sie von drei Fußknechten und drei Reitern bewacht nach München in den Falkenturm gebracht. Dort hat man einen der Wagner und einen Spörle Leonhard aus Prittriching hingerichtet."

„Was ist aus den anderen beiden geworden?"

„Aus dem Bruder des Wagners und der Bäuerin? Die müssen nun sieben Sonntage barfuß in einem grauen Büßerhemd mit aufgenähtem Taufstein knieend der Frühmesse beiwohnen. Das Büßergewand müssen sie ein Jahr lang tragen. Der Bruder des Wagners darf zeitlebens nur ein abgebrochenes Brotmesser mit sich führen. Aber immerhin hat man beide am Leben gelassen."

Julia seufzte und starrte eine Zeit lang ins Leere, bevor sie fortfuhr. „Ich hoffe nur, dass in Memmingen niemand erfährt, dass Lenz in Baiern als Ketzer verfolgt wird."

„Das hoffe ich auch. Wenn dein Verdacht stimmt, dass Magdalena schwanger ist, wird sie alle Hebel in Bewegung setzen, um Lenz für sich zu gewinnen. Ihre Mutter scheint etwas zu ahnen. Vermutlich hat ihr der Hauner gesteckt, dass Lenz auch in Memmingen ist. Der kann sein loses Maul doch nicht halten."

„Wie kommst du jetzt auf die beiden?"

Moritz erzählte ihr in knappen Worten von dem soeben Erlebten am Spitalplatz.

„Das klingt nicht gut. Der Hauner war vor Jahren ein schmucker Bursche, angesehen und wohlhabend. Nachdem er Kreszentia nicht heiraten durfte, hat er sein ganzes Geld versoffen und verhurt. Ich bin sicher, dass er ihr allein die Schuld dafür gibt. Jetzt sieht er vielleicht eine Gelegenheit, ihr das alles heimzuzahlen."

Kapitel 17

Das Feuer im Kamin knisterte und warf flackernde Schatten an die Wände der Wohnstube. Vev und Ignaz schliefen schon und der Meister war auf einer Zunftversammlung. Lenz hatte sich in den letzten Tagen jedes Wort zurechtgelegt. Nun, da er Anna gegenübersaß, wusste er nicht, wie er anfangen sollte. Er zupfte an der rauen Haut an seinem Daumen. Beruhigend legte Anna ihre Hand auf die seine. Eine Geste, so vertraut aus der Augsburger Zeit und doch so selten geworden seit ihrer Flucht.

„Was willst du mir denn sagen?"

Er stieß die Luft aus und nahm allen Mut zusammen. „Du hast Meister Hans am Sonntag nach dem Kirchgang gehört. Er will, dass wir heiraten. Mein Eindruck war, dass du gegen eine Hochzeit im Januar nichts einzuwenden hast. Und an Lichtmess bin ich Beisitz."

Anna stand auf und trat ans Feuer. Einige Zeit sagte sie nichts, und als sie schließlich antwortete, war ihre Stimme leise und eindringlich: „Es geht nicht um den Meister. Es geht um uns. Kann ich dir wirklich vertrauen? Nach all dem, was in den letzten Monaten geschehen ist?"

In hilfloser Verzweiflung ballte Lenz die Fäuste. „Das mit Magdalena war ein großer Fehler, den ich zutiefst bereue."

„Warum habe ich dann immer noch das Gefühl, dass sie zwischen uns steht?"

„Weil ... weil das Schuldgefühl ihr gegenüber immer noch an mir nagt", brach es aus Lenz heraus. Es war das erste Mal, dass er es Anna gegenüber so offen ausgesprochen hatte. „Ich bringe das Bild ihres toten Bruders nicht aus meinem Kopf. Ich sollte Georg im Bauernkrieg beschützen, doch ich habe einen Toten nach Hause gebracht. Magdalena hat mir das immer wieder vorgeworfen. Deshalb fand auch die geplante Hochzeit zwischen uns nicht statt. Genauso wenig, wie die Zusammenarbeit zwischen dem alten Mitterhuber und meinem Vater, die unserer Werkstatt gut getan hätte. Mein Vater hat nie etwas gesagt, aber die Enttäuschung in seinen Augen war nicht zu übersehen." Es war ein kaum merkliches Nicken, das ihn ermutigte, weiter zu sprechen. „Ich habe die Vorwürfe nicht mehr ausgehalten." Er strich sich über die wulstige Narbe in seinem Gesicht, die gerade wie Feuer brannte. „Kaum, dass meine eigene Verletzung einigermaßen ausgeheilt war, bin ich aus Landsberg weg und auf Wanderschaft. Beim Gehen bin ich zur Ruhe gekommen. Niemand kannte meine Vergangenheit. Aber es hat mich nie lange an einem Ort gehalten. Erst in Augsburg hatte ich zum ersten Mal das Gefühl, meinen

Frieden zu finden. Das lag auch daran, weil ich dir begegnet bin."

„Bei der Täufer-Versammlung im Haus deines Meisters in Augsburg hast du meinen Bruder wieder gesehen."

Annas Stimme klang traurig und er spürte, wie sehr sie Gebhart vermisste. „Ja, und mit einem Mal war alles wieder da. Ich habe mich geschämt."

„Vielleicht wäre alles anders gekommen, wenn du mir vertraut hättest. Dann wäre ich vermutlich gleich mit dir gegangen, als wir wegen deinem Jugendfreund Christof aus Augsburg flüchten mussten."

„Du hast recht, aber ich hatte einfach Angst, dich zu verlieren, wenn ich dir alles erzähle. Was Christof anbelangt: Rückblickend gesehen war er nie mein Freund. Ich hätte wissen müssen, dass er die Täufer verrät. Nicht nur um seinen Ehrgeiz zu befriedigen. Wäre ich damals verhaftet worden, hätte er bei dir freie Bahn gehabt."

„Ich wäre nie seine Frau geworden." Anna setzte sich wieder zu ihm an den Tisch.

Er sah sie aufmerksam an, doch sie wich seinem Blick aus.

„Es war Schicksal, dass du gegen meinen Bruder gekämpft hast. Das hätte ich dir nie vorgeworfen. Mir ist jetzt erst klar, dass du ihn in Landsberg aus dem Gefängnis befreien wolltest, um dein schlechtes Gewissen zu beruhigen."

„Das stimmt. Denn auf meiner Wanderschaft ist mir auch klar geworden, dass die Bauern für ihre Rechte gekämpft haben. Sie haben ihr Leben für ihre Freiheit aufs Spiel gesetzt, während es für mich ein Abenteuer war." Er deutete auf die Narbe in seinem Gesicht: „Der Hieb deines Bruders war die gerechte Strafe für mich."

Die Tür knarrte und Meister Lodweber trat ein. Mit ernstem Gesicht sah er Lenz an: „Ich habe euer Gespräch belauscht. Krieg ist nie gerecht. Dass dir ausgerechnet Annas Bruder auf dem Schlachtfeld begegnet, war wohl gottgewollt. Lass dir das noch einmal gesagt sein. Wir haben darüber bereits gesprochen, als du das erste Mal bei mir gearbeitet hast. Wir Memminger Bürger haben damals die Forderungen der Bauern in den Zwölf Artikeln unterstützt. Was hat es gebracht? Die Bauern waren im Recht, aber auch nicht unschuldig. Sie haben viele Klöster und Burgen gebrandschatzt. Grafen und Äbte gemordet." Lodweber schnaubte: „Zum ›Dank‹ für unsere Unterstützung der Bauern ist der Schwäbische Bund bei uns einmarschiert und hat alle Reformbemühungen mit Stumpf und Stiel ausgerottet. Wie du weißt, habe auch ich einen hohen Preis dafür bezahlt. Ich habe meine Ämter als Zunftmeister und Ratsherr verloren."

Lenz senkte den Blick. „Ich habe dich und deine Frau im Stich gelassen und bin abgehauen. Ich woll-

te nicht wieder in einen Kampf hineingezogen werden."

Meister Lodweber wiegte den Kopf. „Ich muss zuge-
ben, dass wir enttäuscht waren. Aber bei deiner Geschichte konnten wir dich sogar verstehen, obwohl
wir deine Hilfe gut hätten gebrauchen können. Zur
Freude meiner Ursel bist du ein Jahr später wieder
aufgetaucht. Zusammen haben wir die Werkstatt in
Schwung gebracht."

„Ich musste aus Zürich weg, weil Zwingli zusammen
mit dem Stadtrat ein strenges Regiment eingeführt
hat. Sie haben das gesamte Leben der Bürger bespitzelt. Meine Hoffnung war, dass es in Memmingen
besser ist, nachdem die Reformation wieder eingeführt wurde."

„Nur dass es dieses Mal vom Rat ausging", wandte
Lodweber ein.

„Und was ist nach einem Jahr geschehen? Eure
Stadtoberen haben den Zürichern nachgeeifert."

„Du sprichst die Einkerkerung von meinem Gesellen
Gustl an? Der ist bei jedem unverheirateten Frauen-
zimmer der Stadt gelegen. So weit wie Zwingli sind
wir aber nie gegangen. Der Rat hat uns nie vorge-
schrieben, was wir essen sollen oder den Messge-
sang verboten, wie Zwingli es getan hat."

„Kann sein. Trotzdem musste ich weg nach Augsburg."

„Ich habe damals nicht nur dich, sondern kurze Zeit
danach meine Frau verloren. Nur der Wein hat mir

damals Trost gespendet. Aber lassen wir das. Es än-
dert nichts mehr. Wichtig ist, dass ihr beide mit dem
Kleinen hier seid." Mit schwerem Schritt schlurfte er
zur Treppe.

Lenz sah Anna lange an. Er öffnete den Mund, zögerte und schloss ihn wieder. Es war alles gesagt.
Nun lag es an Anna, das Schweigen zwischen ihnen
zu brechen.

Kapitel 18

„Schau zu, dass du mir nicht zu teuer einkaufst." Mit einem verächtlichen Funkeln in den Augen warf der Weber einige Münzen auf den Tisch.

„Du hast wohl vergessen, dass die Pfennige von meinem Vater sind." Kaum hatte Magdalena die Worte ausgesprochen, erkannte sie ihren Fehler. Seine Verachtung verwandelte sich in zügellose Wut. Unbeherrscht packte er sie am Kragen ihres Umhangs und schob sein Gesicht dicht an ihres. Magdalena fühlte die Hitze seines Atems und unterdrückte den Würgereiz, der sie augenblicklich überkam. Mit einer heftigen Bewegung stieß sie ihn von sich weg.

„Was fällt dir ein!", kreischte sie. „Du spielst hier den großzügigen Gönner, der mir aus der Patsche hilft. Dabei hast du dich selbst auf den schmutzigen Handel eingelassen, nur um deinen Zunftgenossen zu zeigen, was für ein toller Hengst du bist."

Magdalena spürte den Luftzug, als er zum Schlag ausholte. Instinktiv riss sie beide Arme vor ihr Gesicht.

„Halt ein!" Die Stimme der Weberin klang gefährlich leise. Magdalena ließ die Arme sinken. Sie wusste, dass sie alles aufs Spiel gesetzt hatte. Aber das war in diesem Moment unwichtig. Sie hasste diesen

Mann und sie ertrug dieses Leben nicht länger. Die fade Gerstengrütze, die ihr den Magen umdrehte. Die unwürdige Arbeit, die er ihr unerbittlich aufbürdete. Sogar beim Bleichen der Tuche musste sie aushelfen. Vor Erschöpfung war ihr abends sogar der faulige Strohsack egal, der von Flöhen wimmelte. In der dunklen Kammer war es nächtens so kalt, dass sich ihre Finger morgens wie Eiszapfen anfühlten.

Herausfordernd sah sie ihre Tante an. „Ich packe meine Tasche und schaue, wann das nächste Fuhrwerk nach Landsberg geht."

„Du schaust gar nichts." Die Weberin nahm die Pfennige vom Tisch und steckte sie in Magdalenas Beutel. „Geh auf den Markt wie ausgemacht und bring vom Metzger noch einen Schweinebauch mit." Mit diesen Worten schob sie ihre Nichte aus der Kuchl.

Magdalena hörte noch, wie ihre Tante lautstark auf ihren Mann einredete, der sich vergeblich zu verteidigen suchte. Sie trat ins Freie und atmete tief durch. Ihre Knie zitterten. Ihr Onkel war unberechenbar. Deshalb musste sie Lenz so schnell wie möglich finden, damit sie mit ihm von hier wegkonnte. Gleich nach dem Einkauf würde sie in die Gasse hinter dem Weinmarkt gehen, wo der Zimmerermeister Lodweber seine Werkstatt hatte. Von ihrer Tante wusste sie, dass der einen neuen Gesellen hatte. Doch wie sollte sie vorgehen? Einfach klopfen und nach einem narbengesichtigen Zimmermann fragen? Das wäre zu auffällig. Vielleicht kam ihr noch eine bessere Idee.

Anna rührte gedankenverloren in dem Eintopf für das Mittagsmahl. Sie schreckte hoch, als Vev mit Ignaz an der Hand in die Kuchl kam. Sofort krabbelte ihr Neffe unter den Tisch zu seinen Holztieren, die ihm Lenz' Großmutter geschenkt hatte.

Ein verschmitztes Grinsen huschte über das Gesicht der Magd. „Der Meister hat mir aufgetragen, eure Hochzeit für Januar vorzubereiten. Ich freue mich und kann mir kein schöneres Paar vorstellen."

Anna wusste im ersten Moment nicht, was sie darauf erwidern sollte.

Vev musterte sie prüfend. „Du scheinst dich aber nicht zu freuen?"

„Doch schon, aber ..."

Die Magd überging ihren Einwand. „Der Meister ist wie ausgewechselt, seit ihr hier wohnt. Die letzten Jahre haben ihm arg zugesetzt. Zuerst verliert er seinen Posten als Zunftmeister und dann liegt seine Frau eines Morgens tot neben ihm im Bett." Sie bekreuzigte sich. „Der Herr schenke ihr eine freudige Auferstehung. Ich arbeite schon lange für die Lodwebers, aber so verzweifelt habe ich ihn noch nie erlebt." Sie hielt kurz inne. „Sei froh, wenn du jemanden hast, der dich liebt. Mir war dieses Glück nie vergönnt."

Die Offenheit, nachdem Vev anfangs eher kühl und zurückhaltend gewesen war, berührte Anna. „Es ist in den letzten Wochen einfach zu viel geschehen."

Vev schob den Topf vom Feuer und zog Anna zum Tisch. Sie nahm Annas Hand in die ihre und drückte sie sanft.

Es war, als platze ein Knoten in Annas Hals. Sie konnte nicht mehr schweigen. Sie musste alles erzählen, was sie erlebt hatte. Sie begann mit ihrer glücklichen Zeit in Augsburg, wo sie als Magd beim Färber-Jos gearbeitet und bei der Adolfin lesen gelernt hatte. Sie schwärmte von Lenz, der ihr gleich so nah war, der aber insgeheim mit Schuld und Scham kämpfte, was er ihr erst später offenbart hatte. Sie ließ nichts aus und erzählte ausführlich über ihre Flucht, immer voller Angst, als Ketzer erwischt zu werden. Dabei offenbarte sie der alten Frau ihre tiefsten Gefühle. Als sie die Szene mit Magdalena in Landsberg schilderte, brach sie in Tränen aus. Gleichzeitig war sie erleichtert, denn so offen hatte sie noch nie mit jemandem gesprochen. Unvermittelt hielt sie inne. Was hatte sie mit ihren unbedachten Worten nur angerichtet? Die Magd kannte nun ihr streng gehütetes Geheimnis.

Magdalena schlenderte bereits zum dritten Mal die Gasse zwischen der Apotheke und dem Zunfthaus der Kramer auf und ab. Im Gewirr der Gassen hatte sie länger gebraucht, um das Haus im Stadtviertel hinter dem Weinmarkt zu finden. Der Korb wog schwer in ihrer Hand und sie blieb kurz stehen. Sie hatte sich den Kopf zermartert, aber es gab keine andere Lösung. Sie musste nachfragen. Nur so kam sie weiter. Kurzentschlossen schickte sie sich an, zu klopfen. Da packte sie von hinten jemand kräftig am Arm. Erschrocken drehte sie sich um und starrte in das wutverzerrte Gesicht des Webers Pfeifer.

„Was treibst du hier?"

Jetzt brauchte sie eine gute Ausrede.

Kapitel 19

26. November Anno Domini 1527, Augsburg

Fieberhaft ging er seinen Plan zum tausendsten Mal durch. Mit Gottes Hilfe würde es gelingen, aus diesem dreckigen Loch zu entkommen. Seit seiner Gefangennahme vor sechs Wochen hatten sie ihn schon drei Mal peinlich verhört. Eine neuerliche Tortur würde er nicht überstehen. Er starrte auf seine blauschwarz verfärbten Finger, die sie ihm mehrfach gequetscht hatten. Hans graute, wenn er an die kalten Augen des Henkers dachte. Doch ohne die Salbe und den Mohnsaft des Züchtigers hätte er keine Nacht schlafen können. Welch ein Hohn – erst fügte ihm dieser Kerl Schmerzen zu, um ihn anschließend wieder zu kurieren.

Schwere Schritte von Stiefeln kamen näher und hielten vor seiner Zelle an. So früh am Tag verhieß das nichts Gutes. Unwillkürlich begann er, am ganzen Leib zu zittern. Die Angst griff wie eine eiskalte Hand nach seinem Herzen. Seine unsterbliche Seele, die er einst für so stark gehalten hatte, verzagte in diesem Augenblick.

Die Zellentür schwang quietschend auf und ein feister Büttel trat ein. „Hut! Du sollst noch einmal vor dem Stadtschreiber von Augsburg eine Urgicht ablegen."

Hans wich zurück und flehte mit erstickter Stimme: „Aber ich habe doch schon alles gesagt ...“

„Der Doctor Peutinger entscheidet, wann es genug ist, nicht du, Hut. Wann begreifst du das endlich?“

Die groben Hände der Henkersknechte zerrten ihn aus seinem Loch und trugen ihn mehr, als dass er lief. Sie verließen die düstere Tiefe des Kerkers und erreichten die Fragstatt. Dort erwartete sie Doctor Peutinger, der einflussreichste Politiker der Reichsstadt Augsburg. Der Stadtjurist maß ihn mit einem Gesichtsausdruck, den Hans nicht zu deuten vermochte. Ein Funken Hoffnung keimte in ihm auf. Vielleicht war Peutinger doch an seinen theologischen Ansichten interessiert? Die Knechte zwangen Hans auf einen Stuhl. Sein ganzer Körper schmerzte höllisch und er biss die Zähne zusammen.

„Hut, Hans, fahrender Buchhändler aus Bibra im Frankenland“, diktierte der Stadtjurist und ein Schreiber kratzte es mit einem Federkiel in die Gerichtsakte.

Hans räusperte sich. „Ich bin Drucker und Buchbinder, Euer Exzellenz.“

Peutinger sah ihn an. „Du wirst noch Gelegenheit bekommen, dich zu erklären.“ Er nahm ein in einfaches Leder geschlagenes Büchlein in die Hand.

Dessen Anblick verlieh Hans neue Kraft, denn dort hinein hatte er die zehn Gebote und ein selbst verfasstes Klagelied über das zuchtlose und unchristliche Leben in der Welt notiert. „Wollt Ihr mit mir über die Schrift disputieren, Euer Exzellenz?"

Peutinger lächelte spöttisch. „Mit dir disputieren, Hut? Wenn du es *so* nennen willst." Er hielt das Büchlein in die Höhe. Dann erhob er die Stimme, sodass ihn alle Anwesenden hören konnten. „Mich interessieren nicht deine theologischen Wirrheiten, die du hier hineingeschrieben hast. Vielmehr möchte ich dich zu deinen Umsturzplänen befragen."

„Umsturzpläne? Welcher Umsturz?"

Mit einer theatralischen Geste warf Peutinger das Büchlein Hans vor die Füße. Bedeutungsvoll sah er die anwesenden Ratsherren nacheinander an, bevor er sich dem Gefangenen zuwandte. „Was genau hast du an Pfingsten 1528 geplant?"

Die Schmerzen machten es ihm beinahe unmöglich, einen klaren Gedanken zu fassen. Dennoch wusste er, dass das seine letzte Chance war, diese verblendeten Unwissenden von der Wahrheit zu überzeugen. Er sprach ein stummes Gebet, bevor er feierlich erklärte: „Euer Exzellenz. An Pfingsten wird das Jüngste Gericht über uns arme Sünder kommen."

Peutinger kniff die Augen zusammen und zog die Stirn in Falten. „Das Jüngste Gericht? Woher hast du diesen Unfug, Hut?"

„Wer die Bibel aufmerksam liest, kann nur zu diesem Schluss kommen", beharrte Hans.

Peutinger wurde laut. „Halte uns nicht zum Narren, Hut!" Er zeigte auf das Büchlein auf dem Boden.

„Da drin steht, dass du einen Aufstand geplant hast. Wie wolltest du das anstellen?"

„Ihr missversteht mich, Euer Exzellenz. Ich spreche nur über das Jüngste Gericht. Ich beziehe mich auf die Bibel! In meiner Kladde stehen viele Bibelzitate, die von Gottes Letztem Gericht handeln. Von dem Moment, in dem er uns alle erlösen wird."

Peutinger schüttelte den Kopf und seufzte resigniert. Er deutete auf die Seilrolle an der Decke der Fragstatt. „Züchtiger, wir beginnen direkt mit Aufziehen. Fessle dem Gefangenen die Hände auf dem Rücken."

Eine Stunde später schrie sein Körper vor Schmerzen. Vier Mal hatte ihn Peutinger aufziehen lassen. Bei den letzten beiden Torturen hatte der Henker vorher ein Gewicht an seinen Beinen befestigt, was ihm seine Schultergelenke ausgekugelt hatte. Schwer atmend lag Hans auf dem Boden. Sein nackter Körper war schweißnass.

Peutinger wies die Henkerknechte an, den Gefangenen wieder auf den Stuhl zu setzen. „Ich frage dich also noch einmal, wer war Teil der Verschwörung, die Pfingsten nächstes Jahr den Umsturz herbeiführen sollte?"

Hans hob den Kopf. Seine Stimme gehorchte ihm nicht. Er musste all seine Kraft zusammennehmen. „Der Herr wird sie alle versammeln und mit seiner

Zukunft dazu kommen. Die Heiligen werden die anderen strafen."

„Welche anderen?", hakte Peutinger nach.

„Die Sünder, die nicht Buße getan haben."

„Welche Sünder?"

„Die Pfaffen, die falsch gepredigt haben. Sie müssen Antwort geben über ihre Lehre."

Peutinger trat näher. „Du meinst also, nur die Geistlichen werden gestraft? Wolltest du die Kirche stürzen?"

„Auch ...", hauchte Hans.

„Wen noch?", bohrte Peutinger nach.

„Die Mächtigen ... Auch Ihr, Euer Exzellenz, müsst über Euer Regiment Antwort geben, wenn es soweit ist."

„Hier steht, dass die Heiligen zweischneidige Schwerter in Händen halten werden", beharrte der Stadtschreiber. „Woher sollten diese Leute ihre Waffen bekommen?"

„Das versteht Ihr falsch. Ich schreibe nicht vom Kampf im diesseitigen Leben, sondern während des Jüngsten Gerichts."

Peutinger schüttelte enttäuscht den Kopf und deutete auf das schwerste Gewicht in der Ecke.

Hans lag auf seiner harten Holzpritsche. Auf dem schmutzstarrenden Boden vor ihm stand eine Öllampe, die unstete Schatten auf einen Teller Gerstenbrei und einen Becher mit dünnem Bier warf. Die

Flamme hielt die Ratten von seinem Nachtmahl fern, doch Hans wusste, dass sie nur darauf warteten, dass das Licht erlosch, um aus den dunklen Winkeln hervorzukriechen. Vorsichtig bewegte er seine Schulter, die ihm der Henker vorhin eingerenkt hatte. Der Saft des Mohns begann zu wirken. Ächzend beugte er sich vor und schlang den kalten, nach Moder schmeckenden Brei hinunter. Durstig leerte er den Becher. Er schloss die Augen und ging seinen Plan noch einmal durch. Er hoffte, dass das feuchte Stroh imstande war, die Tür zu seiner Zelle in Brand zu setzen.

Kapitel 20

„Du gehst heute Abend mit der Magd zu einem Treffen der Täufer?" Lenz Atem dampfte in der kalten Luft. Ungläubig sah er Anna an.

Statt einer Antwort knabberte sie an ihrer Unterlippe.

„Hast du vergessen, warum wir aus Augsburg fliehen mussten?"

Ihre goldfarbenen Augen wurden mit einem Mal ganz dunkel. Wütend zischte sie: „Was unterstellst du mir?"

Lenz bemühte sich, ruhig zu bleiben. „Ich verstehe einfach nicht, warum du das tust. Ich will endlich in Ruhe leben. Zusammen mit dir und Ignaz. Was, wenn alles wieder von vorne losgeht? Wenn wir wieder fliehen müssen? Du weißt nicht, wie die Memminger über die Täufer denken."

Sie fiel ihm ins Wort. „Vev meinte, dass der Rat der Stadt die Täufer billigt."

„Das dachten wir in Augsburg auch", entgegnete Lenz bitter. „Wie hast du überhaupt erfahren, dass Vev zu den Täufern geht?"

„An dem Tag, als sie zum ersten Mal zu ihrer Base nach Amendingen wollte, habe ich sie zufällig auf dem Marktplatz Richtung Gefängnisturm gehen sehen. Also in die ganz andere Richtung. Ich bin ihr dann nachgegangen und …"

„Du hast sie verfolgt? Das wird ja immer besser."

„Ja und? Schließlich musste ich wissen, warum sie uns angelogen hat." Annas Stimme klang trotzig.

„Und dann?"

„Sie ist in einem Haus im Weberviertel verschwunden. Ich habe beobachtet, dass ein junger Mann auch eingelassen wurde, nachdem er das Losungswort der Täufergemeinde sprach."

„Das Wort ist Fleisch geworden", murmelte Lenz tonlos. „Aber all das erklärt nicht, warum sie dich heute Abend mitnimmt. Schließlich hat sie dich nicht gesehen." Er sah, dass Anna auswich. „Jetzt rede!", herrschte er sie ungeduldig an.

Anna senkte den Kopf, sodass er kaum verstand, was sie sagte. „Wir haben uns vorgestern über die Hochzeit unterhalten und da ist es mir rausgerutscht."

„Was rausgerutscht?"

„Das mit unserer Flucht aus Augsburg, die Hinrichtung meines Bruders in Landsberg und das mit Magdalena …"

Er packte sie am Arm. „Du hast der Magd erzählt, dass wir als Ketzer verfolgt werden?"

„Ja, aber sie hatte Verständnis für uns."

„Verständnis", höhnte er. „Weiß der Meister davon?"

Anna riss sich los. „Das weiß ich nicht!"

„Vermutlich nicht. Allein, dass sie dem Meister ihr Treiben verheimlicht, zeigt mir, dass die Täufer auch in Memmingen unerwünscht sind." Er schlug sich mit der flachen Hand gegen die Stirn. „Mein schlechtes Gewissen plagt mich jeden Tag, weil ich dem Meister gegenüber nicht ehrlich bin, während er mich an Lichtmess in seine Werkstatt nehmen will. Und ihr Weiberleut bringt uns alle in Teufels Küche." Abrupt wandte er sich ab und eilte zurück ins Haus. Die Tür fiel krachend hinter ihm ins Schloss.

Der Wind trieb Blätter über den vom Regen schlammigen Boden. Anna zog ihren Umhang fester um sich und bemühte sich, mit Vev Schritt zu halten.

Als Anna zurückfiel, drehte sich die Magd zu ihr um: „Was ist heute los mit dir? Du bist doch sonst wieselflink."

In der Hoffnung, dass Vev nicht weiter nachfragen würde, deutete Anna wortlos auf ihr Knie.

Vev winkte ab. „Das ist die feuchte Kälte. Dagegen helfen Umschläge. Gegen deinen anderen Kummer ist kein Kraut gewachsen."

Sie fühlte sich ertappt, denn eigentlich wollte sie der Magd nicht erzählen, dass Lenz außer sich war, weil Anna sich ihr anvertraut hatte. Doch wieder brachen die Worte aus ihr heraus: „Lenz ist wütend, weil ich mit dir zu dem Treffen gehe. Außerdem hat er Angst, dass wir wieder fliehen müssen, wenn der

Meister erfährt, dass wir als Ketzer gesucht werden."

„Da braucht ihr euch keine Sorgen machen."

„Wieso?" Anna verstand gar nichts mehr. „Du selbst schiebst doch einen Besuch bei deiner Base vor, obwohl du dich stattdessen mit den Täufern triffst."

Das sanfte Schmunzeln vertiefte die Falten in Vevs Gesicht. „Ich habe schon bemerkt, dass du mir nachgeschlichen bist."

Beschämt senkte Anna den Blick.

„Meister Hans und ich wussten kaum etwas von *euch*. Deshalb haben wir uns diese Geschichte ausgedacht."

„Der Meister weiß Bescheid?"

„Natürlich. Auch dass ich dich heute mitnehme. Die Täufer sind hier in Memmingen gut gelitten. Solange wir den Rat respektieren, lässt er uns in Ruhe. Zugegeben, unser Prediger ist ein Eiferer, aber davon lassen wir uns nicht anstecken. Alles andere, was du mir anvertraut hast, habe ich dem Meister nicht erzählt."

Eine Welle der Erleichterung durchströmte Anna. Ohne zu zögern umarmte sie Vev, die das einen Herzschlag lang geschehen ließ. „Jetzt müssen wir aber weiter, damit wir nicht zu spät kommen. Schließlich sind sie alle schon gespannt, welchen Gast ich heute mitbringe."

„Wenn du mit deinem Schnitzmesser weiter so heftig das Holz bearbeitest, wird von dem Bären für Ignaz bald nichts mehr zu erkennen sein." In seinem Furor hatte Lenz den Meister nicht kommen hören. Er warf das Messer auf den Tisch und stand auf, um die Späne aufzufegen. „Das wird heute sowieso nichts mehr", brummte er.

„Lass mich das machen. Mal schauen, ob meine steifen Finger das noch hinbekommen. Es ist lange her, dass ich sowas gemacht habe. Damals, als meine Ursel guter Hoffnung war. Doch es war uns nicht vergönnt." Hans Lodweber hielt inne und rieb sich über die Augen. „Derweil schenkst du uns noch ein Bier ein. Das haben wir uns verdient. Schließlich hast du zwei neue Aufträge an Land gezogen. Ich könnte mir keinen besseren Nachfolger für die Werkstatt vorstellen als dich."

„Nachfolger? Ich bin ja noch nicht einmal Beisitz in der Stadt. Geschweige denn ein Bürger mit vollen Rechten und Pflichten. Wie soll das gehen?"

„Alles hat seine Zeit. Erst wirst du Beisitz, dann Zunftmitglied. Ich habe keine Nachkommen und würde dir dieses Haus vererben. Du könntest das volle Bürgerrecht erwerben und dürftest dann auch Grundbesitz haben. Bei deinen Fähigkeiten könnte ich mir vorstellen, dass dir die Zunft erlauben wird, auch meine Werkstatt als Meister weiterzuführen."

„Ich kann deine Zimmerei nicht übernehmen". Lenz stellte die Krüge so heftig auf den Tisch, dass das Bier überschwappte.

„Sagst du mir auch warum?" Hans Lodweber ließ sich durch Lenz' Gefühlsausbruch nicht aus der Ruhe bringen. Konzentriert arbeitete er an der Schnauze des Bären.

„Ich bringe nur Unglück über euch. Es ist besser, wenn wir weiterziehen."

„Warum glaubst du das?"

„Bisher kanntest du mich nur als Bauernschlächter."

„Das beantwortet nicht meine Frage."

Die folgenden Worte kamen Lenz kaum über die Lippen. „Ich werde als Ketzer gesucht!"

Unbeeindruckt schnitzte der Meister weiter und Lenz fragte sich, ob seine Enthüllung überhaupt wahrgenommen wurde. Wortlos starrte er ihn an, als Lodweber schließlich das Messer aus der Hand legte und das Wort ergriff: „Wenn es nach dem bairischen Herzog geht, sind wir Memminger bis auf ein paar Altgläubige alle Ketzer. Egal, ob luthrisch oder zwinglisch. Außerdem gibt es auch hier Täufer. Anna hat dir sicher erzählt, dass sie heute Abend mit Vev zu einer Versammlung von ihnen geht."

Der Schreck traf Lenz wie ein Blitz und seine Gedanken begannen sich zu drehen, wie trockene Blätter im Sturm. „Du weißt davon?", stotterte er.

„Natürlich. Warum sollte Vev das vor mir verheimlichen? Dass sie nach Amendingen geht, haben wir nur vorgetäuscht. Schließlich kannten wir deine Anna nicht. Manches bigotte Weib bringt Unheil über ein Haus."

Lenz kam sofort Agnes, die Schwägerin von Anna, in den Sinn. Er war sich mittlerweile sicher, dass sie Anna und ihn selbst bei Pfarrer Sättelin in Hürben angeschwärzt hatte. „Aber in Augsburg …"

Lodweber winkte ab. „In Augsburg haben die Täufer die Obrigkeit vorgeführt. Das würde auch hier zu Ärger führen."

„Mein ehemaliger Meister, der Kießling Hans, war ein Täufer. Er wurde verraten und verhaftet. Mittlerweile ist er wieder frei, hat aber alles verloren. Wir sind damals in den Lechrain geflohen. Nur um festzustellen, dass es dort für Täufer noch gefährlicher war."

„Teilst *du* deren Ansichten?"

Lenz zuckte mit den Schultern. „Kießling hat es gern gesehen, dass ich bei den Versammlungen dabei war. Die Täufer predigen Glaubensfreiheit und Gewaltlosigkeit. Das hat mich angesprochen. Dann war da noch Anna."

„Wie denkt sie darüber?"

Lenz stieß die Luft aus. „Ich glaube, die Täufer bedeuten ihr mehr als mir. Bei der Adolfin lernte sie Lesen und sprach mit anderen Frauen über die Bibel. Augsburg war für sie eine neue Welt, in der sie sich frei fühlte."

„Ist sie eine Anhängerin von Hut? Wie man so hört, ist er alles andere als friedfertig und sehr extrem in seinen Ansichten."

Die Frage überraschte Lenz. Lodweber war offenbar gut unterrichtet. „Darüber haben wir nie gesprochen. Es kann gut sein, dass seine Ideen bei ihr auf fruchtbaren Boden gefallen sind. So wie bei ihrem Bruder Gebhart. Zusammen mit den Täufern, seinen neuen Glaubensbrüdern, wollte er erneut für seine Freiheit kämpfen. Diese Schlacht hat er mit seinem Leben bezahlt."

„Warum seid ihr nicht gleich nach Memmingen gekommen? Der Lechrain gehört zu Baiern. Dir muss doch klar gewesen sein, dass der Herzog gegen Andersgläubige viel radikaler vorgeht."

„*Mir* schon!", ereiferte sich Lenz. „Ich habe mit Engelszungen auf Anna eingeredet. Aber sie wollte unbedingt zurück zu ihrem Bruder nach Hürben. Ich wollte sie nicht allein lassen." Lenz spürte, wie ihn das Reden darüber innerlich aufwühlte. „Meine Befürchtungen haben sich letztlich als düstere Prophezeiung erwiesen. Gebhart und ich wurden als Ketzer verhaftet. Auf dem Weg in das Gefängnis nach Landsberg konnte ich fliehen."

„… und dein Schuldgefühl ihm gegenüber hat dich wieder eingeholt. Du wolltest ihn befreien, was aber misslungen ist. Das zumindest habe ich mit angehört."

Stille trat ein. Nur das Knacken der Scheite im Feuer unterbrach gelegentlich das Schweigen. Lange Zeit sprach keiner der beiden Männer.

Dann stellte Lodweber den kleinen Holzbären auf den Tisch. „Du hast viel erlebt. Ich bin dankbar, dass du den Weg zurück gefunden hast. Vielleicht findest du hier deinen Frieden, der dir auf deiner Wanderschaft verwehrt geblieben ist. Mit Anna bekommst du ein Weib an deine Seite, die dir eine Gefährtin fürs Leben sein wird. So, wie meine Ursel für mich." Mit diesen Worten verließ der Meister die Wohnstube.

Der Prediger der Memminger Täufergemeinde drückte Anna zum Abschied die Hand. Seine Finger waren warm und weich. „Es war schön, dass du heute da warst. Vev hat mir erzählt, dass du bei der Adolfin ein und aus gegangen bist. Das spürt man. Deine Worte spiegeln ihren Geist wider."

„Du kennst die Adolfin?"

„Natürlich, ich bin öfter in Augsburg. Kommenden Freitag reite ich wieder für zwei Wochen hin." Der Waldhauser Thomas senkte die Stimme. „Hier in Memmingen fehlt den Brüdern und Schwestern das Feuer des Heiligen Geistes. Sie kämen nie auf die Idee, für den Glauben ihr Leben aufs Spiel zu setzen, so wie der Hut Hans." Waldhausers Augen funkelten. „Sie leben ihre urchristliche Gemeinde im Verborgenen. Weil sie ihre Steuern zahlen, Wehrdienst leisten und die Obrigkeit anerkennen, lässt sie der Rat in Ruhe."

Anna nickte.

„Scheue nicht, mich anzusprechen, wenn du Fragen hast oder dir etwas auf der Seele liegt." Er zeichnete Anna ein Kreuz auf die Stirn.

Anna ahnte in diesem Moment noch nicht, wie bald schon sie seine Hilfe benötigen würde.

Kapitel 21

Beschwingt schloss Anna die Tür zur Wohnstube, wo Lenz noch am Tisch saß. Sie deutete auf den kleinen Bären vor ihm. „Der ist ja possierlich. Da wird sich Ignaz freuen."

Nachdenklich fuhr Lenz die Konturen mit dem Zeigefinger nach. „Den hat der Meister geschnitzt. Während ich mit ihm über alles geredet habe."

„Und ich mit Vev", sprudelte es aus ihr heraus.

„Hans wünscht uns, dass wir in Memmingen unseren Frieden finden. Vorausgesetzt, du willst das auch. Nach all dem, was ich dir angetan habe." Er senkte den Kopf und murmelte: „Ich konnte mir nicht vorstellen, dass du mit einem Bauernschlächter wie mir zusammensein willst. Deshalb habe ich so lange geschwiegen. Und das mit Magdalena ist unverzeihlich. Es fühlte sich von Anfang an falsch an, bei ihr zu liegen, und doch wollte ich es. Nicht nur aus schlechtem Gewissen ihr gegenüber. Nur für einen Moment all das Schreckliche der Wochen zuvor vergessen. Mich hat damals einfach der Teufel geritten."

Bei seinen Worten wuchs in Anna die Zuversicht, dass alles gut werden konnte. „Pst." Sie legte die Hand auf seine Lippen.

Er schmiegte die Wange in ihre Handfläche. „Ich könnte verstehen, wenn du mich nicht heiraten willst." Lenz zog Anna zu sich auf den Schoß. Er streifte ihren Mantel ab und ließ ihn auf den Boden gleiten. Dann verbarg er sein Gesicht an ihrem Hals. Sein struppiger Bart kitzelte ihre Haut. Sie vergrub ihre Finger in seinen Haaren. Die letzten Monate hatten sie die ersten Zärtlichkeiten in Augsburg vergessen lassen. Jetzt war die Erinnerung daran wieder da, doch so nahe waren sie sich noch nie gewesen.

Seine Lippen strichen über ihr Ohr. Alle Härchen auf ihrem Körper richteten sich auf. Sie wollte ihn nur noch spüren. Überall. Er blies die Öllampe auf dem Tisch aus, sodass nur der Schein des Holzfeuers den Raum in ein flackerndes Licht tauchte. Ohne sie loszulassen, stand er auf. Sie sog seinen Geruch nach Holz und Schweiß ein. Seine kräftigen Arme drückten sie einen Moment fest an sich, bevor er sie sanft auf den Boden legte. Er kniete sich über sie. Seine Lippen suchten die ihren, wanderten weiter zu ihren Brüsten. Er schob ihr Unterkleid hoch. Schauer liefen über ihren Rücken. Seine Haut war warm und weich. Sie gab sich seinen fordernden Berührungen hin, bis sie nur noch eins waren.

Anna war glücklich. Ihr Körper bebte immer noch, wenn sie an die letzte Nacht dachte. Mehrmals sah Vev Anna eindringlich an, so als ahnte diese, was Anna und Lenz getrieben hatten. Sie war froh, als sie endlich in die Messe aufbrachen, um dem aufmerksamen Blick der Magd zu entkommen.

Verschmitzt grinsend hatte Lodweber für danach alle in die Wirtsstube am Weinmarkt eingeladen. Zur Feier des Tages, jetzt, wo alle Unklarheiten beseitigt waren.

Die Worte des Predigers prallten heute an ihren Ohren ab. Immer wieder sah sie Lenz an, so, als wollte sie sich vergewissern, dass ihr Zusammenliegen kein Traum gewesen war. Sein liebevoller Blick zerstreute die letzten Zweifel. Alles würde gut werden. Endlich!

Der Schankraum war bereits voll, als sie zusammen die Wirtsstube betraten. Lenz trug Ignaz auf dem Arm, der dem Treiben neugierig zusah.

Lodweber steuerte zielstrebig den einzigen noch freien Tisch in der Ecke an. Leutselig klopfte er einem hageren Mann mit einem kantigen, bartlosen Gesicht am Nachbartisch auf die Schulter. „Auf was stoßt ihr denn heute an?"

Noch bevor der Angesprochene antworten konnte, fuhr ein Bärtiger mit einem schelmischen Grinsen dazwischen. „Der Weber Pfeifer wird Vater! Da bewahrheitet sich doch das alte Sprichwort, dass auch ein blindes Huhn irgendwann ein Korn findet." Er lachte dröhnend über seinen eigenen Witz.

Pfeifer funkelte ihn wütend an.

„Das ist doch eine gute Nachricht", freute sich Vev. „Schließlich wartet ihr schon so lange auf Nachwuchs. Da wird deine Frau überglücklich sein."

„Er hat jetzt sogar eine Hilfe für seine Frau", gab wieder der Bärtige zum Besten. „Eine ganz heiße Feel, sage ich euch. Leider hat sie der Weber mit seiner Frau nach Hause geschickt. Ich hätte gerne mit ihr angestoßen." Dazu machte er eine eindeutige Handbewegung, die keinen Zweifel ließ, was er damit meinte. Die ganze Runde, außer Pfeifer, grölte. Das Großmaul hielt sich die Hand vor den Mund und sprach etwas leiser. „Ich sag euch, diese Frau ist die Sünde in Person. Allein schon ihre roten ..."

„Halt endlich dein vorlautes Maul!" Pfeifer schlug so heftig auf den Tisch, dass die darauf stehenden Krüge bedenklich schwankten.

Meister Lodweber ging dazwischen. „Leute, beruhigt euch. Auf das freudige Ereignis gebe ich einen aus."

Anerkennendes Klopfen auf dem Tisch erklang.

„Aber da wir schon dabei sind: Nicht nur ihr habt etwas zu feiern. Auch ich habe allen Grund dazu. Zu Lichtmess werde ich beim Rat nachsuchen, dass der

Kirchperger Lenz hier Memminger Beisitz werden kann. Vielleicht kennt ihn der eine oder andere von euch schon. Lenz ist mir während seiner Wanderschaft schon öfter zur Hand gegangen." Er hielt kurz inne und deutete dann auf Anna. „Seine hübsche Frau Anna und ihren Neffen hat er auch schon mitgebracht. Im Januar wird Hochzeit gefeiert." Zustimmendes Gemurmel ertönte.

Anna senkte verlegen den Kopf.

„Das sind gute Neuigkeiten!", ertönte es unvermittelt. Augenblicklich veränderte sich Lodwebers Miene. Mit gerunzelter Stirn ging er auf den Mann zu, den Anna noch nie gesehen hatte. Obwohl Lodweber den für sie Fremden überschwänglich begrüßte, war doch die Spannung zwischen beiden Männern mit Händen zu greifen. Fragend blickte Anna zu Lenz.

„Das ist der Hewel Georg, der Zunftmeister", flüsterte er ihr ins Ohr. „Der Hewel ist auch der Nachfolger von Hans im Rat der Stadt."

„Essen, Essen!" Ignaz wand sich aus Lenz' Armen und kletterte auf die Bank.

„Endlich jemand, der sagt, was noch wichtig ist." Sie setzten sich, während Lodweber immer noch eindringlich auf Hewel einsprach. Die Bedienung kam an den Tisch und Vev bestellte zur Feier des Tages Wein und einen Topf mit Gesottenem.

Meister Hans kam zusammen mit Hewel an den Tisch. „Der Zunftmeister ist heute mein Gast."

Hewel setzte sich Anna gegenüber und musterte sie prüfend, bevor er das Wort an Lenz richtete. „Dann berichte mir doch mal, wo du schon überall gearbeitet hast. Schließlich muss ich als Zunftmeister wissen, wen der Lodweber da in seine Werkstatt aufnehmen will. Außerdem musst du Beisitz werden in der Stadt, jetzt, wo du kein Wandergeselle mehr bist."

Anna hoffte, dass Lenz die richtigen Worte finden würde, damit der Zunftmeister nicht misstrauisch wurde. Sie ahnte, dass sie nie wissen konnten, wie ihre Vergangenheit aufgenommen wurde. So verständnisvoll wie Meister Lodweber und seine Magd waren nicht alle.

Kapitel 22

28. November Anno Domini 1527, Memmingen

„Markt gehen?" Ignaz deutete auf den Korb in Annas Hand.

„Ja, aber heute gehe ich alleine. Du bleibst bei Vev." Sie deutete auf die Magd, die ihm den Holzbären hinhielt.

Freudestrahlend nahm er die Figur und setzte sie zu den anderen unter den Küchentisch. Dort lag auch der Holzlöffel, den er kaum noch mit sich trug.

Vev schüttelte den Kopf. „Man könnte meinen, dass es in unserem Haus nur diesen Platz zum Spielen gibt."

„Das wundert mich nicht. Zuhause bei meinem Bruder und meiner Schwägerin saß er auch immer unter dem Tisch. Vielleicht erinnert er sich daran und fühlt sich sicherer. Wobei ich Gott dankbar bin, dass er immer mehr spricht. Die ersten Wochen nach dem Tod seiner Mutter war er völlig verstummt."

„Du hast mir vor ein paar Tagen Vieles erzählt, aber nicht, woran deine Schwägerin verstorben ist. War sie krank?"

Anna schüttelte den Kopf. „Ihre zweite Schwangerschaft hat ihr zugesetzt. Als ich sie das letzte Mal gesehen habe, wirkte sie ausgezehrt. Wie von einem inneren Feuer. Ein Nachbar hat sie ein paar Tage später in ihrer Kuchl tot aufgefunden. Vermutlich ist sie gestürzt und hat sich das Genick gebrochen."

„Wo war dein Bruder?"

„Er war gerade in Augsburg, um Flickschuhe und Getreide des Sedlbauern auszufahren."

„Das ist ja tragisch."

„Seltsam war, dass Ignaz spät nachts weinend draußen auf der Straße saß, obwohl er die Tür nicht öffnen konnte. Nur deshalb ist der Nachbar aufmerksam geworden."

Vev wiegte nachdenklich den Kopf. „Vielleicht wollte seine Mutter draußen noch etwas holen."

„Kann sein. Das wird sich nie klären, genauso wenig woher dieser wertvolle Holzlöffel stammt, den Ignaz dauernd mit sich herumschleppt."

„Vielleicht ein Geschenk?"

Anna lachte bitter. „Wir kennen niemanden, der uns so etwas Teures schenken würde. Meine Familie war bettelarm. Wenn uns der Sedlmaier Jörg nicht hin und wieder Essen zugesteckt hätte, wären wir oft nicht über das Jahr gekommen. Aber meine bigotte Schwägerin war immer der Meinung, dass wir unser Elend dankbar hinnehmen müssen. Hauptsache, mein Bruder konnte den Zehnten an den geilen Pfaffen Sättelin bezahlen."

„Du mochtest sie nicht?"

„Sie mochte *mich* nicht!", begehrte Anna auf. „Sie hat den Leibhaftigen in mir gesehen, weil ich mehr wollte. Mehr, als den alten Kleinhäusler Quirin zu heiraten und darauf zu hoffen, dass meine Kinder den Winter überleben."

„Wie bist du dann nach Augsburg gekommen?"

Trotzig reckte Anna ihr Kinn vor. „Ich bin meinem Bruder nachgeschlichen, als er sich mit seinen Freunden bei Nacht und Nebel heimlich getroffen hat. Dass es sich bei dem Treffen um eine Winkelpredigt der Täufer gehandelt hat, habe ich erst in Augsburg begriffen."

„Neugierig warst du also schon immer." Vev schmunzelte.

Anna spürte, wie sich eine verräterische Röte in ihrem Gesicht ausbreitete.

„Und dann?"

„Mein Bruder hat das bemerkt und beschlossen, mich als Magd zum Färber-Jos nach Augsburg zu schicken. Jos nämlich war dieser Prediger, den ich bei der Zusammenkunft belauscht hatte. Er befürchtete, dass mein vorlautes Mundwerk sie in Gefahr bringen könnte. Rückblickend gesehen war das mein größtes Glück."

„Weil du bei der Adolfin lesen lernen durftest?"

„Ja, sie ist eine gute Freundin und eine Glaubensschwester vom Färber-Jos. Wobei das ihr Mann nicht so gerne sieht. Außerdem habe ich dort den Hut Hans getroffen, der oft beim Färber-Jos übernachtet hat."

Anna entging nicht, dass sich die Stirn der Magd bei der Erwähnung von Huts Namen kräuselte. „Ich weiß, dass ihn viele für einen Eiferer halten."

„Das ist milde ausgedrückt. Ich halte ihn für aufrührerisch." Vev schnaubte. „Seine Aussagen über das Jüngste Gericht nächstes Pfingsten klingen für mich verworren. Außerdem findet er es gerecht, dass die Bauern den Krieg verloren haben, weil sie nicht zur Ehre Gottes, sondern für ihre ganz persönliche Freiheit gekämpft haben."

Anna hatte diese Aussage damals auch erschreckt und verwirrt.

„Du musst wissen, dass unser Prediger Thomas diesen verwirrten Hut auch schätzt. Doch solange er uns damit nicht behelligt, bin ich zufrieden. Ich möchte mich nur in Ruhe treffen, um zu beten und gemeinsam zu essen." Wie zur Bestätigung faltete sie die Hände. „So, genug geredet. Jetzt schau, dass du loskommst, sonst gibt es nur noch faulige Rüben."

Beschwingten Schrittes eilte Anna zum Markt. Vor den Ständen der Fieranten drängten sich viele Frauen. Anna stellte sich zuerst am Brotstand in die Schlange. Die blasse Wintersonne konnte gegen die beißende Kälte nichts ausrichten. Sie blies in ihre Hände, um sie etwas aufzuwärmen. Ein zorniger Ausruf ließ sie zusammenzucken. Die Leute vor ihr reckten neugierig die Köpfe und flüsterten aufgeregt miteinander. Auch Anna drängte sich nach vorne, um einen Blick auf den Bäcker zu erhaschen, der wütend gestikulierend mit jemandem stritt. Sie erblickte eine hochgewachsene Frau, die auf den Händler einredete. Unter ihrem Tuch quollen rote Locken hervor. Erschrocken presste Anna ihre Hand auf den Mund. Das konnte nicht sein. Rothaarige Frauen gab es überall. Trotzdem waren ihre Augen wie festgeleimt an der Frau, die endlich ihr Brot erhielt und sich umwandte. Magdalena war in Memmingen!

Anna spürte, wie ihr Herz bis zum Hals schlug, als sie Magdalena durch die Menge folgte. Die Menschen standen dicht gedrängt, und es fiel ihr schwer, Magdalena nicht aus den Augen zu verlieren. Sie musste unbedingt wissen, wohin diese Frau ging und warum sie hier war. Plötzlich stolperte Anna fast über einen Korb mit Äpfeln. Hastig richtete sie sich wieder auf – doch Magdalena war verschwunden. Panik ergriff sie, und sie rannte los, gerade rechtzeitig, um Magdalena noch ins Weberviertel einbiegen zu sehen. Vorsichtig und bemüht, unbemerkt zu bleiben, schlich sie weiter und versteckte sich im Schatten eines Hauseingangs.

Magdalena verschwand in einem schlichten Haus, das sich nicht von dem unterschied, wo sich Anna mit den Täufern getroffen hatte. Was in drei Teufels Namen hatte die rothaarige Hexe mit den Webern zu schaffen?

Zurück im Lodweber-Haus stellte Anna wortlos den Korb auf den Tisch. Vev sah sie erstaunt an.

„Der ist ja leer, gab es nichts mehr?"

Anna schüttelte den Kopf. Der Kloß im Hals wurde immer dicker. „Ich ... Magdalena ist in Memmingen." Sie brach in Tränen aus.

Ignaz krabbelte erschrocken unter dem Tisch hervor und begann ebenfalls zu weinen. In diesem Moment betrat Lenz die Kuchl. Als er Annas tränenüberströmtes Gesicht sah, wollte er sie trösten. Sie stieß ihn weg. „Magdalena ist in Memmingen. Wusstest du das?"

Eine gespannte Stille breitete sich im Raum aus, nur unterbrochen vom Schluchzen des Kindes.

„Das kann nicht sein."

Vev schob die beiden in die angrenzende Wohnstube. „Ihr redet miteinander und ich kümmere mich einstweilen um das Mittagsmahl. Dann gibt es die Gerstengrütze eben ohne Rüben." Mit einem lauten Knall fiel die Tür hinter ihr ins Schloss.

„Bist du sicher, dass es Magdalena war?"

„Natürlich. Ich bin ihr nachgegangen bis zu einem Haus im Weberviertel."

„Der Weinhändler", erwiderte Lenz tonlos.

„Welcher Weinhändler?"

„Der aus Mindelheim. Das war der Hauner Caspar aus Landsberg. Er scheint mich *doch* erkannt zu haben."

„Und das sagst du mir erst jetzt?"

„Ich wollte dich nicht beunruhigen."

Ihre Augen blitzten zornig. „Weißt du, was das bedeutet?" Sie sank auf einen Stuhl und verbarg ihr Gesicht in den Händen. Erneut fühlte sie sich verraten und verletzt, weil ihr Lenz schon wieder etwas verschwiegen hatte.

„Vielleicht hat das alles gar nichts mit uns zu tun."

Anna hob den Kopf. „Wie meinst du das?"

„Bei der Beisetzung vom Georg vor zwei Jahren kam die Rede auf Magdalenas Tante zu sprechen. Sie und ihr Mann waren nicht gekommen. Der alte Mitterhuber hat lautstark getönt, dass er die ketzerische Bande aus dem Schwäbischen sowieso nicht am Grab seines Sohnes will."

„Und?"

„Erinnerst du dich, was der Weber im Wirtshaus erzählt hat?"

„Du meinst, dass Magdalena tatsächlich nur hier ist, um ihrer schwangeren Tante beizustehen?" Hoffnung schwang in ihrer Stimme mit.

Lenz nickte. „Es ist sicher nur ein Zufall. Allerdings können wir nicht verhindern, dass wir ihr irgendwann über den Weg laufen."

Kapitel 23

„Ich bin gerade zurück aus Memmingen", tönte der Hauner Caspar. „So wie ich das sehe, bin ich wohl der Einzige, der regelmäßig im Winter dorthin fährt. Ihr könnt froh sein, denn ohne meinen Einsatz hättet ihr schon lange keinen Bodenseewein mehr." Der Weinhändler war ganz in seinem Element. Wie meistens, wenn er in der Stadt war, führte er das große Wort. Vor allem hier im Nonnenbräu, seiner Lieblingswirtschaft.

Nach und nach füllte sich die Gaststätte im Hinteren Anger. Rauchschwaden hingen unter der niedrigen Decke. Der Geruch nach abgestandenem Bier, saurem Wein und Braten vermischte sich mit den Ausdünstungen der Menschen. Viele der Stammgäste waren Anwohner aus den Angerhöfen am Leitenberg und hörten diesem Großmaul gerne zu, versprachen doch seine aufschneiderischen Reden stets gute Unterhaltung. Außerdem waren die Burgunderweine hier deutlich günstiger als in der Weinstube im Rathaus.

„Was gibt es Neues von den Protestanten in Memmingen?", unterbrach Stadtpfarrer Haldenberger den Redefluss des Großmauls.

Hauner hielt überrascht inne. „Hochwürden! Ihr auch hier?" Er musterte den Pfarrer neugierig. „In der Tat, viele Memminger sind Protestanten. Sie haben die meisten Feiertage abgeschafft und hören die Messe oft in deutscher Sprache." Hauner tippte sich an seine Nase. „Aber sie können sich nicht einigen, ob sie lieber dem Zwingli oder dem Luther nachlaufen sollen."

Pfarrer Haldenberger nickte lächelnd. „Du kennst dich aber gut aus für einen gelegentlichen Gast in der Reichsstadt. Gehst du in die altgläubige Messe, wenn du dort bist?"

„Sehr selten, Hochwürden. Der Memminger Rat hat vor kurzem dem Vöhlin'schen Prediger verboten, altgläubige Messen zu halten. Seitdem kümmern sich nur noch Klosterbrüder um das Seelenheil derjenigen, die dem alten Glauben die Treue halten."

Der Pfarrer verzog das Gesicht.

Schnell schob Hauner nach: „Ich versichere Euch, dass ich so oft es geht in die Kirche des Kreuzherrenklosters in die alte Messe gehe. Außerdem bete ich in meiner Kammer jeden Abend zu unserer Heiligen Mutter Maria, bevor ich zu Bett gehe."

„Soso, Hauner. Das will ich dir gerne glauben. Aber warum fährst du dann alle naselang in diesen Sündenpfuhl, wenn du dort keine ordentliche Messe besuchen kannst?" Der Stadtpfarrer hatte seine Stimme erhoben bei den letzten Worten.

Schlagartig wurde es still im Schankraum. Die Landsberger wussten um die Macht, über die dieser gedrungene, übergewichtige Mann verfügte. Den Anwesenden war bewusst, dass dieser frühere Lateinlehrer dem Herzog als Ohr diente und jeden in die Landsberger Fronveste bringen konnte.

Hauner suchte nach Worten. Er hätte sich ohrfeigen können. „Ja also ... Man bekommt in Memmingen halt den besten Bodenseewein. Nach Lindau zu fahren, kann ich mir nicht leisten.“

Ein einzelner Gast lachte. Unvermittelt lachte auch Haldenberger und das ganze Wirtshaus schien aufzuatmen. „Na, dann sollten wir dir dankbar sein, Hauner.“ Der Pfarrer prostete ihm zu, trank aus, warf eine Silbermünze auf den Tisch und verließ das Nonnenbräu. Kaum war die Tür hinter ihm ins Schloss gefallen, setzte das Stimmengewirr wieder ein.

Der Hauner Caspar sah, dass der Mitterhuber Alfons und der Kistler Bartholomäus auch da waren. Ungefragt setzte er sich zu ihnen an den Tisch. „Grüß dich, Mitterhuber! Wie geht es deiner Frau? Ist sie noch gut nach Hause gekommen, nachdem ich sie letzte Woche am Spitalplatz abgesetzt habe?“

Der Mitterhuber schien nicht erfreut zu sein über Caspars Auftauchen. Kurz angebunden erwiderte er: „Danke der Nachfrage. Sie ist wohlbehalten bei mir angekommen.“ Damit wandte er sich wieder seinem künftigen Schwiegersohn zu: „Wie laufen die Geschäfte, Barthl?"

Doch Caspar gab nicht so schnell auf. „Deine Alte war in Sorge, ob es eurer Tochter in einem zwinglischen Weberhaushalt auch gut gehen wird."

Zornesröte überzog Mitterhubers Gesicht. „Was erlaubst du dir? Meine Frau Kreszentia ist für dich die Mitterhuberin. Alles andere geht dich nichts an." Dabei fixierte er Caspar mit scharfem Blick.

„Ich meine ja nur. In diesem Ketzerhaushalt, wo deine Frau sie zurückgelassen hat, wird man sie am Ende noch verderben." Er sah den Kistler an. „Das wirst du ihr nimmer austreiben. Selbst wenn sie dein Weib ist, Bartholomäus."

An den Tischen um sie herum verstummten die Gespräche. Was der geschwätzige Weinhändler mit dem wohlhabendsten Maurermeister der Stadt zu besprechen hatte, ließ die Zecher aufhorchen.

Der Kistler stand abrupt auf. Polternd fiel sein Stuhl um. Unversehens packte er Caspar am Kragen. „Rede nicht so über meine Verlobte, sonst gerbe ich dir das Fell, du versoffenes Wagscheitl!"

Der Wirt tauchte auf. „Seid vernünftig, werte Herren." Er schob die Kontrahenten auseinander. „Setzt Euch, sonst schicke ich nach den Bütteln."

Der Kistler stieß den Wirt zurück. „Er soll einfach sein dreckiges Maul halten, dann gibt es keinen Ärger", grummelte er.

Caspar räusperte sich vernehmlich. „Als ich das letzte Mal in Memmingen war, ist mir wieder aufgefallen, was für eine fesche Dirn deine Tochter ist, Mitterhuber." Er sah sich im Gastraum um. „Hier in Landsberg hat sich ja die halbe Stadt den Kopf nach ihr verdreht, wenn sie vorbeischarwenzelt ist."

„Sei endlich still, du Schwätzer", zischte Alfons.

Doch Caspar stichelte unbeirrt weiter: „Würde mich nicht wundern, wenn halb Memmingen bereits deiner Braut den Hof macht."

Die Adern am Hals des Kistlers schwollen bedrohlich an.

„Wenn ihr mich fragt, ist es gar nicht so abwegig, dass die hübsche Magdalena einen wohlhabenden Handwerker in ihr Bett holt."

Dem Kistler klappte das Kinn nach unten und Caspar ätzte weiter: „In der Reichsstadt Memmingen gibt es bedeutend schönere Exemplare, als einen miesepetrigen Kistler, dem schon die Haare ausfallen."

Einen Herzschlag später flog der Weinhändler in hohem Bogen durch das Nonnenbräu.

Am nächsten Morgen stieg die Mitterhuberin mit tief ins Gesicht gezogener Kapuze die Treppe zum Rathaus hinauf. Gott sei Dank war noch keiner der Schreiber zur Arbeit gekommen. Zielstrebig steuerte sie auf die Wachstube zu, um ihren Ehemann und den Zukünftigen ihrer Tochter abzuholen.

Der Hauptmann der Stadtwache sah überrascht auf. „Mitterhuberin! So schnell habe ich dich nicht erwartet, um die beiden Raufbolde abzuholen."

„Danke, dass du mir deinen Gehilfen geschickt hast. Ich weiß das zu schätzen."

Er nahm einen Schlüsselbund vom Haken an der Wand. „Warte, ich hol sie dir. Die beiden haben hoffentlich schon ihren Rausch ausgeschlafen. Die Strafe, die der Bürgermeister noch festsetzen wird, kannst du heute Mittag bezahlen."

Wenig später standen zwei mürrisch dreinblickende Männer vor ihr.

Wortlos und mit gesenktem Kopf eilte der Kistler in die Judengasse davon.

„Wenn wir zu Hause sind, haben wir einiges zu bereden", verkündete Alfons seiner Frau.

Sie sah ihn überrascht an. „Wie meinst du das?"

„Was hast du diesem Suffkopf Hauner alles erzählt?"

„Nichts! Was denkst du? Dass ich alle Sorgen unserer Familie vor diesem Kerl ausbreite? Du solltest mich besser kennen."

Alfons blieb stehen. „Woher weiß er, dass Magdalena in Memmingen ist und nächstes Jahr den Kistler heiraten soll?"

Sie blickte schuldbewusst zu Boden. „Das habe *ich* ihm erzählt. Irgendetwas musste ich ihm ja auftischen."

„Den Kistler hat gestern schier der Schlag getroffen, als der Hauner davon gefaselt hat, die Magdalena könnte sich einen Jüngeren in Memmingen anlachen."

Kreszentia spürte, wie ihr die Knie weich wurden. Sie hakte sich bei ihrem Mann ein.

„Warum werde ich den Verdacht nicht los, dass der versoffene Weinhändler mehr weiß?" Alfons sah sein Weib durchdringend an. „Was könnte er mir bei nächster Gelegenheit noch aufs Brot schmieren?"

„Nichts. Das musst du mir glauben. Auf dem Rückweg nach Landsberg habe ich praktisch kein Wort mit diesem Kerl gewechselt." Hoffentlich erfuhr ihr jähzorniger Mann nie, dass die schwangere Magdalena vermutlich nur wegen Lenz in Memmingen war.

Kapitel 24

Die Mitterhubers saßen beim Mittagsmahl, als es an der Haustür klopfte. „Wer ist denn das schon wieder? Hat man nicht mal mittags seine Ruhe?", brummte Alfons ungehalten. Er war immer noch sauer, weil seine Frau gerade die saftige Strafe für ihn *und* den Kistler auf dem Rathaus bezahlt hatte. Von der Nacht im Gefängnis ganz zu schweigen, in das ihn sein zukünftiger Schwiegersohn gebracht hatte. Er knallte seinen Zinnkrug auf den Tisch und schickte seine Frau nach unten.

Kurz darauf kam die mit dem Kistler Bartholomäus zurück in die Wohnstube.

„Was willst du noch, Barthl?"

Der Kistler ließ den Blick über den reich gedeckten Tisch gleiten. „Habt ihr jetzt auch diese neue Mode übernommen?"

„Neue Mode?" Alfons sah ihn verwirrt an.

„Am helllichten Tag zu essen. Offenbar laufen eure Geschäfte immer noch sehr gut."

„Nach der Nacht im Gefängnis brauche ich eine kräftige Mahlzeit." Den Seitenhieb konnte sich Alfons nicht verkneifen.

Der Kistler setzte sich unaufgefordert an den Tisch. „Ich könnte auch einen Bissen vertragen. Da hast du recht."

Alfons beschloss, gute Miene zum bösen Spiel zu machen. Er wollte es sich mit seinem zukünftigen Schwiegersohn nicht verderben.

Kreszentia holte einen weiteren Teller.

Der Kistler nahm sein Barett ab. Für einen Moment herrschte betretenes Schweigen.

Schließlich brummte Alfons versöhnlich: „Lang ruhig zu, Barthl. Es ist genug da."

Gierig schnitt sich der Kistler eine Scheibe Brot ab und legte kalte Bratenstücke drauf.

Um ein Gespräch in Gang zu bringen, begann Alfons vom Geschäft zu sprechen: „Nächste Woche stelle ich die letzte Rechnung. Dann ist auch bei mir Winterpause."

„Im Gegensatz zu dir, kann ich mich im Winter nicht auf die faule Haut legen", erklärte der Kistler zwischen zwei Bissen. „Wenn jemand vor Weihnachten noch eine Truhe oder einen Schrank bei mir bestellt, muss ich liefern."

Ob soviel Unverfrorenheit schwoll Alfons der Kamm. Nach einem warnenden Blick seiner Frau fuhr er so beiläufig wie möglich fort: „Weißt du, Barthl, dafür haben wir während der Bausaison keinen freien Augenblick. Und letzten Sommer gab es sehr viel zu tun."

„Ich weiß, deine Geschäfte laufen bestens. Das bringt mich zurück zum eigentlichen Grund meines Besuches. Ich möchte noch einmal auf den Zwischenfall gestern im Nonnenbräu zurückkommen."

„Auf den Zwischenfall?", Kreszentia sah ihn verständnislos an. „Der Hauptmann der Stadtwache hat mir gesagt, dass du dem Hauner einen Zahn ausgeschlagen hast. Das hat uns einen ganzen Gulden gekostet."

„Er hat schlecht über eure Tochter und meine Zukünftige gesprochen. Ich war geradezu gezwungen einzuschreiten. Das muss euch den Gulden doch wert sein."

Die Mitterhubers sahen ihn verblüfft an.

„Wie dem auch sei, es wird viel geredet in der Stadt. Über mich, über eure Tochter und ..."

„Und was?" Kreszentia stellte die Frage, die Alfons durch den Kopf schoss.

„Dass sie sich drüben in Memmingen mit anderen vergnügt. Wie stehe ich denn da? Eingedenk deiner guten Geschäftslage und des Geredes über eure Tochter verlange ich die doppelte Mitgift als Schmerzensgeld. Außerdem muss es sich schon lohnen, wenn ich wegen euch im Gefängnis gesessen habe."

Alfons brauchte eine geschlagene Stunde, um sich abzuregen. Schließlich verzog er sich maulend in seine Schreibstube. Immer wieder hatte ihr Mann in seinem Zorn Kreszentia die Schuld zugewiesen. Schließlich sei sie als Mutter dafür verantwortlich, dass Magdalena mit einem Bankert schwanger war. Das durfte in Landsberg nie jemand erfahren! Es reichte schon, dass der Hauner im Wirtshaus die ketzerische Verwandtschaft der Mitterhubers ins Spiel gebracht hatte. Der Ruf ihrer Tochter war nach der Schlägerei noch schlechter, als ohnehin schon.

Da war es auch kein Trost, dass Alfons das Schlimmste noch gar nicht wusste: Magdalena hatte sie beide hintergangen und dafür gesorgt, dass sie nun bei Lenz in Memmingen war. Kreszentia traute ihrer eigenen Tochter mittlerweile so ziemlich alles zu. Es würde sie nicht wundern, wenn sie die Hochzeit mit dem Kistler platzen ließe. Momentan waren ihr aber die Hände gebunden.

Kreszentia nahm sich einen Weidenkorb, um noch auf den Bauernmarkt vor dem Schmalzturm zu gehen. Sie hoffte, dass jetzt am Nachmittag weniger los war. Fürchtete sie doch, dass hinter ihrem Rücken getuschelt wurde.

Obwohl die Wintersonne schon tief stand, quälten sich immer noch späte Fuhrwerke auf der steilen Berggasse hinauf und hinunter. Beruhigende Rufe der Fuhrknechte und das abscheuliche Krächzen der Bremsen begleiteten Kreszentia auf ihrem Weg zum Marktplatz. Sie erreichte das Pfettnertor, das wie ein Nadelöhr die Berggasse vom Spitalplatz trennte. Sie folgte einem Salzfuhrwerk durch das enge Tor, als sie jemand am Arm packte und gegen die Mauer im Inneren des alten Stadttors drängte.

Kreszentia schlug das Herz bis zum Hals, als sie den Hauner Caspar erkannte. „Bist du von Sinnen?", entfuhr es ihr.

„Schhh! Wir haben etwas zu besprechen, du und ich." Er sah sie herausfordernd an. „Du weißt schon, dass ich deinem Alten nicht alles gesagt habe. Er weiß nicht, dass der Kirchperger Lenz auch in Memmingen ist. Bislang." Dabei musterte er sie wie ein Fuchs, der einen Hasen gestellt hatte.

„Was willst du von mir, Hauner?"

Der Weinhändler grinste. „Warum nicht gleich so? Du willst also auch nicht, dass dein Alter davon erfährt, dass sich dein Töchterlein mit dem Kirchperger Lenz vergnügen will, drüben im Schwäbischen."

„Ich habe kein Geld!", jammerte Kreszentia. „Mein Mann gibt mir nur so viel, wie ich zum Einkaufen brauche."

Seine Augen funkelten lüstern. „Ich würde auch etwas anderes nehmen." Ungeniert fasste er ihr an die Brust und drückte sie.

Sie schrie auf, riss sich los. Das hämische Gelächter des Weinhändlers dröhnte in ihren Ohren: „Du entkommst mir nicht, Mitterhuberin!"

Erst am Schmalzturm blieb sie zitternd stehen. Verwirrt und völlig durcheinander hatte sie vergessen, was sie eigentlich kaufen wollte. Jemand trat von der Seite an sie heran.

„Geht es dir nicht gut?"

Hinter einem Tränenschleier erkannte sie die Großmutter vom Kirchperger Lenz. In diesem Moment verlor sie ihre Selbstbeherrschung und warf sich der Älteren in die Arme. „Oh Julia, es ist alles so furchtbar."

Kapitel 25

29. November Anno Domini 1527,
Haspelwald, westlich von Günzlhofen

Jörg lag erschöpft auf einer Pritsche in einer morschen Hütte. Seit zwei Wochen war er auf der Flucht. Die Angst, erwischt zu werden, lastete auf ihm wie die scharfen Krallen eines Habichts auf einem fliehenden Hasen. Sie lähmte ihn so sehr, dass er es nicht wagte, den Wald zu verlassen und zu missionieren. So, wie es der Färber-Jos von ihm erwartete. War er früher kräftig und ausdauernd, so trugen ihn jetzt kaum seine Beine, wenn er unterwegs war zur nächsten Schutzhütte, in die ihn der Rätzl Michael schickte. Er hatte das Gefühl, ohne die Hilfe des herzoglichen Holzhey verloren zu sein. Seine Lage war aussichtslos. Wo sollte er hin? Spätestens seit der Inquisitor im Lechrain sein Unwesen trieb, war die Mission im Moos nichts weiter, als ein Hirngespinst.

Jörg schloss die Augen und lauschte den Geräuschen des Waldes. Der Ruf eines Kauzes ließ ihm das Blut in den Adern gefrieren. Dessen ›Kiewitt, kiewitt‹ kündete den Tod eines Menschen an. Wie viele andere auch, hörte er im Ruf des Waldkauzes den Teufel: ›komm mit, komm mit‹. Mit klammen Fingern bekreuzigte er sich. Nicht nur, dass ihm die

Häscher des Inquisitors auf den Fersen waren, jetzt schien es auch noch der *Gottseibeiuns* auf ihn abgesehen zu haben.

Das leise Brechen eines dürren Astes draußen vor der Hütte ließ ihn zusammenfahren. Instinktiv griff er nach seinem Wanderstab aus Eichenholz. Erneut knackte es. Schweißperlen traten auf seine Stirn. Jemand näherte sich der aus groben Planken zusammengezimmerten Hütte. Eine Stimme rief etwas in gedämpftem Ton, das Jörg nicht verstand. Kamen sie ihn holen? Panisch presste er sein Ohr an eine Ritze in der Hüttenwand. Dann vernahm er das erlösende Kennwort: „Das Wort ist Fleisch geworden." Der Rätzl! Vor Erleichterung kamen Jörg die Tränen. Sie rannen über seine von der Kälte geröteten Wangen und verfingen sich in seinem Bart.

Michael betrat die Hütte und nahm seine Tragekraxe von den Schultern.

Jörg war immer noch aufgewühlt und umarmte seinen Freund fest. „Schön, dich zu sehen", stammelte er. „Ich dachte schon, die Häscher des Inquisitors stünden vor der Tür."

Michael klopfte ihm beruhigend auf den Rücken. „Alles wird gut, mein Freund. Hier im Haspelwald werden sie dich nicht finden."

Jörg löste sich vom Holzhey. „Woher willst du das wissen?"

Der Rätzl schmunzelte. „Es mag ja sein, dass alle Pfleger, Richter und Amtleute nach der Pfeife dieses

Inquisitors Pasenseer tanzen müssen. Dennoch kennen diese Herrschaften weder die verschlungenen Pfade durch das Moos noch diejenigen hier im Haspelwald. Selbst wenn er tausend Männer hätte, er würde dich nicht finden. Vertrau mir."

Jörg sah ihn mit düsterer Miene an. „Du magst recht haben. Aber was, wenn ein Mösler schwach wird und der Versuchung des Geldes erliegt? Diese Dreckschweine loben mittlerweile ein Vermögen dafür aus, wenn jemand einen unserer Brüder verpfeift."

Widerwillig nickte Michael. „Das ist in der Tat nicht zu unterschätzen. Das Judasgeld ist höher, als man in einem Jahr mit ehrlicher Arbeit verdient."

„Da gibt es auf meinem Hof auch den ein oder anderen, der mich hinhängen könnte. Gut, dass die Gretl nicht alles von mir weiß."

„Jörg, die Gretl ..." Michael wandte den Blick ab.

„Was ist mit ihr? Hast du Nachrichten von meiner Magd?"

„Sie ist zum Herrn gegangen. Man fand sie tot in ihrer Kuchl. Die wenigen Mägde und Knechte, die auf deinem Hof geblieben sind, erzählen, dass sie einfach eingeschlafen ist."

„Wann war das?"

„Vor über einer Woche, soweit ich weiß. Direkt nach dem Besuch eines Landsberger Amtmannes."

Jörgs Kehle schnürte sich zu. Die Magd Gretl war immer an seiner Seite gewesen, treu ergeben und unverzichtbar in seinem Leben auf dem Hof. Doch sie war auch der schroffe Besen, der täglich über seinen Hof fegte und letztlich dafür sorgte, dass er ehelos blieb. Trotzdem empfand er Zuneigung für sie.

„Jörg!" Michael hatte ihn an den Schultern gepackt.

„Was?"

„Wir müssen endlich die Mission beginnen!", erklärte Michael mit leuchtenden Augen.

Ungläubig starrte Jörg den Holzhey an. „Wie soll das gehen, wenn ich ständig auf der Flucht bin?"

„Genau dafür habe ich eine Lösung. Wir gehen nach Günzlhofen. Die Hofmarksherren Augustin und Christoph Perwanger waren Anhänger Luthers und nun sind sie bereit, einen Schritt weiter zu gehen."

„Einen Schritt weiter? Was soll das heißen?"

„Sie wollen sich taufen lassen."

„Das sind Adlige! Die wurden mit einem silbernen Löffel im Mund geboren. Warum sollten die alles riskieren?"

Michael grinste. „Du hast doch auch dein Leben als Großbauer geopfert. Alles weitere kannst du die beiden selbst fragen."

„Ich?"

„Ja, sie wollen mit dir reden. Pack deine Sachen zusammen, wir brechen sofort auf."

Es dämmerte bereits, als Jörg und Michael das Schloss der Hofmark Günzlhofen erreichten. Nach der anstrengenden Wanderung durch das schlammige Moos waren die beiden bis zu den Knien verdreckt.

Michael sah sich vorsichtig um. Dorf und Schloss waren in dichten Nebel gehüllt. Das Bellen eines Hundes drang gedämpft durch die Nacht. Alles schien ruhig, dennoch zog er die Stirn in Falten. Schließlich hellte sich sein Gesichtsausdruck auf. Lächelnd deutete er auf einen Turm, der dem Moos am nächsten lag. „Dort oben brennt ein Licht! Die Perwanger erwarten uns." Dann schritt er ohne ein weiteres Wort aus und winkte Jörg, ihm zu folgen.

Sie hatten das Manntor in der Nähe des Turms noch nicht erreicht, als es knarrend geöffnet wurde.

„Das Wort ist Fleisch geworden, lieber Sedlmaier! Ich bin Augustin, der Hofmarksherr. Unser Hund hat euch bereits angekündigt."

Jörg hatte ihn nur einmal flüchtig gesehen, denn normalerweise hatte er mit Adligen nichts zu schaffen.

„Ich freue mich sehr, dich endlich kennenzulernen, Bruder."

Jörg musterte ihn misstrauisch.

„Wir haben schon viel von dir und deinen Freunden in Augsburg gehört. Komm erst mal herein. Du musst hungrig sein." Augustin schritt voran und alle folgten ihm.

Im Rittersaal des Schlosses saß ein gutes Dutzend Menschen um eine reich gedeckte Tafel. Beim Eintreten der Gruppe erhoben sich alle. „Meine Geschwister im Glauben! Darf ich euch den Sedlmaier Jörg aus Hochdorf vorstellen?" Augustin breitete theatralisch die Arme aus. „Er bringt uns die neuesten Nachrichten aus Augsburg und er wird uns führen in diesen unruhigen Zeiten."

Jörg fühlte sich überrumpelt. „Ich bin kein Prediger."

Eine Frau im einfachen Gewand einer Bäuerin trat vor. Das fadenscheinige Gewebe war fleckig und hatte Löcher. „Wirst du mich taufen, Bruder?"

„Mich auch!" Ein Mann in einem gestickten Wams gesellte sich neben sie und schüttelte Jörgs Hand.

„Ich habe noch nie jemanden getauft."

„Aber du warst doch sicher schon dabei … in Augsburg und bist sicher auch selbst getauft?"

„Ja, schon, vom Dachser Jakob. Nur der ist ein studierter Theologe."

Augustin beschwichtigte. „Liebe Geschwister. Lasst unseren Bruder erst einmal ankommen." Er sah Jörg an: „Wie du weißt, sitzt der Dachser im Gefängnis in Augsburg und unser Sendbote für das Fürchelmoos, der Spörle Leonhard, wurde vor zwei Wochen in München enthauptet. Wie es aussieht, bedürfen wir *deiner* Führung, Bruder. Setz dich neben meinen Bruder Christoph und iss etwas. Anschließend überlegen wir uns, wie es weitergeht."

Während des Nachtmahls, das nach einem Gebet schweigend eingenommen wurde, beobachtete Jörg die seltsame Gemeinschaft. Hier saßen Adelige,

Bauern, Tagelöhner und Gesinde an einem Tisch. Die Perwanger schienen ihr Mahl mit allen zu teilen. Waren die Hofmarksherren tatsächlich Täufer? Er traute dem Frieden immer noch nicht. Unentschlossen sah er zu seinem Freund, dem Holzhey Michael, hinüber, der ihm gegenübersaß.

Rätzl bemerkte seinen Blick und nickte ihm aufmunternd zu.

Schließlich legte Augustin seinen Löffel weg. „Es ist mir nicht entgangen, Bruder Jörg, dass du noch zauderst."

Als Jörg nichts erwiderte, begann er zu erzählen: „Lass mich erklären: Meine Familie war schon immer sehr gläubig. Als unser seliger Vater vor zwanzig Jahren zum Herrn ging, haben wir der Kirche viele Spenden zukommen lassen."

„Ein Fehler, wie wir heute wissen", warf Christoph ein.

„Genau. Obendrein haben wir schnell gemerkt, dass der Pfarrer unserer Hofmark, der Kittl Georg, ein anderes Verständnis von Seelsorge hat als wir."

„Ein gänzlich anderes." Wieder bekräftigte Christoph die Worte seines Bruders.

„Der Streit mit ihm entzündete sich an seiner Weigerung, auch in unserem Dorf Hattenhofen die Messe zu lesen. Angeblich, weil ihm der Weg dorthin ins Moos zu beschwerlich war."

„Mein Bruder hat dann einen eigenen Vikar einge-stellt für Hattenhofen, was dem Kittl nicht gefallen hat."

„Nachdem ich mehrmals erfolglos beim Freisinger Bischof in dieser Sache vorstellig geworden bin, ha-be ich vor einigen Jahren einen Brief an den Herzog in München verfasst. Aber das hat auch nichts ge-nutzt. Anscheinend hat uns der Kittl dort verleum-det, denn seitdem drangsalieren uns dessen Amt-männer."

Ungläubig starrte Jörg die beiden an. „Der Pfarrer einer Hofmark kann doch nicht zwei Edelleute am Münchener Hof anschwärzen."

Augustin fuhr fort: „Du weißt noch nicht alles, Bru-der Jörg. Meine Frau ist eine Soiter. Ihr Onkel Mel-chior war in Landsberg über zwanzig Jahre Bürger-meister."

„Was hat es damit auf sich?" Jörg verstand nichts mehr.

„Bürgermeister Soiter ist – war – ein Anhänger Lu-thers und hatte zwei Prediger angestellt, die in Landsberg der Reformation das Wort redeten. Der Pfarrer der Spitalkirche hat das nach München ge-meldet vor drei Jahren. Die beiden Prediger hatten Glück, mit dem Leben davonzukommen, aber der Onkel meiner Frau ist seitdem ein Aussätziger für den Münchener Hof. Als Verwandte der Familie Soi-ter stehen wir auch unter Beobachtung. Aber hier ist es sicher. Für die Leute in Günzlhofen lege ich die Hand ins Feuer."

Jörg beschlich das Gefühl, dass diese Perwanger-Brüder reichlich naiv waren, doch das behielt er für sich.

Christoph ergriff das Wort: „Vor acht Wochen kam der Spörle Leonhard nach Günzlhofen und hat um ein Quartier für die Nacht gebeten, was wir ihm als gute Christenmenschen gerne gewährt haben. Beim gemeinsamen Mahl hat sich herausgestellt, dass der Spörle ein tiefgläubiger Mensch war."

„Und äußerst bibelfest war er auch", fügte Augustin hinzu. „Zumindest für einen Bauern aus Prittriching. Er hat mit uns über die Paulusbriefe disputiert. Ich muss gestehen, damit hat er viele Sachverhalte in ein gänzlich anderes Licht gerückt für uns."

Christoph nahm den Faden auf: „Zuerst dachten wir, dass seine Ansichten von Luther inspiriert waren, doch dann haben wir bemerkt, dass er ..."

„... dass er von einem Glauben durchdrungen war, der geradezu ansteckte", fuhr Augustin fort. „Kirche muss zu den Menschen zurückkehren. Jegliche Macht ist dort fehl am Platze. Wir möchten unseren Prediger selbst bestimmen. Dazu braucht es keinen Bischof oder Herzog. Wir wollen alles miteinander teilen, weil wir vor Gott alle gleich geboren sind."

Kapitel 26

30. November Anno Domini 1527, Günzlhofen

Jörg erwachte. Draußen dämmerte es bereits. Es musste schon sieben durch sein. Die Zimmerdecke über ihm war verputzt und bemalt. Er sah an sich herab, fühlte die weiche Daunendecke. Das hier war ein richtiges Bett! Jörg streckte sich und gähnte herzhaft. Zum ersten Mal seit zwei Wochen fühlte er sich ausgeschlafen und erholt. Hoffnung keimte in ihm. Mit einem Schwung setzte er sich auf.

Es klopfte und der Kopf des Rätzl Michael erschien. „Kann ich reinkommen?" Ohne Jörgs Antwort abzuwarten, trat er in die geräumige Kammer, in der die Perwanger Jörg untergebracht hatten. Er setzte sich zum Sedlbauern ans Bett und legte den Arm um ihn. „Die Mission beginnt jetzt!" Er drückte Jörgs Schulter. „Mit Augustin und Christoph als Unterstützer werden wir es schaffen. Das Schloss hier wird unser Hauptquartier."

Jörg lächelte ob der Zuversicht seines Freundes. „Denkst du, dass es hier sicher ist?" Sein Kopf war frohen Mutes, doch sein Bauch riet Jörg zur Vorsicht.

„Ach was. Dieser Inquisitor wird es nicht wagen, hier herumzuschnüffeln", erklärte Michael im

Brustton der Überzeugung. „Nicht bei zwei adligen Herren."

„Du hast wahrscheinlich recht. Wie geht es jetzt weiter?"

„Ganz einfach!" Michael grinste. „Wir gehen hinunter in den Rittersaal. Die anderen Geschwister haben sich schon versammelt. Ich bin hier, um dich zu holen. Du wirst zu uns sprechen und alle taufen, die dies erbitten. Danach essen wir zusammen."

Beim Wort *Taufen* zuckte Jörg zusammen. „Ich habe es schon einmal gesagt …"

„Papperlapapp!", fiel ihm Michael ins Wort. „Du bist der neue Sendbote für das Fürchelmoos."

„Warum ich?" Etwas in Jörg sträubte sich noch immer.

Michael stand auf und ergriff den Sedlbauern bei den Schultern. „Du warst auf dem *Concilium* in Augsburg. Du gehst bei den dortigen Täufern ein und aus und kennst alle maßgeblichen Leute."

„Die im Gefängnis sitzen, auf der Flucht oder tot sind", wandte Jörg ein.

Michael schüttelte den Kopf. „Die Leute hier vertrauen dir. Du wirst sie anleiten, bis in einem halben Jahr das Jüngste Gericht kommt. Du wirst uns ins Reich Gottes führen. Jetzt komm! Die anderen warten schon."

Am Nachmittag saßen die Perwanger-Brüder, Michael der Holzhey und Jörg, der Sendbote wider

Willen, um das wärmende Kaminfeuer in der Bibliothek des Günzlhofer Schlosses. Christoph ergriff das
Wort: „Danke, dass du uns getauft hast, Bruder
Jörg. Auch wenn es nur ein Akt unter Brüdern war,
so fühlt es sich für mich an wie ein heiliges Sakra-
ment."

Jörg schmunzelte. „Ich habe keine heiligen Hände,
wie es die altgläubigen Pfaffen vorgeben."

„Dennoch hast du unsere Herzen erwärmt und unseren Geist erleuchtet."

Augustin räusperte sich. „Wir sollten die nächsten
Schritte besprechen. Ich hätte gerne, dass du mit
mir ins Moos nach Hattenhofen kommst. Auch dort
gibt es viele Seelen, die sich Errettung erhoffen. Wir
könnten heute Nacht aufbrechen und auf verborgenen Wegen durch das Fürchelmoos dorthin gelangen."

„Niemand wird uns behelligen", pflichtete ihm der
Holzhey vergnügt bei. „Da wird es übermorgen gefährlicher, wenn wir in die andere Richtung gehen."

„In die andere Richtung?" Jörg runzelte die Stirn.
„Ihr wollt auch nach Vogach?"

„Auch dieses Dorf gehört zu unserer Hofmark und
ich möchte, dass die Menschen dort auch Gelegenheit zur Taufe erhalten."

Kaum hatte er es ausgesprochen, platzte jemand zur
Tür herein. Alle fuhren herum. Es war ein Tagelöhner in schmutzigem Mantel, rotgesichtig vor Kälte.

„Soldaten!", stieß er atemlos hervor. „Sie kommen aus Richtung Mammendorf."

„Wie viele sind es?" In Christophs Augen spiegelte sich blankes Entsetzen.

„Ein Dutzend. Der Inquisitor führt sie persönlich an."

Eine kalte Faust legte sich um Jörgs Herz. Die alte Angst war wieder da. Alle Zuversicht verging wie eine Primel, wenn sie im kalten Wind der Eisheiligen verdirbt.

„Wann sind sie hier?" Augustin schien geistesgegenwärtiger zu sein als sein jüngerer Bruder.

„Sie sind noch eine halbe Meile entfernt."

„Gut. Jörg, Michael, ihr geht in den Weinkeller." Er packte den Boten am Arm. „Josef, zeig den beiden unser Versteck. Bleib bei ihnen, bis die Gefahr vorüber ist." Dann nahm er den Kopf seines Bruders in beide Hände. „Wir beruhigen uns jetzt. Setz dich. Wir lesen."

Eine Viertelstunde später brachte man den Großinquisitor Pasenseer zu den Perwangern in die Bibliothek. Augustin erhob sich und begrüßte den Gast höflich, aber distanziert. „Was verschafft uns die Ehre, Euer Gnaden? Ich nehme an, Ihr seid nicht für einen Höflichkeitsbesuch die vier Meilen aus Jesenwang hergekommen. Immerhin bläst draußen ein eisiger Wind und treibt Schneegraupel über das Moos."

Pasenseer musterte die beiden Brüder mit einem strengen Blick. Schließlich nickte er kaum merklich. „Gott zum Gruße, lieber Perwanger. Könnt Ihr Euch das nicht denken? Immerhin hattet Ihr einen lebhaften Schriftwechsel mit dem Bischof von Freising und der Münchener Kanzlei. Der Kanzler hat mir anempfohlen, Euch in diesen unruhigen Zeiten einen Besuch abzustatten."

Augustin überging diese Bemerkung. „Darf ich Euch einen Becher heißen Würzwein anbieten?"

Nach einer längeren Pause antwortete Pasenseer: „Den Wein nehme ich gerne und einen Platz an Eurem Feuer. Dann möchte ich mit Euch über den Sedlmaier Jörg aus Hochdorf sprechen. Er ist flüchtig, müsst Ihr wissen. Darüber und über den ein oder anderen Fall der Ketzerei."

Augustin nickte und bestellte den Wein bei einem Diener.

Sie hatten ihn also gefunden. Mit angstvoll geweiteten Augen blickte er auf die Gewölbedecken des Weinkellers, als könnten die Soldaten jeden Moment durch die Steine brechen. Jörg vermochte kaum zu atmen. Er war sich sicher, dass der Inquisitor nur seinetwegen nach Günzlhofen gekommen war. Jeden Augenblick erwartete er, dass die Soldaten das Schloss vom Keller bis zum Dach durchsuchen würden. Der Waldkauz hatte ihn gewarnt! Ein Gedanke schoss ihm durch den Kopf: Hatte man ihn verraten? Einer der Menschen, die gestern mit ihm das Nachtmahl eingenommen hatten, war sicherlich ein Spitzel. Für 32 Gulden verkauften manche Leute sogar ihre Verwandten an die Inquisition. Es musste jemand sein, der gestern da war, aber sich heute nicht hatte taufen lassen. Krampfhaft versuchte er, sich ins Gedächtnis zu rufen, wer das sein könnte.

1. Dezember Anno Domini 1527, Jesenwang

Martin Pasenseer hielt seine wöchentliche Zusammenkunft ab. Vor ihm saßen die wichtigsten Richter und Amtmänner der um das Fürchelmoos liegenden Landgerichte, Hofmarken und Klöster. „Nun denn, meine Herren, wie ist der Stand Eurer Nachforschungen?" Nachdem niemand etwas sagte, sah er der Reihe nach alle Anwesenden direkt an. Sein Blick blieb am ihm gegenüber sitzenden Landsberger Amtmann hängen. „Schaller, habt Ihr endlich eine Spur dieses Sedlbauern aus Hochdorf?"
Der sonst so großspurig auftretende Amtmann druckste herum. „Immer, wenn wir glauben, ihn fassen zu können, ist er fort. Meine Männer sind überzeugt davon, dass das nicht mit rechten Dingen zugehen kann. Außerdem kennt er alle Schleichwege in diesem verdammten Fürchelmoos."

„Wollt Ihr mir allen Ernstes auftischen, dass die besten Amtmänner und Schergen des Herzogs nicht mal einen Bauern fangen können?" Pasenseer funkelte seine Männer an. „Soll ich das Unserem Durchlauchtigsten Herrn Herzog mitteilen? Dass wir hier unfähig sind, die Feinde der Heiligen Mutter Kirche zu fangen. Wollt Ihr das?"

„Der Kerl scheint viele Helfer zu haben", rechtfertigte sich Schaller kleinlaut.

Pasenseer schlug mit der Faust auf den von unzähligen Kratzern überzogenen Eichentisch. „Wenn es sein muss, droht den Menschen. Wenn ihm niemand mehr hilft, ist er geliefert. Er braucht etwas zu essen und einen Platz zum Schlafen. Ihr müsst die Belohnung an diejenigen auszahlen, die uns Hinweise geben. Dieses Silber ist nicht für eure Säckl gedacht." Pasenseer lehnte sich schnaubend zurück in seinem Sessel.

Eine Weile schwiegen alle. Keiner der Männer wollte den Zorn des Inquisitors auf sich ziehen. Schließlich räusperte sich Schaller. „Der Sedlbauer ist im Fürchelmoos aufgewachsen."

„Das weiß ich selber!", donnerte Pasenseer und sprang auf. Sein Stuhl fiel polternd nach hinten um. „Erzählt mir etwas Neues", forderte er ihn auf.

Schaller hielt seinem Blick stand. „Wie Ihr schon sagtet, Euer Gnaden. Der Sedlmaier braucht ein Dach über dem Kopf und Viktualien. Vor allem jetzt im Winter. Seid versichert, keiner der Bauern und

Söldner im Moos würde es wagen, ihn zu beherbergen oder zu verköstigen."

„Was soll das heißen? Erklärt Euch!"

„Er kann auch nicht irgendwo im Moos im Dreck schlafen, wenn es eiskalt ist. Ich denke, er hat Hilfe von einflussreichen Persönlichkeiten ..." Schaller ließ die letzten Worte nachklingen.

„Wer soll ihm denn helfen? Ein Großbauer oder ein Pfarrer?" Pasenseer schüttelte den Kopf.

„Nein, Euer Gnaden. Habt Ihr schon einmal an die Perwanger von Günzlhofen gedacht? *Denen* würde ich das zutrauen."

Der Inquisitor stockte. Seine Kiefer mahlten, als ob sie ganze Walnüsse zerkleinerten. „Ich war erst gestern dort. Sollten diese Perwanger so dreist sein, einen Ketzer in ihrem Schloss zu verbergen?" Er sah Schaller an, dessen hellblaue Augen zurückfunkelten. „Er ist immerhin ein Adliger und Hofmarksherr. Sei's drum. Ich möchte mir nicht vorwerfen lassen, nachlässig gehandelt zu haben. Sucht Euch ein halbes Dutzend vertrauenswürdiger Männer aus. Sie sollen in einfacher Kleidung dort Erkundigungen einholen. Habt mir ein Auge auf diese Hofmark Günzlhofen." Dann entließ er die Männer mit einer wegwerfenden Handbewegung.

Kapitel 27

1. Dezember Anno Domini 1527, Memmingen

„Lenz, draußen wartet jemand auf dich." Vev trat mit einem düsteren Gesichtsausdruck in die Stube, wo Lenz und Anna zusammen mit Ignaz und dem Lodweber Hans vor dem prasselnden Feuer saßen.

„Es ist kurz vor Sonnenuntergang. Außerdem ...", Lenz deutete auf Lodweber, „... vergibt *er* die Aufträge für die Werkstatt."

„Geh einfach!", fauchte die Magd.

Kopfschüttelnd erhob sich Lenz und ging durch den schwach von einer Öllampe erhellten Gang hinaus ins Freie. Er traute seinen Augen kaum, als er sah, wer sich aus dem Schatten der Hauswand löste. „Also doch!"

Sie lächelte süffisant und trat auf ihn zu. „Du bist nicht überrascht, dass ich hier bin."

Lenz wich einen Schritt zurück. „Anna hat dich am Montag auf dem Markt gesehen. Ich nehme an, du besuchst deine Verwandten hier."

„Das klingt nicht sehr erfreut", schnurrte Magdalena.

„Warum sollte ich mich freuen? Was willst du von mir?"

Sie trat näher, ergriff seine Hand und legte sie auf ihren Bauch. „Du wirst Vater. Vielleicht freust du dich wenigstens darüber."

Seine Finger zuckten zurück, als hätte ihn eine Schlange gebissen. „Das kann nicht sein."

„Hast du unsere leidenschaftliche Begegnung im Schuppen schon vergessen? Du kannst es nicht leugnen. Es ist dein Kind, unser Kind."

Er schüttelte den Kopf und kämpfte darum, die Fassung zu bewahren. „Du gehst jetzt besser."

„Das mache ich. Schließlich sieht es der Mann meiner Tante nicht gerne, wenn ich mich bei Dunkelheit herumtreibe." Ihre Stimme wurde schärfer. „Hinter dem Gefängnisturm ist ein kleines Wäldchen. Komm am Freitag Schlag elf. Dann besprechen wir unsere Zukunft zu dritt."

Annas dunkle Vorahnung wurde zur Gewissheit, als sie sein Gesicht sah. Seine Lippen zu einer dünnen Linie zusammengepresst. Eine unangenehme Stille breitete sich aus, nur unterbrochen vom lauten Knacken der Holzscheite, das in ihren Ohren dröhnte. Ihre Stimme klang dünn und zittrig, als sie das Schweigen brach: „Vev hat uns bereits von deinem Besuch berichtet. Was wollte Magdalena von dir?"

Lenz blieb stumm und senkte den Kopf.

„Das würde mich schon auch interessieren", keifte Vev.

Entschuldigend hob Lenz die Hände, ließ sie wieder sinken.

Ein Verdacht stieg in Anna auf. „Jetzt sag schon!", schrie sie unbeherrscht.

„Sie bekommt ein Kind. Mein Kind."

Das Entsetzen hing im Raum wie düstere Nebelschwaden.

Lodweber hob Ignaz hoch, der jammernd die Arme nach Anna ausstreckte. „Ihr besprecht euch in Ruhe und wir drei gehen in die Kuchl."

„Zwischen uns ist alles gesagt", entgegnete Anna kämpferisch. „Magdalena bekommt immer, was sie will. Aber ohne mich. Der Waldhauser Thomas reitet morgen für zwei Wochen nach Augsburg. Er nimmt mich und Ignaz sicher mit."

„Das ist zu gefährlich! Du kannst nicht nach Augsburg", rief Lenz verzweifelt.

Eine seltsame Ruhe breitete sich in Anna aus, jetzt, nachdem sie sich entschieden hatte. „Du verstehst es nicht. Mit dem Kind hat sie dich in der Hand. Ich will nicht zuschauen, wie sie dich umgarnt und du aus Schuldgefühlen ihr gegenüber wieder schwach wirst. Das wäre nicht das erste Mal, wenn ich dich daran erinnern darf." Sie nahm Ignaz, der sich sofort an sie schmiegte. „Ich gehe in meine Kammer und packe meine Habseligkeiten. Morgen bei Sonnenaufgang bin ich weg."

Der Schlaf hatte Lenz erst gegen Morgengrauen übermannt. Als er die Kuchl betrat, saßen Lodweber und Vev alleine vor ihrem Frühessen. „Anna?"

„Ist schon weg", antwortete Lodweber kurz angebunden. „Vev hat sie zum Waldhauser begleitet."

Die Magd stand auf und stellte ihm eine Schüssel mit Gerstengrütze hin. „Ohne groß nachzufragen hat er sofort zugestimmt, obwohl es auch für ihn beschwerlicher ist." Kopfschüttelnd fuhr sie fort: „Ich fasse es immer noch nicht! Diese Metze bekommt ein Kind von dir."

Lenz zuckte hilflos mit den Schultern.

„Was ich nicht verstehe: Woher wusste diese Magdalena, dass du in Memmingen bist?"

„Ich hatte erst einen Landsberger Weinhändler in Verdacht, der mich und Anna in Mindelheim gesehen hat. Aber dann war im Wirtshaus davon die Rede, dass die schwangere Pfeiferin von ihrer Nichte unterstützt wird. Die Mitterhubers haben Verwandtschaft hier."

„Das ist trotzdem ein komischer Zufall. Vor allem, weil sie gleich hier aufgetaucht ist. In Memmingen gibt es mehrere Zimmereien."

Lodweber kratzte sich nachdenklich an der Nase. „Der Weber Pfeifer hat vermutlich daheim erzählt, dass ein Zimmerer mit einer Narbe bei mir arbeitet und demnächst heiratet."

Verwirrt sah Vev zwischen den beiden Männern hin und her. „Trotzdem glaube ich, dass da etwas faul ist. Die Pfeiferin schwanger und Magdalena auch?"

„Das können wir nicht klären", brummte Lodweber. „Wichtiger ist doch, was du jetzt machst."

Lenz hörte die Besorgnis in seiner Stimme. „Magdalena will mich am Freitag treffen."

„Und?"

Erneut zuckte Lenz hilflos mit den Schultern.

„Du musst ihr von Anfang an klar machen, dass du sie nicht heiratest!", ereiferte sich Vev.

„Ich kann es ja versuchen", war das Einzige, was Lenz hervorbrachte.

„Versuchen, versuchen!", äffte Vev ihn nach.

„Beruhige dich. Lenz weiß schon, was er macht", fuhr Lodweber dazwischen.

Doch Vev ließ sich in ihrem Furor nicht bremsen. „Heißt du es auch gut, wenn er mit diesem liderlichen Weibsstück zurück nach Landsberg geht? Dich wieder alleine zurücklässt? Jetzt wo die Werkstatt endlich besser läuft?"

Der Lodweber Hans erstarrte sichtlich. „Lenz bleibt auf jeden Fall hier."

Lenz beschwichtigte: „Ich kann nicht zurück nach Landsberg. Dort lande ich schnurstracks in der Fronveste. Aber das alles weiß Magdalena nicht."

Vev faltete die Hände. „Jetzt hilft nur noch beten."

Kapitel 28

2. Dezember Anno Domini 1527, Fürchelmoos

Jeder Schritt entlockte dem Moos schmatzende Geräusche, wenn es widerwillig die Stiefel der vier Männer freigab. Vorneweg stapfte der Rätzl Michael mit einer kleinen Funzel, die kaum Licht spendete. Hinter ihm versuchte der Perwanger Augustin, Herr über Günzlhofen und Vogach, trotz der matschigen Wege einigermaßen würdevoll zu schreiten. Jörg lief immer wieder auf ihn auf, wenn sein neuer adliger Freund wegrutschte. Die Nachhut bildete der Tagelöhner Josef. Neben dem Rätzl war auch er mit den verschlungenen Pfaden durch diesen Teil des Mooses vertraut.

Obwohl es eisig kalt und stockfinster war, fühlte sich Jörg besser als im Weinkeller des Schlosses. Mit Grausen dachte er daran zurück, wie zwei Tage zuvor plötzlich der Großinquisitor Pasenseer nach Günzlhofen gekommen war und er sich verstecken musste. Die Erinnerung an die bedrückende Enge des Perwanger'schen Weinkellers trieb ihm trotz der Eiseskälte den Schweiß auf die Stirn. Starr hatte er die gewölbte Decke fixiert, die sich in seiner Vorstellung unaufhaltsam auf ihn herabgesenkt hatte. Die Angst, entdeckt und wie seine Freunde aus Hürben gefoltert zu werden, hatte ihn damals kaum atmen lassen. Als er sich schon in sein Schicksal ergeben hatte, war Augustin aufgetaucht, hatte ihn hochgezogen und wortlos umarmt.

„Sind sie fort?", war alles, was Jörg noch hatte stammeln können. Er war am Ende seiner Kräfte gewesen.

Augustin aber schien dieser unerwartete Besuch geradezu angestachelt zu haben. Denn er war umso entschlossener, seine Pläne in die Tat umzusetzen. „Das Recht ist auf unserer Seite", hatte er Jörg und dem Rätzl Michael erklärt. „Von so einem aufgeblasenen Amtmann aus dem Dachauer Land, der sich jetzt Groß-Inquisitor schimpft, lassen wir uns nicht ins Bockshorn jagen. Unser seliger Großvater war schon Herr zu Günzlhofen und Vogach, als die Vorfahren dieses Herrn Pasenseer selbst noch eine Ackerscholle bestellt haben."

Ob er es wollte oder nicht: Augustins Zuversicht färbte schließlich auch auf Jörg ab. Augustin strahlte eine Selbstsicherheit aus, die Jörg so nur beim Denck Hans kannte, dem Prediger und Gründer der Augsburger Täufer.

Nun also waren sie unterwegs zum Filialdorf Hattenhofen mitten hinein ins Moor. Von vorne meldete sich der Rätzl: „Es ist nicht mehr weit."

Augustin stolperte und landete bäuchlings im kalten Matsch. Ein leiser Fluch entfuhr seinen Lippen.

Der Rätzl kam herbei und half ihm hoch. „Wir sollten nicht den Gangsteig ins Dorf nehmen. Am Ende sitzt da ein Büttel."

Augustin wischte sich den Dreck von Wams und Beinlingen. „Du hast recht, Michael. Wir umgehen Hattenhofen und kommen von Westen. Dort gibt es eine Scheune, die meiner Familie gehört. Drinnen steht ein Ofen. Heute werden wir warm und weich im Heu schlafen." Er nahm die Lampe vom Rätzl und ging voraus.

Nach einer gefühlten Ewigkeit tauchten vor ihnen aus dem Nebel die Umrisse von niedrigen Häusern auf. Ohne behelligt zu werden, erreichten sie die Scheune. Wenig später entfachte Josef ein wärmendes Feuer und Augustin verteilte die mitgebrachten Speisen.

Die munter züngelnden Flammen spendeten eine Wärme, die die Männer nicht nur körperlich spürten. Das Feuer hob auch sofort die Stimmung. Speck und Brot taten das Übrige. Augustin schüttete Würzwein in einen kleinen Kessel und stellte ihn in die Flammen. Sofort breitete sich in der Scheune ein verführerischer Duft aus.

Der erste Schluck warmte Jörg von innen, der zweite vertrieb endgültig das Gefühl der Hoffnungslosigkeit, das ihn seit dem Besuch des Inquisitors befallen hatte. Vielleicht nahm dieses Abenteuer ja doch ein gutes Ende. „Wie geht es weiter?", fragte er an Augustin gewandt.

Der kaute gedankenverloren auf einem Stück Speck herum. „Morgen früh werde ich den Dorfvierer holen. Die Männer wissen, wer getauft werden möchte und wer nicht."

„Gibt es auch Altgläubige in Hattenhofen?", wollte der Rätzl Michael wissen.

„Selbstverständlich!", entgegnete Augustin entspannt und leerte seinen Becher. „Aber hier wird uns niemand verraten. Meine Leute stehen voll und ganz hinter mir."

Jörg sagte nichts dazu. Er wusste, wozu Menschen ohne Hoffnung fähig waren. Doch irgendetwas in Augustins Stimme gab ihm ein klein wenig von dem Glauben an das Gute zurück.

„Dann halten wir eine Zusammenkunft ab, Jörg wird zu uns sprechen, anschließend tauft er und wir essen. Wenn es wieder dunkel ist, gehen wir zurück."

Bei dem Gedanken daran, morgen eine Schar Bauern zu taufen, spürte Jörg ein leichtes Unbehagen in der Brust, schob es aber beiseite. Im Augenblick lag er satt und warm im Heu. Er wollte nicht an die ungewisse Zukunft denken. Mit einem „Gute Nacht!", wickelte er sich in seine Decke und schlief schnell ein.

3. Dezember Anno Domini 1527,
unweit des Dorfes Günzlhofen

Amtmann Schaller saß in der Hütte eines Zeidlers und grübelte. Darüber, wie er diesen aufgeblasenen Perwangern das Handwerk legen konnte. Er hatte diese adeligen Herrschaften satt, die nichts arbeiteten und trotzdem in Saus und Braus lebten. Es ärgerte ihn maßlos, dass er in einer windschiefen Hütte übernachten musste und diese hohen Herrschaften sogar die Muttergottes verspotteten. Grummelnd starrte er auf das niedergebrannte Feuer vor sich. Draußen war es noch dunkel und der Tag mindestens zwei Stunden entfernt. Um das Feuer herum lagen seine Männer in ihre Decken gewickelt und schnarchten.

Die Tür knarrte laut, als ein junger Mann in fadenscheinigem Umhang und löchrigen Bundschuhen unvermittelt die Zeidlerhütte betrat. Einer der Büttel gab einen erschrockenen Laut von sich, sprang auf, packte seine Hellebarde und holte aus.

Der Bursche warf sich auf den Boden und entging nur um Haaresbreite dem wilden, aber schlecht gezielten Hieb.

Als der Büttel sah, wer da vor ihm im Dreck lag, hielt er inne. „Du Arschloch! Beinahe hätte ich dir den Schädel gespalten." Er trat dem jungen Mann in die Seite. Wimmernd kauerte der sich zusammen.

Zum nächsten Tritt kam er nicht mehr, denn Schaller stieß ihn zur Seite. „Hast du den Verstand verloren, Lud? Du weckst das ganze Dorf auf." Er half dem jammernden Jüngling hoch. „Was willst du? Spuck's aus, bevor ich dich verhaften lasse."

„Seid Ihr ein Amtmann?"

„Der bin ich. Was willst du?"

Der junge Mann sah sich um. „Ich bin Hüter auf der Allmende und wollte Euch eine Nachricht verkaufen."

„Verkaufen? Was für eine Nachricht?"

„Ich weiß etwas über unseren Hofmarksherrn. Was wäre Euch das wert, mein Herr?"

Schaller musterte den zerlumpten Kerl misstrauisch. Schließlich wurde sein Blick weicher. „Wenn es eine hilfreiche Nachricht ist, bekommst du einen Batzen Silber. Wenn nicht ..." Er ließ den Satz unvollendet, aber seine Augen funkelten drohend.

Der junge Hüter beeilte sich, zu erzählen: „Unser Herr Augustin ist fortgegangen! Mit drei anderen."

Schaller packte ihn am Kragen. „Wohin? In welche Richtung?"

„Nach Süden ins Moos. In stockfinsterer Nacht." Der Jüngling rang nach Luft.

Schaller lockerte seinen Griff. „Erzähl weiter!"

„Vermutlich sind sie auf dem Weg nach Hattenhofen."

Auf Schallers Gesicht breitete sich ein teuflisches Grinsen aus. „Lud, gib dem Kerl sechzehn Silberpfennige und jag ihn fort." Er strich sich durch den Bart. „Jetzt habe ich dich, *Herr* Augustin. Der Inquisitor wird zufrieden sein, so wahr ich Schaller Hanns heiße."

3. Dezember Anno Domini 1527,
Hattenhofen im Fürchelmoos

Langsam verdrängte das düstere Zwielicht die Dunkelheit. Jörg rieb sich den Schlaf aus den Augen und fühlte sich deutlich besser als am Tag zuvor auf seinem Weg durch das winterliche Moos. Dennoch hatte er keine Ahnung, was er den Bauern heute predigen sollte. Die Predigten, die ihn selbst beeindruckt hatten, stammten von gelehrten Theologen wie dem Denck Hans oder dem Hubmaier Balthasar. Sie hatten seine Seele berührt. Doch für die Kleinbauern, Söldner und Tagelöhner musste er Worte finden, die *deren* Herzen erreichten.

So wie der Hut Hans, der als Veteran des großen Bauernkrieges den Armen wieder Hoffnung gegeben hatte. Bei den Täufer-Theologen dagegen war Hut als Spinner verschrien. Jörg hatte ihn damals selbst auf dem *Concilium* in Augsburg gehört. Wie im Fieber hatte Hut dort vom nahenden Jüngsten Gericht gesprochen. Huts kompromisslose Sichtweise hatte ihm Angst eingejagt. Was, wenn er doch recht hatte?

Die Tür öffnete sich und ein kalter Luftzug traf sein Gesicht. Vier Männer betraten die Hütte, einen davon kannte er vom Sehen. Sie sprachen mit dem Perwanger Augustin. Einer machte einen Scherz und alle lachten. So eine Vertrautheit zwischen Hofmarksherrn und Hörigen war dem Sedlbauern fremd.

Augustin führte die Männer zu ihm: „Das ist der Dorfvierer von Hattenhofen." Er wandte sich an die Bauern: „Das ist der Sedlmaier Jörg aus Hochdorf. Er predigt uns nachher von der Liebe Gottes."

Ein älterer Mann mit kahlem Kopf stellte sich vor: „Ich bin der Dorfälteste."

„Wir kennen uns. Du bist der Huber Mathi."

Der Alte lächelte zur Bestätigung. Dann wurde er wieder ernst: „Sag mir, Bruder Jörg, wird man durch die Taufe tatsächlich versiegelt?"

Zögerlich antwortete Jörg: „So sagt es der Hut Hans."

„Aber wie soll das gehen?", hakte Mathi nach.

„Das will ich dir erklären: Seiner Überzeugung nach geschieht dies in drei Schritten. Erstens durch die Geisttaufe."

„Die *Geist*-Taufe? Was soll das sein?" Mathi sah verloren aus.

„Das ist eine innere Taufe, die ein jeder für sich selbst vollziehen muss. Wenn dein Glaube an unseren Herrn stark ist, wirst du durch den Heiligen Geist erneuert."

„Wie merke ich, dass mich der Heilige Geist erneuert hat?" Mathi ließ nicht locker.

Jörg überlegte. Mit theologischen Ausführungen kam er hier nicht weiter. Während er noch nach Worten rang, legte ihm der Bauer die Hand auf die Schulter. „Sag uns einfach, wie es sich bei dir selbst angefühlt hat, als du den Heiligen Geist empfangen hast."

Jörg sah Mathi in die Augen. Die ruhige, freundliche Art des Bauern berührte ihn. Scham überfiel ihn, weil er selbst so schwach und kleinmütig gewesen war und sich hinter theologischem Geschwätz versteckte. „Ich habe mich kraftvoll gefühlt, Mathi. Der Heilige Geist ist mit großer Wucht in mich gefahren, als ich begriffen habe, dass Jesus mich liebt." Jörg wunderte sich über seine eigenen Worte, die sich aber in diesem Augenblick richtig anfühlten.

Mathi nickte feierlich. „So war es auch bei mir, Bruder Jörg. Die beschwerliche Arbeit ging mir danach leicht von der Hand. Ich fühlte mich so kraftvoll wie als junger Mann früher."

„Dann bist du bereit für den zweiten Schritt, den *ich* dir spenden werde: die Wassertaufe. Mit dem Kreuz auf deiner Stirn versiegle ich dich und rufe den dreieinigen Gott an. Das bringt dich auf den Weg zur Nachfolge Christi."

Mathi drückte Jörgs Hände und lächelte.

„Was ist der dritte Schritt, Meister?", wollte einer der jüngeren Männer wissen.

Jörg senkte den Blick. „Das ist in der Tat der schwerste." Ihm war klar, dass er hier nicht von der Blut- und Leidenstaufe sprechen durfte. So fuhr er fort: „Der Hut Hans sagt: *Omnia sunt comunia.* Ihr müsst als wahre Brüder zusammenleben und alles teilen bis zum Jüngsten Gericht, das der Hut Hans anhand der Bibel für nächstes Pfingsten erwartet." Zustimmendes Gemurmel erklang.

„Dann gehören wir nach der Taufe zu den 144.000 Gerechten, die vor dem Strafgericht Gottes verschont bleiben?"

„So ist es", sagte Jörg feierlich. „*Ihr* werdet dann mit dem Schwert in der Hand Gerechtigkeit üben an den gottlosen Pfaffen und Mächtigen." Während er die Worte aussprach, wurde ihm klar, dass er genau das sehnlichst herbeiwünschte. Er hatte nichts mehr zu verlieren.

Die blasse Wintersonne stand schon hoch am Himmel, als sich drei Dutzend Menschen in der Scheune einfanden. Trotz der feuchten Kälte trugen die Bauern ein Lächeln auf ihren ausgezehrten Gesichtern. Mit leuchtenden Augen lauschten sie Jörgs Predigt. Dabei las er immer wieder kurze Stellen aus einem Büchlein vor: „*Gute, fromme Werke machen nimmermehr einen guten frommen Mann! Vielmehr macht ein guter frommer Mann gute, fromme Werke.* So schreibt es der Lotzer Sebastian aus Memmingen, liebe Brüder. *Erst muss diese Person durch den Glauben gut sein, dann können es auch die Werke sein.*"

Als Jörg geendet hatte, winkte er Mathi, den Dorfvorsteher, als ersten zu sich nach vorne. Er bedeutete ihm, sich hinzuknien.

Augustin reichte ihm eine hölzerne Schale. Mit ihr schöpfte Jörg Wasser aus einem zuvor herbeigeschafften Fass. „Mathi, ich taufe dich im Namen des Vaters, des Sohnes und des Heiligen Geistes." Jörg goss dem alten Bauern drei Mal Wasser über den beinahe kahlen Kopf und zeichnete das Kreuz auf seine Stirn. „Erhebe dich, Bruder Mathi."

Danach herrschte eine ausgelassene Stimmung in der Scheune. Immer wieder kamen Täuflinge auf Jörg zu und umarmten ihn herzlich, während die Frauen Brot unter den Anwesenden verteilten. Seine Angst der letzten Tage war wie fortgeblasen. Jörg wusste jetzt, was seine Aufgabe war. Selbst seine eigene Taufe in Augsburg hatte ihn nicht so berührt, wie es die letzten Stunden vermocht hatten. Hier und heute hatte er zum ersten Mal das Gefühl, wirklich Teil der Gemeinschaft der Täufer zu sein.

Augustin klopfte ihm auf die Schulter. „Du *bist* der Sendbote für das Fürchelmoos! Wenn es noch eines Beweises bedurft hat, dann hast du ihn heute geliefert. Die Menschen hier vertrauen dir."

Mathi trat zu den beiden: „Liebe Brüder, wir sind euch zu großem Dank verpflichtet, dass ihr den beschwerlichen Weg auf euch genommen habt, um uns das Licht zu bringen." Das Lächeln auf seinem Gesicht verschwand. „Dennoch muss ich euch bitten, uns jetzt zu verlassen."

Augustin ergriff seinen Arm. „Was ist los, Mathi?"

„Wir bekommen Besuch. Unsere Späher berichten von einer Schar Büttel auf dem Weg zu uns. Sie werden noch eine knappe Stunde brauchen, weil sie unsere Schleichwege nicht kennen. Also geht auf demselben Weg zurück, auf dem ihr gekommen seid. Wir räumen einstweilen auf. Niemand wird erfahren, dass ihr hier gewesen seid. Geht mit Gott!" Damit umarmte er sie.

Eine Stunde später erwartete Mathi an der Dorflinde einen übellaunigen Amtmann Schaller.

„Hast du hier das Sagen, alter Mann?", blaffte der schon von weitem.

„Ja, Herr. Ich bin der Huber Mathi und spreche für den Dorfvierer. Was wollt Ihr hier bei uns im Moos?"

„Ich bin auf der Suche nach Wiederläufern und Lutherischen." Dabei musterte er den alten Mathi von Kopf bis Fuß.

„Hier gibt es keine Ketzer, Herr. Alle Einwohner unseres Dorfes beten zur Jungfrau Maria und –"

„Euer Hofmarksherr", fiel ihm Schaller ins Wort. „Der Perwanger soll hier sein. Stimmt das?"

Kurz zog Mathi in Erwägung, dem Schergen eine Lüge aufzutischen, entschied sich dann aber für die Wahrheit. „Unser Herr Augustin war tatsächlich hier."

Schaller schlug mit der Faust in seine Linke. „Dachte ich's mir." Er sah sich herausfordernd um. „Wo bist du, Perwanger? Zeig dich!"

Mathi blieb höflich und ruhig. „Der Herr Perwanger ist schon wieder fort. Er hat das Dorf weit vor dem Mittag verlassen."

„Dann hätten wir ihn gesehen!", blaffte Schaller.

„Unser Herr kennt das Moos. Er hat vermutlich einen anderen Weg genommen als Ihr, Herr."

„Warum war er überhaupt hier? Mitten im Winter?"

„Wir haben über die schlechte Ernte gesprochen und unser Herr hat angeboten, den Bauern und Söldnern die Pacht zu stunden."

„Willst du mich verarschen?" Der schmächtige Amtmann fixierte den Huber Mathi, als wolle er ihn mit seinem Blick durchbohren.

Der alte Bauer hielt stand und antwortete ruhig: „Herr Amtmann, ich spreche die Wahrheit. Unser Grundherr hat uns die Pacht gestundet und ist schon vor Stunden wieder aufgebrochen." Er schlug ein Kreuz. „So wahr mir Gott helfe."

Schaller fluchte und wandte sich an seine Männer: „Durchsucht jede Hütte und jeden Stadl in diesem armseligen Dorf." Er sah Mathi an: „Gnade dir Gott, wenn du mich angelogen hast."

Kapitel 29

4. Dezember Anno Domini 1527, Augsburg

War bei ihrem überstürzten Aufbruch zwei Tage zuvor in Memmingen die Luft noch klar und kalt gewesen, so hing Augsburg unter einer dichten Nebeldecke. Anna war bis auf die Knochen durchgefroren. Obwohl sie versucht hatte, Ignaz so gut es ging warmzuhalten, zitterte der Kleine vor Kälte. Mit jeder Meile, die sie sich von Memmingen entfernt hatten, war er stiller und apathischer geworden. Seine Gesichtshaut wirkte durchsichtig, seine Hände waren wie die ihren bläulich verfärbt.

Unsicher klopfte Anna an die vertraute Tür am Hinteren Lech. Was, wenn der Färber-Jos sie wegschickte? Erneut klopfte sie, dieses Mal fester. Endlich erklangen schlurfende Schritte.

„Wer stört mich in meiner heiligen Mittagsruhe?" Die Tür öffnete sich knarzend. Der Groll in seinem Gesicht verschwand in dem Moment, als er Anna mit Ignaz stehen sah. Suchend streckte er den Kopf hinaus auf die Gasse. „Wo ist Lenz?"

„In Memmingen", war alles, was Anna hervorbrachte.

Besorgt sah er sie an und streckte seine Arme nach Ignaz aus. „Komm, gib mir den Kleinen." Doch der klammerte sich an Anna und verbarg seinen Kopf an ihrer Schulter.

Ignaz fest an sich gedrückt folgte Anna dem Färber-Jos, vorbei an der Werkstatt, die Treppe hinauf, den beißenden Geruch der Färbebäder in der Nase. In der Wohnstube ließ sie sich kraftlos auf einen Stuhl fallen.

„Ich hole euch eine Suppe von heute Mittag. Die wird euch wärmen."

Anna nickte. Beim Hinausgehen fiel ihr auf, dass er immer noch humpelte. Der Treppensturz vergangenen Sommer war Pech und Glück zugleich gewesen. Hätten sie damals nicht den Bader holen müssen, so wären sie alle bei der Versammlung vom Kießling Hans verhaftet worden.

Kurze Zeit später stellte Jos zwei dampfende Schüsseln auf den Tisch. Ignaz zog sofort seinen Holzlöffel unter dem Umhang hervor. „Den Löffel trug er schon in Landsberg immer bei sich", bemerkte Jos und setzte Ignaz auf einen Stuhl, was der widerstrebend geschehen ließ. Doch bereits nach den ersten Löffeln sank sein Kopf müde auf die Tischplatte.

Zärtlich strich ihm Anna über das Haar. „Er ist so ein tapferer kleiner Kerl."

Jos nahm ihn hoch. „Ich lege ihn vor das Feuer und du kannst mir erzählen, warum du hier bist."

Jetzt, wo Anna zur Ruhe kam, holten sie die Erinnerungen mit Macht ein. Gleichzeitig wusste sie nicht, wie sie beginnen sollte.

Sanft drückte der Färber-Jos ihren Arm. „Sag mir erst einmal, wie du es alleine nach Augsburg geschafft hast."

„Ich war nicht allein", brach es aus Anna heraus. „Der Waldhauser Thomas, ein Prediger aus Memmingen, hat uns begleitet."

„Den kenne ich. Der ist öfter hier in Augsburg. Hattet ihr ein Fuhrwerk?"

Sie schüttelte den Kopf. „Ignaz durfte immer auf dem Gaul sitzen. Wir haben uns abgewechselt."

Er pfiff anerkennend durch die Zähne. „Wo habt ihr übernachtet?"

„Immer bei Glaubensbrüdern. Erst in Mindelheim, dann in Schwabmünchen."

„Wo ist der Waldhauser jetzt?"

„Für zwei Wochen bei einem Freund, nicht weit von hier. Er hat uns an der Schwibbogenbrücke abgesetzt und schaut morgen vorbei. Vorausgesetzt ich kann mit Ignaz solange bei dir bleiben. Thomas nimmt uns dann wieder mit zurück. Voraussichtlich", schob sie nach.

„Natürlich könnt ihr bleiben!", empörte sich der Färber-Jos. „Was für eine Frage! Ich kann deine helfenden Hände gut gebrauchen und die Adolfin wird sich freuen, dich wiederzusehen. In ihren Buben hat der Kleine gleich Spielgefährten. Obwohl ..." Er hielt kurz inne, bevor er weitersprach. „Schau, dass du diesem Pfettner Christof nicht über den Weg läufst. Er treibt immer noch sein Unwesen hier. Der Kerl ist jetzt Lehrer am Sankt-Anna-Gymnasium. Seine Predigerstelle hat ihm die Frau des Bürgermeisters versaut. Weil er so rabiat gegen die Kießlings und andere Täufer vorgegangen ist. Zumindest hört man das auf dem Markt. Er ist schuld, dass uns der Stadtrat wegen ketzerischer Umtriebe verwarnt hat und uns seitdem bespitzeln lässt." Er machte eine wegwerfende Handbewegung. „Jetzt sag mir, was dich nach Augsburg treibt."

„Magdalena!" Sie konnte die Tränen nicht mehr zurückhalten. Das Schluchzen schüttelte ihren Körper. Der Rotz lief ihr aus der Nase, den sie am Ärmel ihres Überkleids abwischte.

Verwirrt rieb sich der Färber-Jos seine große Hakennase. „Das verstehe ich jetzt nicht. Als ich Ende Oktober bei der Hinrichtung deines Bruders in Landsberg war, hat mir Lenz angedeutet, dass er sich aus Dummheit erneut mit ihr eingelassen hat. Ich hatte den Eindruck, dass er das bitter bereut hat."

„Es war auch alles gut. Wir wollten im Januar heiraten. An Lichtmess kann er Beisitz in Memmingen werden und später die Werkstatt vom Lodweber übernehmen."

„Aber?"

„Magdalena ist auch in Memmingen und schwanger."

„Von Lenz?"

Irritiert sah Anna den Färber an. „Ja."

„Wann ist Lenz bei ihr gelegen?"

Mit einem Schlag erinnerte sich Anna wieder daran, wie sie die beiden im Holzlager erwischt hatte. „Ende September", flüsterte sie.

„Heute ist der vierte Dezember. Dann hat sie ihre Schwangerschaft aber schnell bemerkt."

In einer Geste der Hilflosigkeit breitete Anna die Arme aus und blinzelte die Tränen weg. „Ihre Tante in Memmingen ist auch schwanger. Magdalena geht ihr jetzt zur Hand."

Der Färber-Jos schlug krachend mit der Faust auf den Tisch. „Eine Schwangere nimmt die anstrengende Reise von Landsberg nach Memmingen in Kauf. Nur, um einer schwangeren Verwandten zu helfen. Wenn das mal kein abgekartetes Spiel ist."

„Wie meinst du das?"

„Ist dir noch nie der Gedanke gekommen, dass das Kind gar nicht von Lenz ist?"

Wortlos schüttelte Anna den Kopf. Immer wenn der Name Magdalena fiel, fühlte sie sich von dunklen Schatten umhüllt. Ihre Gefühle überwältigten sie dann so stark, dass sie keinen klaren Gedanken mehr fassen konnte. So, als wären diese in einem dichten Nebel gefangen, aus dem es kein Entkommen gab.

Der Färber-Jos fasste sich an die Stirn. „Lenz ist Manns genug und nicht auf den Kopf gefallen. *Er* muss das jetzt klären. Einstweilen bleibst du bei uns. Morgen kommt die Adolfin und dann besprechen wir, wie es weitergeht. Du gehst mit Ignaz hoch in deine Kammer, in die ich vorhin noch einen frischen Strohsack und Decken gelegt habe."

Wieder kamen Anna die Tränen. Aber dieses Mal vor Erleichterung.

5. Dezember Anno Domini 1527, Memmingen

Der Korb mit den Rüben und dem Kraut wog schwer in Magdalenas Hand. Am Gefängnisturm hielt sie den Kopf gesenkt. Doch der Wachsoldat wärmte seine klammen Finger am Feuer und beachtete sie nicht, als sie durch das Manntor aus der Stadt schlüpfte. Eiskristalle glitzerten an den kahlen Ästen in dem Wäldchen gleich vor der Stadtmauer. Sie wandte den Blick ab, denn gerade hatte sie keinen Sinn für die Schönheit der Natur. Ihr Plan stand fest. Das Wichtigste daran war, dass Lenz nicht an seiner Vaterschaft zweifelte. Sein Pflichtbewusstsein und sein schlechtes Gewissen ihr gegenüber würden ihm schon den Weg weisen. Heute musste sie ihn davon überzeugen, mit ihr zurück nach Landsberg zu gehen. Dort würde es zwar Gerede geben. Aber das war ihr egal. Genauso wie das Schicksal ihrer Tante. Die hatte schon einige Kinder verloren. Dann war es eben wieder geschehen.

Ein trockener Zweig knackte hinter ihrem Rücken und sie wandte sich um.

„Da bin ich. Sag, was du willst. Ich habe nicht viel Zeit. Meister Lodweber braucht mich." Seine Stimme klang rau und abweisend.

„Du fragst, was ich will?" Sie legte die Hand auf ihren Bauch.

„Magdalena!" Er seufzte schwer. „Das, was in der Scheune zwischen uns geschah, war ein Fehler, den ich zutiefst bereue."

Ein Fehler! Was bildete sich dieser Kerl überhaupt ein? Auf die Zunge beißend bemühte sie sich, ruhig zu bleiben. „Trotzdem bin ich schwanger."

„Eine schöne Frau wie du findet in Landsberg genug Ehemänner. Selbst mit Kind."

„Wenn mein Vater das nötige Silber locker macht, bestimmt", höhnte sie.

„Es braucht niemand zu wissen, dass dein Zukünftiger nicht der leibliche Vater ist. Geh zurück nach Landsberg und heirate. So bald wie möglich. Deine Tante findet sicherlich eine andere, die ihr beisteht." Er hielt kurz inne, bevor er fortfuhr. „Ich bleibe hier."

Das lief ja noch schlechter, als sie befürchtet hatte. „Wenn ich auch in Memmingen bliebe?", hauchte sie. Das war zwar nicht ihr Plan. Außerdem ging das nicht, weil dann der Schwindel mit der schwangeren Tante auffliegen würde.

„Auch dann nicht", beharrte er.

Sie nahm den Korb wieder auf, den sie vorher auf eine trockene Wurzel gestellt hatte. „Dann weiß ich, woran ich bin. Ich werde über alles nachdenken."

Erstaunt sah er sie an. Vermutlich hatte er einen heftigen Gefühlsausbruch erwartet. Doch diese Blöße wollte sie sich nicht geben.

„Eines noch, bevor du gehst."

„Was?"

„Woher wusstest du eigentlich, dass ich in Memmingen bin?"

„Das war Gottes Fügung. Der kann man nicht entkommen. Meine schwangere Tante braucht Hilfe. Da habe ich gerne die Strapazen der Reise auf mich genommen. Außerdem erspare ich meinen Eltern die Schande, denn so schnell findet sich kein Ehemann, der eine Frau mit einem fremden Kind im Bauch will."

Lenz vermied Magdalenas Blick und nestelte nervös an seinen Fingern. Sein schlechtes Gewissen war deutlich in sein Gesicht geschrieben. „Mein Onkel hat zu Hause beiläufig erwähnt, dass der Lodweber seinen narbengesichtigen Gesellen mit in die Werkstatt nehmen will. Dieser Moment war eine innere Erleuchtung für mich. Das konntest nur du sein. Die Hoffnung, dass mein Kind nicht ohne seinen leiblichen Vater aufwächst, war neu erwacht."

Kaum, dass er die Haustüre erreicht hatte, riss Vev sie schon auf. „Wie ist es gelaufen?"

Lenz zuckte mit den Schultern. „Wider Erwarten gut. Glaube ich."

„Was hast du ihr gesagt?"

„Dass sie zurück nach Landsberg gehen und dort einen anderen heiraten soll."

„Und?"

„Sie ist erstaunlich ruhig geblieben. Obwohl ich alles erwartet hatte: Gekreische, Tränen, dass sie mit den Fäusten auf mich losgeht. Aber nichts davon. Vielleicht hat sie die Schwangerschaft verändert."

„Ich traue dem Frieden nicht." Vev schüttelte ungläubig den Kopf. „Nach allem, was ich bisher von dieser Metze mitbekommen habe, ist sie nicht die Person, die aus reiner Nächstenliebe das Wohl ihrer Tante über ihr eigenes stellt. Außerdem ist es ein komischer Zufall, dass Tante und Nichte gleichzeitig schwanger sind."

„Kann sein. Ich hoffe jetzt einfach, dass Ruhe einkehrt und Anna in zwei Wochen zurückkommt. Alles weitere wird sich zeigen."

„Warum werde ich das Gefühl nicht los, dass das nicht die ganze Wahrheit ist?"

Lenz fühlte sich ertappt. Krampfhaft suchte er nach Worten, die seine innere Zerrissenheit nicht verrieten. Schließlich wuchs da sein Kind heran, für das er verantwortlich war, ähnlich wie damals bei Magdalenas Bruder. Dieses Gefühl brach sich gerade mit aller Macht Bahn. Wortlos drehte er sich um und ließ Vev stehen.

Kapitel 30

5. Dezember Anno Domini 1527, Augsburg

Die Wiedersehensfreude zwischen Anna und ihren Freunden währte nur kurz, da die Adolfin und der Waldhauser Thomas schlechte Nachrichten mitgebracht hatten: Der im Gefängnis sitzende Hut Hans war angeblich schwer verletzt! Kurzerhand hatte der Färber-Jos daraufhin alle in seine geheime Kammer unter dem Dach gelotst.

Außenstehende hätten die Wand der Kammer für die Rückwand des Speichers gehalten, da die meisterhaft eingepasste Tür nur durch einen verborgenen Riegel am Boden zu öffnen war und von außen unsichtbar blieb. Der Raum war so klein, dass er in der Mitte gerade einmal mannshoch war. Das Dach senkte sich zu den Seiten bis hinunter auf den Boden aus groben Holzdielen. Unter den Schrägen drängten sich das niedrige Bett, eine Truhe und ein Regal mit Schriften und Büchern. Jetzt saßen sie mit hängenden Köpfen um den Tisch in der Raummitte, der gerade einmal den vier Anwesenden Platz bot.

Mit belegter Stimme fragte Jos schließlich die Adolfin: „Susanna, woher hast du diese niederschmetternde Nachricht?"

Die sonst so kraftvolle Adolfin, die sich den ganzen Tag um die Ärmsten der Armen kümmerte und die für jeden Beladenen ein gutes Wort hatte, blieb stumm. Jos hatte sie noch nie so niedergeschlagen gesehen. Tränen liefen ihr über die Wangen und tropften auf ihr besticktes Mieder. Der Färber-Jos legte ihr die Hände auf die bebenden Schultern.

Der hochgewachsene Waldhauser antwortete stattdessen: „Meister Hans liegt im Sterben. Ich habe es von meinem Freund Urbanus Rhegius. Er war heute Morgen im Gefängnis und hat Hans die letzte Ölung gespendet.“

Der Färber-Jos starrte ihn entsetzt an. „Du bist mit einem Lutherischen befreundet?“

„Urbanus und ich haben zusammen in Basel studiert“, erklärte Thomas. „Er weiß, dass ich ein Täufer bin.“

„Urbanus Rhegius arbeitet für den Augsburger Rat! Bist du von Sinnen? Wenn er uns anschwärzt, sind wir in großen Schwierigkeiten. Seit der Verhaftungswelle nach dem *Concilium* vor drei Monaten hat der Rat die Zügel angezogen.“ Der Färber-Jos sprang auf und holte ein Blatt vom Regal in der Ecke. Hastig faltete er es auseinander und las laut vor: *„Es ist strengstens verboten, den Kindern die Taufe vorzuenthalten, Winkelprediger zu speisen oder zu beherbergen. Ebenfalls ist es strengstens untersagt, an Versammlungen und Rottierungen teilzunehmen.* Dieses Flugblatt hängt seit dem 11. Oktober an jeder Ecke in der Stadt.“

„Urbanus ist ein guter Mann", beharrte Thomas. „Gut, der Rat hat ihn beauftragt, mit den inhaftierten Täuferführern zu disputieren. Aber er ist kein Spitzel." Waldhauser verzog das Gesicht. „Im Gegensatz zum Bürgermeister und diesem Pfettner Christof verteufelt er uns nicht. Allerdings hält er unseren Bruder, den Hut Hans, für ein wenig irre."

„Hans ist nicht irre!", brach es jetzt aus der Adolfin hervor. „Er hat als Erster erkannt, dass es so nicht mehr weitergehen kann. Dass die Mächtigen uns alle nur ausbeuten und ihre Gier ausleben. Dass die gottlosen Pfaffen – Altgläubige wie Protestanten – in ihren Predigten Lügen verbreiten. Sie predigen dem gemeinen Mann, er solle unreines Wasser saufen und sie selbst trinken nur Wein. Ohne sein beharrliches Bibelstudium hätte Hans nie herausgefunden, dass Gott die Auserwählten zum kommenden Pfingstfest endlich belohnen wird."

Der Waldhauser hob beschwichtigend die Hände. „Ich teile deine Meinung, Schwester. Dennoch: Urbanus und ich liegen in unseren Ansichten vielleicht auseinander, aber wir sind weiter befreundet." Thomas sah in die Runde. „Er hat mir noch etwas gesteckt: Bürgermeister Rehlinger lässt seine Gemeindediener überall verkünden, dass Meister Hans einen Ausbruch geplant hätte."

„Einen Ausbruch? Wie sollte das gehen?" Der Färber-Jos strich sich verwirrt über seinen kratzigen Stoppelbart.

„Es heißt, Hans soll in seiner Zelle *absichtlich* Feuer gelegt haben, um den Eisenmeister anzulocken, ihn zu erwürgen und hernach auszubrechen."

Mit schmalen Lippen entgegnete die Adolfin: „Was für ein Unsinn. Wie soll ein durch die Folter Gezeichneter einen Kraftprotz wie den Eisenmeister erwürgen?"

Der Färber-Jos sah Thomas an. „Und, was sagt dein *Freund* Urbanus zu dieser infamen Behauptung?"

Thomas überging diese Spitze. „Der Eisenmeister glaubt, dass Hans nach der letzten Folter so erschöpft war, dass er im Fieber seine Lampe umgestoßen hat. Der Schwelbrand, der danach ausgebrochen ist, hat Hans wohl den Odem vergiftet. Zumindest hat der Eisenmeister das Urbanus so erzählt. Für ihn und für mich ist das die schlüssigste Erklärung."

„Wie es wirklich war, werden wir wohl nie erfahren."

„Gibt es noch Hoffnung?" Es war Anna, die die Frage stellte.

Wieder war es der Memminger Prediger Waldhauser, der als Erster sprach: „Der Eisenmeister hat den Henker geholt, weil der sich in solchen Dingen besser auskennt als alle Bader und Ärzte in der Stadt. Der Henker sagt, Hans ist nicht mehr zu helfen. Wir können nur noch für seine Seele beten."

Susanna schluchzte auf. „Das hat er nicht verdient!"

„Laut dem Eisenmeister hat Hans sogar Glück damit, denn sein Urteil war beschlossene Sache. Er wäre auf dem Scheiterhaufen gelandet – ohne Gnadenstoß."

Eine ganze Zeit lang sprach niemand ein Wort. Alle waren entsetzt und hingen ihren Gedanken nach. Ihr Anführer der Herzen, wie die Adolfin ihn gerne nannte, sollte dem Feuertod überantwortet werden.

Anna räusperte sich: „Was heißt das für uns? Werden wir jetzt verhaftet?"

„Wie kommst du darauf?" Es war die Adolfin, die ihre Fassung wiedererlangt hatte.

Ängstlich deutete Anna auf das Flugblatt, als ob es sie im nächsten Augenblick wie eine Wildkatze anspringen könnte. „Dort steht, dass alles, was wir tun, verboten ist."

Der Färber-Jos lachte auf, obwohl ihm zum Heulen zumute war: „Das Verbot des Stadtrates scheint nicht zu wirken, denn wir haben die Zahl unserer Gemeindemitglieder verdreifacht!"

„Trotz der Verhaftungen vor einem Vierteljahr?"

Die Adolfin trocknete ihre Tränen mit einem Tüchlein ab. „Ich denke, viele Augsburger hegen Sympathie für unsere Sache, selbst wenn sie sich nicht offen dazu bekennen. Im Grunde ihres Herzens wissen sie, dass sie auch in der Nachfolge Christi leben sollten."

„Aber die Einschüchterungen und Verbote ..." Anna konnte es nicht fassen.

„Irgendwie scheint das die Menschen nur anzustacheln, ihren rechten Glauben freimütig zu bekennen." Der Färber-Jos straffte sich. „Unsere Sache ist noch nicht verloren. Selbst wenn sie mit Hans ihren Anführer verlieren sollte. Lasst uns für ihn beten."

Kapitel 31

6. Dezember Anno Domini 1527, Augsburg

Tausende waren am Tag des heiligen Nikolaus auf
den Beinen. Vor allem im Gewirr der Gassen und
Kanäle des Lechviertels, wo die Augsburger wohnten, die kaum noch von ihrer Hände Arbeit leben
konnten. Doch sie waren nicht unterwegs, um armselige Kleinigkeiten für ihre Kinder zu besorgen.
Heute drängte alles, was Beine hatte, zum Fischmarkt, wo das Urteil über den Hut Hans verkündet
werden sollte. Über den Mann, von dem es hinter
vorgehaltener Hand hieß, er habe als Anhänger von
Müntzer vor zweieinhalb Jahren die große Schlacht
der Bauern in Frankenhausen überlebt. Nicht nur
die Täufer kannten ihn gut, hatte er sich doch vor
eineinhalb Jahren vom Denck Hans hier in der
Stadt taufen lassen. Auch viele der wohlhabenderen
Augsburger hatten schon von ihm gehört. Hut, der
seit seiner Taufe 144.000 Gerechte in Franken, Baiern, Mähren, Österreich und Schlesien suchte, um
sie zu erretten. Die Nachricht seines Todes im Gefängnis hatte sich in Windeseile in der ganzen Stadt
verbreitet. Und nicht wenige betrauerten ihn, der
von einer gerechteren Welt nach dem Jüngsten Gericht kommendes Pfingsten gepredigt hatte.

Auch Anna war mit der Adolfin und dem Waldhauser unterwegs. Der Färber-Jos, der wegen seines schmerzenden Knies immer noch nicht lange laufen konnte, achtete auf Ignaz und die beiden Söhne der Adolfin.

Die drei hatten sich dem Strom der Menschen in den engen Gassen des Lechviertels angeschlossen. Weil in Richtung der Barfüßerkirche kein Durchkommen war, versuchten sie, über den Weinmarkt zum Rathaus zu gelangen. Tatsächlich gab es in dieser vornehmen Wohngegend kein Gedränge. Die reichen Patriziergeschlechter waren Altgläubige oder Parteigänger Luthers. Sie nahmen am Schicksal dieses bekannten Ketzers keinen Anteil oder wollten es zumindest nicht offen zeigen.

Rasch schritten die drei Gefährten aus, doch schon beim Rathaus ging es quälend langsam voran. Am Fischmarkt, der zwischen Rathaus und Perlachturm lag, standen die Menschen so dicht, dass niemand mehr einen Schritt tun konnte. Die Adolfin flüsterte Anna zu: „Ich sehe hier sogar Bewohner der Fuggerei, in der man nur als Altgläubiger einen Platz bekommt."

„Unter vielen von diesen armen Schluckern hatte Meister Hans auch heimliche Anhänger", erklärte Waldhauser. „Aber es werden auch welche hier sein, die sehen wollen, dass der Ketzer Hut seiner gerechten Strafe zugeführt wird."

Wie zur Bestätigung schrie ein dicklicher Mann vor ihnen: „Brennen soll dieser Hundsfott!"

Angewidert verzog die Adolfin das Gesicht. „Siehst du, was dort vorne los ist, Thomas?"

Er überragte mit seinen sechs Schuh viele der Anwesenden. „Die Stadtwache sperrt den Fischmarkt ab. Mit ihren Hellebarden drängen sie die Schaulustigen zurück. Vier Henkersknechte tragen einen leblosen Körper in die Mitte des Platzes."

„Meister Hans", flüsterte Anna.

„Er scheint tatsächlich tot zu sei", konstatierte Thomas. „Die Knechte stellen Meister Hans' Leichnam vor einem Mann in Richterrobe ab und richten ihn auf."

„Damit verhöhnen sie sogar einen Toten. Diese Scheusale haben kein Gewissen." Ein seltsamer Unterton hatte sich in die Stimme der Adolfin geschlichen.

Trotz der vielen Menschen, die sich auf dem Platz drängten, herrschte eine unheimliche Stille, als ob die Luft selbst den Atem anhielt. Der Richter begann, das Urteil zu verkünden: „Der fahrende Buchhändler Hut ..."

Weiter vorne schrie eine Frau: „Herzloses Pack! Schämt ihr euch gar nicht?"

Ungeachtet der Zwischenrufe fuhr der Richter noch lauter fort: „Der fahrende Buchhändler Hut Hans, aus Bibra im Frankenland, ist der Ketzerei ..."

Ein Raunen ging durch die Menge. Aufgebracht drängten die Menschen nach vorne. Die drei Freunde wurden hin und her geschoben. Anna bekam keine Luft mehr. Mit aller Macht stemmte sie sich gegen die vor ihr Stehenden. Es war zwecklos.

„Die Wachen halten dagegen", keuchte Waldhauser. „Wir sollten sehen, dass wir aus diesem Gedränge herauskommen. Die aufgeheizte Stimmung könnte sich jeden Moment entladen." Unzählige Ellbogenstöße später gelang es den dreien, das westliche Ende des Platzes zu erreichen.

Plötzlich schrie jemand: „Er soll verbrannt werden! Draußen auf dem Richtplatz an der Wertach."

Die Nachricht verbreitete sich wie ein Lauffeuer. Jeder wiederholte sie und trug die Botschaft weiter: „Er soll auf den Scheiterhaufen!"

„Aber er ist doch schon tot!" Die Adolfin schluchzte.

Anna legte den Arm um ihre Freundin, die völlig aufgewühlt war. Dieser Wahnsinn setzte ihr sichtlich zu.

Waldhauser sah angestrengt zum Fischmarkt hinüber. „Jetzt heben sie Meister Hans auf einen Karren und binden ihn an einem Pfahl fest. Damit demonstrieren sie ihre Macht."

Vom Rathausplatz nahm die Prozession des Grauens ihren Weg hinauf zum Heilig-Kreuz-Tor in die Bischofsstadt. Der Wagen mit dem toten Delinquenten brauchte eine geschlagene Stunde bis zum Klinkertor. Durch das nordwestliche Stadttor verließ der

Tross schließlich Augsburg in Richtung des Dorfes Oberhausen. An der städtischen Richtstätte hielt der Wagen an und Hut wurde auf einen vorbereiteten Scheiterhaufen gehoben. Die Henkersknechte verschnürten ihn so fest am Pfahl, dass es aussah, als würde er dort lebend stehen. Der Henker beschmierte ihn mit Pech und verließ das kunstvoll aufgeschichtete Gerüst des Todes. Auf ein Zeichen des Bürgermeisters steckte er den Scheiterhaufen mit einer Fackel in Brand.

Rauchschwaden zogen in Richtung der Stadt. Erste Flammen züngelten zu Füßen des leblosen Delinquenten. Sie fraßen sich an seiner Kleidung nach oben, setzten seinen Bart und seine Haare in Brand. Von seinen toten Lippen kam kein Laut. Unvermittelt begann die Glocke der Heilig-Kreuz-Kirche zu läuten. Nach und nach fielen auch die anderen Kirchen Augsburgs ein.

„Das ist das Werk des Bürgermeisters!", stieß Waldhauser hervor. „Er missbraucht die Kirchenglocken zu dieser Teufelei. Sie sollen die Bürger der Stadt vor dem warnen, was Ketzer erwartet."

„Als ob es sich um den *Gottseibeiuns* handeln würde", stammelte die Adolfin.

Der Geruch von verbranntem Fleisch stieg Anna in die Nase. Sie übergab sich auf ihre eigenen Füße.

Sie waren die Letzten, die an der Richtstätte ausharrten. Nachdem das Feuer heruntergebrannt war, fegten die Henkersknechte die Asche zusammen, um sie mit Schubkarren zur Wertach zu fahren. Nichts sollte von Hut übrigbleiben.

In einem unbemerkten Augenblick scharrte die Adolfin ein Häufchen Asche zusammen und verbarg es in ihrem zusammengerafften Rock. Die Trauer in ihrem Gesicht wich einer Entschlossenheit, die Anna noch nie bei ihr gesehen hatte.

Mit einem durchdringenden Blick sah sie ihre beiden Begleiter an: „Sein Tod soll nicht umsonst gewesen sein."

Kapitel 32

Anna war wieder da! Christof konnte es nicht glauben. Schnell trat er einen Schritt zurück in den Schatten der Häuser. Er kniff die Augen zusammen, um sie im Zwielicht der hereinbrechenden Dämmerung besser sehen zu können. Wie anmutig sie den frisch gefallenen Schnee wegfegte! So oft war er in den letzten Wochen hier vorbeigeschlichen. Immer mit der stillen Hoffnung, dass seine Auserwählte nach ihrer überstürzten Flucht den Weg zurück nach Augsburg finden möge. Gott hatte seine Gebete erhört.

Wie mochte es ihr wohl in der Zwischenzeit ergangen sein? Aus einem Brief des baierischen Herzogs an den Bürgermeister Rehlinger wusste er, dass im Lechrain zehn Wiedertäufer gefangen genommen und hingerichtet worden waren. Darunter der Schuster Gebhart aus Hürben, Annas Bruder. Nach einem Lenz aus Augsburg wurde noch gesucht, weil er den Häschern entwischt war. Bei dem Gedanken an seinen Freund aus Kindertagen kochte in Christof die Galle hoch. Der hatte ihm die schöne Anna ausgespannt, die Gott sei Dank nicht auf der Liste stand. Trotzdem glaubte er sie verloren, bis gerade eben.

Der Färber-Jos trat mit einem Kind auf dem Arm vor das Haus. Obwohl er den Jungen damals nur kurz gesehen hatte, löste sein Anblick sofort ein nagendes Schuldgefühl in Christof aus. Die gebrochenen Augen seiner Mutter, der Schuster Agnes, verfolgten ihn bis heute in seinen Träumen. Er schüttelte den Kopf, als könnte er dadurch die dunklen Erinnerungen vertreiben. Jetzt galt es, Anna für sich zu gewinnen. Er wusste auch schon, wer ihm dabei helfen würde.

Missbilligend auf die vor Schmutz starrenden Stiefel blickend, führte der Wachmann der Rehlingers Hubertus Culinula nach oben. Der Schnee, der ihm von Barett und Umhang fiel, hinterließ feuchte Flecken auf dem kostbaren Teppich vor Christofs Wohnung. Er klopfte an die Tür. „Besuch für Euch", kündigte der Bedienstete an, bevor er schnell wieder nach unten eilte.

„Da bist du ja endlich." Christofs mürrischer Gesichtsausdruck ließ keinen Zweifel an seinem Ärger über das späte Eintreffen.

„Freundliche Begrüßung, Herr Magister. Das dichte Schneetreiben zwischen Ingolstadt und Augsburg nimmt auch auf reisende Doctoren wie mich keine Rücksicht." Hubertus konnte sich den Hinweis auf seinen akademischen Titel nicht verkneifen. Nach diesem langen Tag hatte er keine Lust mehr auf

Christofs Launen, die so schnell wechselten, wie das Wetter im April. Er zog sich einen Stuhl heran, um die nassen Stiefel von den Füßen zu streifen.

„Die kannst du gleich anlassen. Wir gehen rüber ins *Drei Mohren* auf einen heißen Würzwein. Ich lade dich ein."

„Warum diese Großzügigkeit?"

„Wir haben etwas zu feiern. Selbst die miesepetrige Rehlingerin wird mir zukünftig meine Laune nicht mehr verderben."

„Du machst mich neugierig. Aber weil du gerade die Frau des Bürgermeisters erwähnst: Die sieht es vermutlich nicht gerne, dass ich bei dir nächtige. Ich kann mir auch einen Gasthof suchen. Nachdem ich im Auftrag der Universität Ingolstadt hier bin, würde mein Professor die Kosten übernehmen."

„Kommt nicht in Frage. Mir gegenüber hat immer noch ihr Mann, der Bürgermeister, das Sagen. Er war damit einverstanden. Schließlich bin ich nach wie vor sein Hausgeistlicher. Auch wenn mir die versprochene Predigerstelle an der *Sankt-Anna-Kirche* lieber gewesen wäre."

„Na ja, die Stelle als Lehrer am *Sankt-Anna-Gymnasium* ist auch nicht schlecht", beschwichtigte Hubertus.

„Das sagst du!" Christof raufte sich mit übertriebenem Pathos die Haare. „Ein herausragender Prediger wie ich versauert an einer Schule. Mein Platz ist auf der Kanzel und nicht in einem stinkenden Schulzimmer."

„Ich sehe schon, dein Dünkel ist dir nicht abhandengekommen. Deine Chance wird noch kommen."

„Nicht, wenn sich diese Beißzange von Rehlingerin wieder einmischt. Sie sieht mich als Rädelsführer bei den Verhaftungen der Ketzer. Sie wollte die Wiedertäufer unbehelligt lassen; vermutlich sympathisiert sie insgeheim mit ihnen."

Hubertus wiegte den Kopf. „Das kannst du nicht beweisen."

„Noch nicht! Aber die Zeit wird kommen, wo sie mich kennenlernen wird."

Auf dem Weg hinüber zu Christofs Lieblingswirtschaft am Weinmarkt war seine schlechte Laune endgültig verschwunden. Wortreich hing er seinen Erinnerungen an die gemeinsame Zeit an der Universität Ingolstadt nach. „Wir waren damals unzertrennlich. Erinnerst du dich?"

„Auch wenn wir an den unterschiedlichen Fakultäten studierten. Du bei den Theologen und ich am neuen Lehrstuhl für Mathematik."

Christof grinste anzüglich. „Wir haben alles geteilt: Wissen, Wein und Weiber."

Hubertus nickte gequält. Nicht alles war damals gut gewesen, denn Christof hatte es sich immer wieder heraushängen lassen, dass er rebellischer gegen die Professoren agierte. Hubertus hatte noch seine

Worte im Ohr: *Wo du die Stiefel von diesem Apia-nus küsst, nur um zu promovieren, halte ich sogar offen Vorlesungen über die Paulusbriefe. Direkt un-ter der Nase von Professor Eck.*

Im *Drei Mohren* angekommen, zog Christof seinen Freund zielstrebig an einen der letzten freien Tische in der hintersten Ecke. „Ich möchte ungestört mit dir reden."

Die dralle Bedienung brachte unaufgefordert einen Krug mit Würzwein und schenkte zwei Becher voll. Christof prostete Hubertus zu. „Schön, dass du da bist." Er deutete auf den dichten Bart in Culinulas Gesicht. „Den hattest du im September noch nicht. Steht dir gut."

Zwinkernd erklärte Hubertus: „Der Bart lässt mich erwachsener aussehen. Vor allem, wenn ich in In-golstadt für meinen Professor Vorlesungen halte."

„Was genau treibt dich zurück nach Augsburg?"

„Professor Apianus schickt mich auf den Markt hier-her, um nach arabischen Schriften zu suchen."

„Warum?"

„Apianus hat ein Traktat über kubische Gleichungen des italienischen Mathematikers Niccolo Tartaglia in die Hände bekommen."

Christof sah ihn verständnislos an. „Und?"

Hubertus ereiferte sich immer mehr. „Tartaglia hat seine Gedanken von einem Araber abgeschrieben: Omar Chayyam."

Die offensichtliche Ahnungslosigkeit im Gesicht seines Freundes freute Hubertus diebisch. „Du kennst ihn also nicht."

„Was macht diesen Chayyam denn so besonders?"

„Chayyam soll schon vor vielen Jahren ein magisches Zahlendreieck entwickelt haben, mit dessen Hilfe man Binome berechnen kann."

Christof hob abwehrend die Hände. „Meine Bekanntschaft mit Binomen ist lange her. Mir sind Streitgespräche zwischen Theologen lieber als dein Zahlenverdrehen. Lass uns einfach auf unsere Freundschaft trinken." Dann leerte er seinen Becher in einem Zug und goss sich sofort nach. „Wie gesagt, mit Mathematik kann ich nichts anfangen. Mich interessiert vielmehr, wie es denn an der Universität in Ingolstadt so läuft. Hat denn euer Vizekanzler und altgläubiger Zerberus, Professor Eck, schon herausgefunden, dass ihr in der Druckerei heimlich protestantische Flugblätter druckt?" Er klopfte ihm anerkennend auf die Schulter. „Das hätte ich dir gar nicht zugetraut. Du warst doch früher nicht so mutig."

Hubertus ließ sich seinen Ärger über die Anspielung nicht anmerken. Gleichzeitig überlegte er, was er preisgeben konnte. „Unser Vizekanzler *Dr.eck,* so nennt ihn ja Luther, ist ahnungslos. Wenn das bekannt wird, fliege ich von der Universität. Schlimmstenfalls klagen sie mich an und verbrennen mich. So glimpflich wie du damals kommt man dieser Tage als Lutherischer in Baiern nicht mehr davon."

„Dann hoffe ich nur, dass euch niemand verpfeift. Man weiß ja nie."

Hubertus musterte seinen alten Freund. Christof hatte sein Geheimnis nicht zufällig angesprochen. Deshalb wechselte er das Thema. „Du wolltest mir doch erzählen, warum du so gut gelaunt bist."

Christofs Augen funkelten, als er feierlich erklärte: „Die Schuster Anna ist wieder in der Stadt."

„Bist du noch immer scharf auf die? Ihretwegen saßen wir vor einem Vierteljahr doch schon hier, oder?"

„Genau!"

„Wegen ihr wolltest du damals sogar unseren alten Studienfreund Sättelin anschreiben."

Christof ging nicht darauf ein, was Hubertus verwunderte. Stattdessen bestellte er bei der Bedienung einen Fleischeintopf. Demonstrativ zog er einen silbernen Löffel hervor und legte ihn auf den Tisch. „So was hast du nicht, mein Freund."

„Ein prachtvolles Stück. Was hast du mit deinem alten gemacht?"

Christof zuckte kaum merklich zusammen. „Meinen alten?"

„Na dein alter Löffel, den dir deine Eltern geschenkt haben."

„Verloren. Keine Ahnung wo."

„Und woher hast du den?"

„Vom Bürgermeister Rehlinger. Als Geschenk für meine Dienste."

Hubertus beschlich das untrügliche Gefühl, dass ihm Christof etwas vorenthielt. „Jetzt sag schon: Hat dir der Sättelin geholfen, Anna zurückzubringen?"

Noch bevor Christof darauf antworten konnte, brachte die Bedienung den Eintopf. „Lasst es Euch schmecken, werte Herren." Dabei beugte sie sich so weit nach vorne, dass man an ihrem üppigen Dekolleté nicht vorbeischauen konnte.

Doch im Gegensatz zu sonst schienen die Brüste Christof heute nicht zu interessieren. „Lass uns essen. Mit vollem Bauch redet es sich leichter."

So schnell wie er den Wein in sich hineingeschüttet hatte, so hastig aß Christof auch den Eintopf. Dann lehnte er sich zufrieden zurück. „Das tat gut." Er wartete, bis die Schüsseln abgeräumt waren. Mit einem verschwörerischen Seitenblick beugte er sich nach vorne. „Du hattest mich vorher nach dem Sättelin gefragt. Der war mir keine große Hilfe."

„Soweit ich mich erinnere, ist Anna doch nach der Verhaftung von diesem Kießling zurück in ihr Heimatdorf ins Fürchelmoos. Das zumindest habe ich damals herausgefunden. Dann musste ich nach Ingolstadt zurück und du hast die Sache selbst in die Hand genommen."

„Stimmt. Aber wie gesagt: Dieser scheinheilige alt-gläubige Pfaffe Sättelin hat sich auf meinen Brief nicht gemeldet", wich Christof aus.

„Passt irgendwie nicht zu ihm." Hubertus nahm einen tiefen Schluck Wein. „Sei's drum, dann kannst du deiner Anna jetzt den Hof machen."

Christof sah ihn eindringlich an. „Da kommst du ins Spiel."

„Wie meinst du das?"

„Sie weiß, dass ich die Wiedertäufer bespitzelt und verraten habe. Der Färber-Jos, bei dem sie damals in Diensten stand, war auch unter Verdacht. Des-halb ist sie mit diesem Ketzer Lenz geflohen."

„Ist sie auch eine von denen?"

„Selbst wenn, spielt das für mich keine Rolle. Wenn sie erst einmal mein Weib ist, werde ich ihr die ket-zerischen Gedanken austreiben und so ihre Seele retten."

„Ich verstehe aber immer noch nicht, was das mit mir zu tun hat."

Christof schlug ihm mit der flachen Hand gegen die Stirn. „Du bist doch sonst nicht so schwer von Be-griff. Ich brauche dich als Brautwerber. Anna wohnt wieder beim Färber-Jos. Wenn ich jetzt dort auftau-che, schlagen sie mir die Tür vor der Nase zu."

Hubertus steckte in der Klemme. Einerseits froh-lockte er, weil Christof seine Hilfe brauchte. Ande-rerseits ahnte er, dass dieses Hirngespinst zum Scheitern verurteilt war. Doch eine Absage würde

Christof in seiner Selbstherrlichkeit nicht akzeptie-
ren.

Kapitel 33

Die Adolfin sah sich in der Kuchl um. Zu Anna gewandt, nickte sie anerkennend. „Der Färber-Jos ist sicher froh, dass du wieder hier bist. So gründlich gefegt war es die letzten Monate nicht mehr, denn Jos wollte sich nach deinem Weggang keine neue Magd nehmen.

Aber ich könnte deine Unterstützung auch gut gebrauchen. Es kommen immer mehr Glaubensgeschwister aus dem Lechrain zu uns nach Augsburg. Der neue Inquisitor Pasenseer fegt mit einem eisernen Besen durch das Fürchelmoos. Sie alle müssen verpflegt und auf Haushalte verteilt werden. Der Färber-Jos meint, dass ich eine arme, kinderlose Weberfamilie aus Mittelstetten bei euch unterbringen kann. Schließlich ist er gerade wieder besser im Geschäft und eine helfende Hand beim Schwarzfärben täte ihm gut. Was meinst du?"

Anna zuckte mit den Schultern. „Es ist sein Haus."
Sie hielt kurz inne, bevor sie mit leiser Stimme fortfuhr: „Dann kann ihm die Webersfrau auch den Haushalt führen. Der Waldhauser Thomas geht spätestens in einer Woche zurück nach Memmingen, um mit den dortigen Glaubensgeschwistern das

Christfest zu feiern. Er würde mich und Ignaz wieder mitnehmen."

Es war offensichtlich, dass Anna unter der Trennung von Lenz litt. Was genau in Memmingen vorgefallen war, wusste die Adolfin nicht. Die Geschehnisse rund um den Hut Hans hatten sie zutiefst erschüttert. Nun fühlte sie sich schuldig, weil sie nicht bei Anna nachgefragt hatte. „In deiner Stimme höre ich ein Zögern. Willst du das wirklich?"

Ohne auf die Frage der Adolfin einzugehen, stand Anna auf und trat ans Fenster. Von draußen ertönte Kinderlachen. „Ignaz spielt gerne mit deinen Buben. Die ersten Tage, nachdem wir aus Memmingen weg sind, war er ein Schatten seiner selbst. Er hat nicht mehr gesprochen, kaum etwas gegessen." Sie drehte sich um. „Doch in seinen Träumen ruft er immer noch nach Lenz."

„Ich weiß nicht, was in Memmingen passiert ist. Sicherlich war der Anlass nicht erfreulich, denn niemand unternimmt im Winter grundlos eine so beschwerliche Reise."

„Ich wollte dich mit meiner Geschichte nicht belasten."

Die Adolfin stand auf und nahm Anna in den Arm. „Der Färber-Jos hat nur angedeutet, dass es zwischen dir und Lenz gerade nicht passt. Aber sei versichert, meine Glaubensgeschwister und ich sind für dich da. Was Memmingen anbelangt, kann und möchte ich dir keinen Rat geben. Du musst selbst herausfinden, wie es für dich und Ignaz weitergehen soll. Vertrau auf den Herrn. Er wird dir den Weg weisen. Bis dahin wäre ich dir dankbar, wenn du uns unterstützt. Du hast selbst am eigenen Leib erfahren, wie es ist, seine Heimat zu verlieren. Bei dem Ansturm an Flüchtlingen aus dem Fürchelmoos wärst du mir eine wertvolle Hilfe. Du verstehst diese Leute, sprichst ihre Sprache, sie werden dir vertrauen."

Anna zog die Augenbrauen zusammen. „Ich soll dir helfen?"

„Wir müssen zehn Dutzend Leute im Lechviertel verteilen."

„Wie soll das gehen? Nimmst du auch welche auf?"

„Nein. Es tut mir in der Seele weh, dass ich bei mir selbst niemanden aufnehmen kann." Sie verbesserte sich. „Aufnehmen darf. Mein Mann ist sowieso schon außer sich, weil ich vom Rat der Stadt ermahnt wurde und bei Hans' Hinrichtung war. Seit dieses unselige Flugblatt überall in der Stadt hängt, wacht mein Adolf mit Argusaugen über mich. Das geht sogar soweit, dass er kaum noch verreist. Es ist schon ein Wunder, dass er die Frauen aus meinem Bibelkreis nicht schon längst des Hauses verwiesen hat."

„Dagegen kann er als Anhänger Luthers nichts haben. In den Augen des Rates ist daran nichts Verdächtiges."

„Stimmt", nickte die Adolfin. „Trotzdem wird er diese Treffen nicht mehr lange dulden. Er will alles vermeiden, was nur den Hauch eines Verdachts auf ihn lenken könnte. Schließlich arbeitet er auch für die altgläubigen Fugger. Er würde alles verlieren, was er sich aufgebaut hat. Die riesige Werkstatt, wo er seine Skizzen anfertigt und die Marmorblöcke zu den Skulpturen verarbeitet. Die angeschlossene Gießerei, um die Vorlagen zu fertigen. Wir haben sogar ein riesiges Kellergewölbe, wo Hans Leichen mit Eis kühlt, um sie selbst zu sezieren. Für mich unverständlich und ein Graus. Aber der Herr Künstler will jeden Körperstrang so genau wie möglich in seinen Figuren abbilden, da ihm die lebenden Modelle angeblich nicht ausreichen. Manchmal frage ich mich selbst, warum ich das alles auf mich nehme. Meine Familie musste nie Hunger leiden. Ich genieße gesellschaftliches Ansehen und trotzdem lässt mich die Prophezeiung vom Hut Hans nicht los." Sie schlug ein Kreuzeichen. „Der Herr schenke ihm eine freudige Auferstehung."

„Du sprichst vom bevorstehenden Jüngsten Gericht nächstes Jahr an Pfingsten?"

„Ja! Endlich gibt es die göttliche Gerechtigkeit schon zu Lebzeiten. Unsere Sehnsucht nach Heil erfüllt sich nicht erst nach unserem Tod. Wir dürfen sie erleben. Alle! Auch diejenigen, die täglich an meine Tür klopfen und um Brot betteln. Denen das Leid ins Gesicht geschrieben steht. Die sich von altgläubigen und lutherischen Pfaffen anhören müssen, dass dieses Leid von Gott gewollt ist. Hut hat recht: Die göttliche Gerechtigkeit betrifft auch den armseligen Tagelöhner, der bei den Schweinen haust. Auch er wird als Getaufter nächstes Jahr an Pfingsten beim Jüngsten Gericht mit Feuer und Schwert dabei sein, wenn Gerechtigkeit geübt wird."

„Ich helfe dir", brach es aus Anna heraus. „Schick die Weber aus dem Moos gleich heute zu uns."

Erleichterung durchströmte die Adolfin. „Danke, Anna! Jemanden wie dich an meiner Seite zu wissen, macht mein Herz froh. Morgen treffen wir uns bei mir zum Bibelkreis, um die Versorgung der Flüchtlinge zu besprechen." Sanft strich sie Anna über die Wange. „Außerdem lesen wir wieder in der Bibel. Das hat dir doch immer viel Freude bereitet."

Ein goldener Glanz erschien auf Annas Augen.

„Außerdem kannst du dann auch wieder mit deinen Schreibübungen fortfahren."

Kapitel 34

„Seit der Inquisitor des baierischen Herzogs Wilhelm durchgreift, kommt täglich mehr Gesindel aus dem Lechrain zu uns in die Stadt." Bürgermeister Rehlinger schenkte seinem Hausgeistlichen einen Becher Wein ein. „Ich habe schon die Wachen an den Stadttoren nach Osten und Süden verstärken lassen", fuhr Rehlinger mit hochrotem Gesicht fort. „Obwohl wir täglich ein Dutzend dieser Wiedertäufer zurückschicken, reicht das nicht. Die Ketzer breiten sich im Fürchelmoos aus wie eine Seuche." Ohne mit Christof anzustoßen, nahm Rehlinger seinen Becher und leerte ihn in einem Zug.

Christof wusste nicht, worauf sein Gönner hinauswollte, und sagte erst einmal nichts.

„Offenbar schreckt die Hinrichtung dieses Ketzers Hut niemanden ab. Ich habe das Gefühl, dass unser Dekret vom 11. Oktober gegen die Wiedertäufer ins Leere geht! Ich sage Euch, das führt zu neuen Unruhen. Die müssen wir verhindern! So wie damals, als Ihr den Kießlinger Hans und seine Bande festgesetzt habt."

Zögerlich antwortete Christof: „Was sagt Eure werte Gemahlin dazu?" Ihm war ihr bissiger Gesichtsausdruck nicht entgangen, als ihn der Bürgermeister in die Schreibstube gebeten hatte.

Rehlinger verschränkte die Arme. „Die soll in ihren Bibelkreis bei der Adolfin gehen und sich um Arme und Kranke kümmern. Ihr Gerede, dass doch alle in Augsburg Platz haben, bringt uns irgendwann in Teufels Küche."

Christof blieb abwartend. „Was habe *ich* mit Euren Plänen zu tun?"

„Ihr seid mein Mittelsmann." Er beugte sich vertraulich vor und flüsterte: „Wir brauchen einen fähigen Spitzel, dessen Gesicht man noch nicht kennt." Seine Faust krachte auf den Tisch. „Und dann schlagen wir erneut und endgültig zu."

„Dann kann es ja niemand aus Augsburg sein."

„Nein. Ich habe da an Euren Freund aus Ingolstadt gedacht."

Christof zog die Augenbrauen hoch. „Hubertus ist zwar ein Auswärtiger, aber viele kennen ihn sicher noch von der Disputation letzten Sommer, wo er mich gegen den Denck unterstützt hat."

„Stimmt, aber das ist Monate her. Außerdem hat er jetzt einen Bart. Ich selbst habe ihn kaum erkannt."

Christof überlegte. Das war keine schlechte Idee. Da konnte Hubertus mit einem Pfeil gleich zwei Vögel treffen. Das Vertrauen von Anna gewinnen und gleichzeitig diese Brut ausspähen, denn Christof war sich sicher, dass der Färber-Jos nach wie vor eine treibende Kraft hinter dieser Ketzerei war. Den Gedanken, dass dieser Schuss auch nach hinten losgehen konnte, schob er beiseite.

„Was zögert Ihr?"

„Ich weiß nicht, ob er kaltblütig genug ist, um als Spion zu arbeiten."

„Dann überzeugt ihn! Es soll Euer Schaden nicht sein."

„Wie meint Ihr das?"

„Wenn alles nach meinen Vorstellungen verläuft, seid Ihr an Ostern der neue Prediger auf *Sankt Anna*."

Hubertus ließ vor Schreck das Buch fallen, als Christof die Tür aufriss.

„Hast du endlich dein Sprüchlein fertig, das du Anna auftischen willst? Man kann sich auch zu Tode planen."

Sein ehemaliger Studienkollege starrte ihn entgeistert an. „Das ist nicht so einfach", stammelte er. „Man muss die Wirkung der Worte vorwegdenken und nicht einfach drauflosquatschen. Schließlich geht es hier nicht um einen mathematischen Beweis, sondern ich möchte sie überzeugen."

„Sag ihr einfach, wie positiv ich mich verändert habe. Das kann doch nicht so schwer sein." Christof beschloss, Hubertus momentan noch nicht mit der Spitzeltätigkeit zu überfrachten. Das Weichei würde das nicht verkraften. Dafür war auch nach Weihnachten noch Zeit.

Als Hubertus nach einer schlaflosen Nacht am nächsten Vormittag das Haus der Rehlinger verließ, hatte er seine Ansprache im Kopf. Aber er konnte doch nicht einfach mit der Tür ins Haus fallen! Zögerlich lenkte er seine Schritte Richtung Mittlere Lechgasse. Dort angekommen, blieb er erst einmal stehen und sah sich um. Von hier war es nicht mehr weit in die Gasse am Hinteren Lech, wo der Färber-Jos wohnte.

Er zog sich die Kapuze seines Umhangs tief ins Gesicht. Der Schneefall der letzten Tage war in der vergangenen Nacht in einen leichten Nieselregen übergegangen, der sofort an dem eisigen Boden festfror. Vorsichtig setzte er einen Fuß vor den anderen. Nach Christofs Beschreibung musste es das schmale Anwesen dort auf der linken Seite sein. Ein Brücklein führte über den Hinteren Lech zum Eingang.

So sehr er sich auch den Kopf zermarterte, er fand einfach keinen Vorwand, um dort anzuklopfen. Er kam sich wie ein Narr vor. Was bildete sich dieser Christof überhaupt ein? Er würde einfach zurückgehen. Wütend drehte er sich um. In seiner Eile übersah er die glatte Eisplatte direkt vor sich. Seine Füße verloren den Halt, und er versuchte panisch, das Gleichgewicht zu bewahren. Vergeblich. Sein Kopf prallte mit einem dumpfen Aufschlag auf den Boden, und für einen Augenblick wurde alles um ihn herum schwarz.

„Könnt Ihr aufstehen?" Die sanfte Frauenstimme drang durch den dichten Nebel in seinen Kopf. Er nickte mit geschlossenen Augen und versuchte, sich aufzurichten. Der Schwindel ließ ihn sofort wieder zurücksinken.

„Ich hole Hilfe."

Er atmete ein paar Mal tief die eiskalte Luft ein und aus. Das half ein wenig, seine Benommenheit zu lindern. Eilige Schritte näherten sich. Kräftige Hände packten ihn von hinten unter den Armen und zogen ihn behutsam hoch. Hubertus schwankte. Eine tiefe Bassstimme brummelte: „Lasst die Augen noch eine Weile zu. Das hilft."

Die stützende Hand in seinem Rücken verschwand plötzlich. Nach einigen Momenten wagte Hubertus, die Augen zu öffnen. Er stand direkt vor der offenen Tür des Färberhauses. Unsicher drehte er sich um und atmete erleichtert auf – der Schwindel blieb aus. Er sah den Färber-Jos und Anna, die ihm zu Hilfe gekommen sein mussten. Nur das Kind, das sich hinter Annas Rock versteckte, konnte er nicht zuordnen. Obwohl sein Kopf immer noch brummte, galt es die Gelegenheit zu nutzen, aber wie?

Plötzlich trat der Junge mutig aus Annas Schutz hervor und stellte sich breitbeinig vor ihn. „Hast du Hunger?"

„Nein, aber etwas zu trinken würde mir helfen," antwortete Hubertus.

Der Kleine zog ihn am Ärmel Richtung Haus. Aus den Augenwinkeln sah Hubertus die besorgten Gesichter von Anna und dem Färber. Er hob entschuldigend die Hände. „Ich möchte nicht aufdringlich sein, aber ein Schluck verdünntes Bier würde mir helfen, damit ich sicher zurück in meine Unterkunft komme."

„Dann kommt mit!" Anna ging voran und der Färber-Jos folgte zögerlich. Es war offenkundig, dass er ihm als Fremdem nicht traute.

In der Kuchl im Obergeschoss bedeutete ihm Anna, sich auf einen Hocker vor den Ofen zu setzen. Sie selbst holte einen irdenen Becher aus einem Regal und füllte ihn mit einem stark riechenden Gebräu aus einem Topf auf dem Herdfeuer. „Das ist ein Aufguss für den Winter aus verschiedenen Kräutern. Schmeckt etwas bitter, aber wärmt von innen."

Vorsichtig nippte er. Der Trank war besser als erwartet.

„Ignaz will auch!"

Anna lächelte und reichte auch ihm einen Becher, in den sie etwas Honig rührte. Hubertus' Blick haftete an der Frau. Ihre natürliche Anmut und stille Schönheit berührten ihn. Doch es war nicht nur das, was ihn faszinierte. Es war auch die Stärke, die sie ausstrahlte – eine Stärke, die Christof vermutlich anstachelte, sie besitzen zu wollen. Spätestens jetzt wusste Hubertus, dass seine Mission zum Scheitern verurteilt war. Eine Frau wie Anna würde sich niemals mit jemandem wie Christof einlassen.

Der Färber-Jos stand im Türrahmen der Kuchl und musterte ihn still.

Hubertus wandte sich an den Buben. „Du heißt also Ignaz."

Der nickte eifrig.

Hubertus deutete auf Anna. „Dann ist das deine Mama?"

Das Gesicht des Jungen verzog sich weinerlich. Er krabbelte sofort unter den Tisch und griff sich aus den dort aufgebauten Holztieren einen Löffel, den er fest an seine Brust drückte.

„Das ist mein Neffe", erklärte Anna. „Seine Eltern sind gestorben und ich sorge für ihn."

„Das wusste ich nicht", murmelte Hubertus. Was hatte ihm Christof, dieser Arsch, noch verheimlicht?

Er erhob sich und reichte Anna den Becher. „Danke! Ich möchte eure Gastfreundschaft nicht länger in Anspruch nehmen."

„Seid Ihr zu Besuch hier in Augsburg?" Die Stimme des Färber-Jos klang argwöhnisch.

Trotz der Kälte in seinen Knochen brach Hubertus der Schweiß aus allen Poren. „Ich bin ein Doctor an der Universität Ingolstadt und soll mich für meinen Professor auf dem gut sortierten Augsburger Markt nach bestimmten Traktaten umschauen. Leider habe ich bisher nichts gefunden." Zumindest das stimmte.

„Was macht Ihr dann hier bei uns im Lechviertel? Traktate gibt es oben vor dem Rathaus."

Hubertus überlegte fieberhaft. „Ich muss auf dem Rückweg in meine Unterkunft falsch abgebogen sein. Als ich dann nach dem Weg zurück gesucht habe, bin ich ausgerutscht. Ohne Eure Hilfe wäre ich vermutlich jetzt sterbenskrank."

„Ihr hattet Glück," ergänzte Anna. „Ignaz wollte noch kurz raus, bevor der Regen den Schnee ganz aufweicht. Dabei habe ich Euch liegen sehen."

Hubertus beugte sich unter den Tisch und strich Ignaz über den Kopf. „Dann habe ich meine Rettung dir zu verdanken." Der Junge musterte ihn zunächst noch misstrauisch, lockerte schließlich den Griff um den Holzlöffel und legte ihn wieder zurück auf den Boden. Hubertus stutzte. Die wertvolle silberne Einlegearbeit kam ihm bekannt vor. Aber das konnte doch wohl nicht sein? Er wandte sich zu Anna: „Der Löffel scheint dem Kleinen wichtig."

„Ja, woher er diese Kostbarkeit hat, weiß ich nicht. Aber seit dem Tod seiner Mutter schleppt er ihn ständig mit."

Auf dem Rückweg zum Rehlinger-Haus war Hubertus aufgewühlt. Seiner Meinung nach brauchte es schon ein Wunder, um Anna für Christof einzunehmen. Nur, das konnte er seinem launischen Freund nicht so einfach sagen.

Was ihn aber verwirrte, war der Löffel. Er hätte schwören können, dass dies Christofs verlorener

Rosenholzlöffel war, den ihm sein Vater nach bestandenem Baccalaureus geschenkt hatte. Doch wie kam der in den Besitz eines kleinen Jungen aus dem Fürchelmoos? Noch dazu aus dem Ort, aus dem Anna stammte? Fragen über Fragen, auf die er noch keine Antworten hatte. Er musste mehr darüber herausfinden.

Vorerst würde er Christof damit vertrösten, dass er mit Anna gesprochen und durch seinen Sturz einen Anlass zum Wiederkommen hatte. Das musste reichen. Außerdem fuhr er übermorgen ohnehin zurück nach Ingolstadt, um dort das Weihnachtsfest zu verbringen.

Kapitel 35

Die dicke Schneedecke verschluckte alle Geräusche. Sogar das Abendläuten der nahen Kirche war nur gedämpft zu hören. Lenz und sein Meister, der Lodweber Hans, saßen in der Wohnstube und besprachen die Zeichnungen für den neuen Dachstuhl eines Memminger Patriziers. Das genaue Skizzieren auf dem Reißboden im überdachten Innenhof des Anwesens war aufgrund der starken Schneewehen nicht möglich. Lenz konnte sich nur schwer auf die Worte seines Meisters konzentrieren. Immer wieder lauschte er auf das sehnsüchtig erwartete Klopfen an der Haustür. Von Vev wusste er, dass heute der Prediger Waldhauser zurück nach Memmingen kam. Mit ihm hoffentlich Anna und Ignaz.

Als hätte die Magd seine Gedanken gelesen, legte sie ihr Strickzeug zur Seite und stellte die Frage, die er bisher in seinem Kopf beiseiteschob. „Was machst du, wenn Anna heute nicht kommt?"

Noch bevor er etwas erwidern konnte, fuhr Meister Hans dazwischen.

„Willst du gleich in der zweiten Raunacht mit deiner Fragerei den *Gottseibeiuns* über die Tür malen? Damit er auch ja den Weg zu uns ins Haus findet."

„Da redet der Richtige!", brauste Vev auf. „Du hast doch gestern die gleiche Befürchtung geäußert. Auch du hast Angst, dass Lenz dann nach Augsburg verschwindet und du mit deiner Werkstatt das Nachsehen hast."

„Stimmt. Aber ich habe auch erwähnt, dass sich diese Magdalena das nicht gefallen lassen wird!"

Ein unbehagliches Schweigen breitete sich zwischen ihnen aus und verstärkte das ungute Gefühl, das Lenz seit Tagen begleitete. Seit dem Gespräch mit Magdalena kurz vor Nikolaus hatte sie nichts mehr von sich hören lassen. Aber er traute diesem Frieden nicht.

Vev nahm ihr Strickzeug wieder auf. Das eintönige Klappern der Nadeln mischte sich mit dem Knacken der Holzscheite im Kamin. Meister Lodweber legte beruhigend die Hand auf Lenz' Arm. „Es wird schon alles gut werden."

Lenz sprang auf, als endlich das erlösende Klopfen an der Tür erklang. Freudestrahlend riss er sie auf, wich dann enttäuscht zurück. „Wo ist Anna mit dem Kleinen?"

Wortlos griff der Waldhauser Thomas in die Tasche seines schneebedeckten Umhangs. „Das soll ich dir von ihr geben." Seinen müden Gaul hinter sich herziehend verabschiedete er sich mit einer knappen Handbewegung.

Mit zitternden Fingern faltete Lenz das an den Rändern schon feuchte Dokument auf. Im Licht der düsteren Öllampen versuchte er die anfangs krakelig geschriebenen Worte zu entziffern.

Lieber Lenz,
du bist sicher enttäuscht, weil wir nicht zurückge-
kommen sind. Es ging nicht anders.
Die nächsten Zeilen waren durch eine ruhige, siche-re Handschrift besser zu lesen. Vermutlich hatte die Adolfin weitergeschrieben.
Ich habe mir die Entscheidung nicht leicht gemacht.
Susanna und der Färber-Jos brauchen mich noch
in Augsburg.
„Ich brauche dich auch", murmelte Lenz.
Jeden Tag erreichen uns schreckliche Nachrichten
aus dem Fürchelmoos. Die Schergen des Großinqui-
sitors jagen unsere Brüder und Schwestern im
Glauben wie räudige Hunde aus ihren Hofstellen
und Insitzen. Immer mehr Flüchtlinge klopfen an
unsere Türen. Der Sedlmaier Jörg ist im ganzen
Lechrain als Missionar unterwegs. Er hat auch das
Weberehepaar, das sich gerade im Haus vom Fär-
ber-Jos versteckt, getauft. Wir müssen aufpassen,
damit uns niemand verrät. Überall in der Stadt
hängt eine Flugschrift, welche selbst die Beherber-
gung verbietet.
Lenz ließ den Brief sinken. Ihre Worte beunruhigten ihn. Anna saß wieder mitten in einem Wespennest! Er las weiter.

Die Hinrichtung des Hut Hans am Tag des Heiligen Nikolaus verfolgt mich bis heute in meinen Träumen. Das Bild seines brennenden Körpers lässt mich schlecht schlafen. Gott sei Dank musste er diese Qualen nicht erleiden, da er vorher schon tot war. Zusammen mit Susanna und dem Jos wollen wir aber sein Andenken hochhalten, damit wir bis nächstes Pfingstfest genug Menschen erretten können.

Lenz fluchte leise. Was war mit Anna geschehen? Ihren Bruder hatte es das Leben gekostet, weil er an die Prophezeiung dieses Hut geglaubt hatte. Ihm lief heute noch ein Schauer über den Rücken, wenn er an Gebharts letzte Worte dachte. Schon auf der Richtstätte, hatte er die Landsberger ermahnt, ein gottgefälliges Leben zu führen. Nur dann würden sie zu den Auserwählten des Himmels gehören und dem göttlichen Strafgericht entkommen. Kopfschüttelnd las er weiter.

Ich bin mit dem Waldhauser Thomas so verblieben, dass er mich nach seinem nächsten Besuch hier Ende Januar wieder mit zurücknimmt. Vorausgesetzt, du hast die Angelegenheit mit Magdalena geklärt. Du kannst dem Waldhauser deswegen eine Nachricht mitgeben.

Wenn ich wieder nach Memmingen komme, werde ich ihm helfen, die dortigen Glaubensgeschwister zu erretten. Das Pfingstfest steht schließlich kurz bevor.

Lenz war fassungslos. Anna hatte sich von diesen religiösen Eiferern anstecken lassen! Und sie wollte diesen Wahnsinn nach Memmingen tragen. Er stürmte zurück in die Wohnstube und fuchtelte Vev mit dem Brief unter der Nase herum. „Hast du das gewusst?", fuhr er sie an.

„Was soll ich gewusst haben?"

„Anna will zusammen mit dem Waldhauser die Memminger Täufer von Huts Spinnereien überzeugen."

Vev ließ die Stricknadeln sinken. „Das wird nicht geschehen."

„Wenn du dich da nur nicht täuschst."

„Wir haben dem Waldhauser klar zu verstehen gegeben, dass wir Huts Ansichten nicht teilen. Wir sind Anhänger vom Denck Hans, der die Freiheit in Glaubensdingen hochhält."

„So sehe ich das auch. Aber dieser Hut scheint nach seiner Hinrichtung in Augsburg zum Märtyrer geworden zu sein, dem alle nacheifern."

Meister Lodweber konstatierte: „Offenbar ist Anna nicht gekommen. Steht in diesem Brief, wann sie wieder hier ist?"

„Angeblich kurz vor Lichtmess. Aber nur, wenn ich die Sache mit Magdalena geregelt habe."

„Dann heiratet ihr eben im Februar. An Lichtmess steigst du ja sowieso in meine Werkstatt mit ein."

Vev nickte. „Da stimme ich dem Hans zu. Wichtig ist, dass du mit *dir* im Reinen bist, was Magdalena anbelangt. Wenn Anna erst wieder hier ist, findet ihr schon zusammen. Das sagt mir mein Herz." Sie nahm seine Hand. „Es ist Anna hoch anzurechnen, dass sie der Adolfin hilft. Ich habe von ihr nur Gutes gehört. Sie ist eine mildtätige Frau, die fest in ihrem Glauben steht. Ihr Mann ist außerdem einer der angesehensten Bildhauer im Deutschen Reich. Ich kann mir nicht vorstellen, dass die Adolfin all das aufs Spiel setzt, um zu missionieren."

Ihre Worte beruhigten Lenz nicht. Er hoffte, dass Anna nicht zu einer religiösen Eiferin wie ihr Bruder wurde. Das war nicht seine einzige Sorge. „Was, wenn Magdalena doch keine Ruhe gibt?"

„Lass mich das machen. Ich habe da eine Idee", beruhigte ihn Vev. „Aber das klären wir nach dem Christfest."

Kapitel 36

Die letzten Wochen war der Sedlmaier Jörg ständig unterwegs gewesen, um Anhänger zu sammeln, zu predigen und zu taufen. Durch die Unterstützung der Perwanger war es den Schergen und Amtmännern des Großinquisitors nicht gelungen, ihm auf seinen Reisen durch das Fürchelmoos nahezukommen. Dennoch hatte Jörg an manchen Tagen das Gefühl, dass sich langsam eine Schlinge um seinem Hals zusammenzog. Auf seinen Gönner und Mitbruder den Perwanger Augustin jedoch schien die Gefahr keinen Eindruck zu machen. Vielmehr fand der Gefallen am Katz-und-Maus Spiel mit den Häschern des Herzogs.

Jetzt, einen Tag vor dem Weihnachtsfest, kehrte endlich Ruhe ein auf Schloss Günzlhofen. Stimmengewirr vom Rittersaal her schreckte Jörg auf. Neugierig ging er nach unten. Durch die halb geöffnete Tür sah er Augustin mit einem Pfarrer streiten. „Ich muss Euch enttäuschen, Herr Kittl. Morgen Abend wird es kein Fastenbrechen geben, zu dem Ihr eingeladen werden könntet. Ihr müsst mit Eurer Haushälterin alleine feiern. Gerne gebe ich Euch zwei Paar Blut- und Leberwürste mit."

„Aber Ihr kommt in die Christmette, Herr Ritter, oder?"

Augustin lächelte schmal. „Gut, dass Ihr das ansprecht. Morgen Nacht wird es keine Christmette geben. Ihr werdet bereits um sechs Uhr nach dem Mittag eine frühe Messe lesen. Wir haben unsichere Zeiten und ich will den Frauen, Alten und Kindern nicht zumuten, des Nachts auf der Straße zu sein. Abgesehen davon gibt es immer noch genug Abergläubige unter Euren Schafen, die an die Wirkmacht der Raunächte glauben."

Pfarrer Kittl schnappte nach Luft. „Bei allem Respekt: Wie könnt Ihr es wagen! Die Christmette ist ein heiliges Hochamt, das Ihr nicht einfach nach Lust und Laune absetzen könnt."

„Als Hofmarksherr, der Euch bezahlt, kann ich das. Gehabt Euch wohl, Herr Kittl." Damit komplimentierte er den schimpfenden Pfarrer hinaus.

24. Dezember Anno Domini 1527, Jesenwang

Am Morgen der Christnacht erreichte ein erschöpfter Schaller den Ort Jesenwang. Als der Landsberger Amtmann die Bauernstube betrat, schlug ihm ein herrlicher Duft aus heißem Würzwein und Spezereien entgegen. Der Inquisitor Pasenseer saß gut gelaunt am großen Tisch, um sich geschart seine engsten Mitarbeiter, jeder mit einem Becher in Händen.

Pasenseer sah auf: „Schaller, mein Bluthund! Bringt Ihr gute Nachrichten? Habt Ihr endlich diesen Sedlmaier ausfindig gemacht?" Der Inquisitor lallte, obwohl es noch früh am Morgen war.

Sofort hob sich Schallers Stimmung. Diese gute Laune des ansonsten bierernsten Pasenseer galt es zu nutzen. „Euer Exzellenz! Ich habe gute und schlechte Nachrichten für Euch."

Der Inquisitor schüttelte den Kopf. „Heute ist Weihnachten. Fangt mit der schlechten an, dann kann ich mich auf das Bessere freuen." Pasenseer nahm einen tiefen Schluck und bedeutete dem Amtmann, sich zu setzen.

„Den Sedlmaier haben wir noch nicht in unserer Gewalt, aber wir wissen, wer ihm hilft und ihn versteckt."

„Ist das die gute Nachricht, Schaller?"

„So ist es, Euer Exzellenz. Meine Informanten haben alle den Günzlhofer Hofmarksherrn in Verdacht, dem Sedlmaier zu helfen."

„Verdacht, Verdacht!" Der Inquisitor wurde ungehalten. „Ich brauche Beweise, bevor ich Euch einen Permiss ausstelle, um gegen diesen Lackaffen vorzugehen. Immerhin ist er ein Ritter. Sein Onkel war Kastner in Landsberg und die Familie ist in München noch immer angesehen."

Schaller strich sich über das stoppelige Kinn. „Lasst mich dieses Schloss im Moos durchsuchen und ich liefere Euch die Beweise."

„Wenn Ihr nichts findet, kann *ich* das dem Herzog erklären. Nein, nein. Erst die Beweise, dann der Permiss. So herum wird ein Schuh draus."

Schaller trommelte mit den Fingern nervös auf dem Tisch. „Was wäre, wenn der Perwanger die Christmette verbietet und stattdessen eine Winkelpredigt in seinem Schloss abhielte? Wäre das für Euch ein Grund, einen Haftbefehl auszustellen?"

„Dann würdet Ihr die Perwanger sozusagen auf frischer Tat ertappen." Pasenseer musterte den Amtmann aus geröteten Augen. „Allerdings kann ich mich nicht auf einen bloßen Verdacht stützen, wenn es um Adlige geht."

„Reicht Euch der Pfarrer der Hofmark als sichere Quelle?"

Der Inquisitor wirkte mit einem Schlag nüchtern. „Wenn dem so ist, mögt Ihr zuschlagen."

Schaller lächelte. „Morgen früh bringe ich Euch diesen Ritter als Geschenk zur fetten Raunacht."

Pasenseer rief einen Schreiber und ließ sofort einen Haftbefehl ausstellen. „Geht nach Günzlhofen und sorgt für Gerechtigkeit."

„Das werde ich, Euer Exzellenz. Diese Ketzer werden denken, das *Wilde G'jag* kommt über sie."

Pasenseer schlug ein Kreuz. „Lästert nicht, Schaller! In den Raunächten ist alles möglich."

„Ich glaube nicht an derlei Hokuspokus." Der Amtmann klopfte auf sein Rapier. „Harter Stahl nimmt es auch mit Geistern auf."

Pasenseer nickte gottergeben. „Dann erwarte ich Euch Morgen zum Frühessen. Es gibt Gesottenes und Kraut."

24. Dezember Anno Domini 1527,
zweite Raunacht, Günzlhofen

Eine Stunde vor Mitternacht versammelten sich zwei Dutzend Täufer im Rittersaal des Schlosses. Viele Kerzen tauchten den Saal in ein angenehmes Licht, während der Hausherr aus dem Lukas-Evangelium die Weihnachtsgeschichte vorlas. Die Versammelten lauschten andächtig.

Mit Blut- und Leberwürsten feierten sie anschließend ausgelassen das Fastenbrechen. Der Hofmarksherr selbst schenkte heißen Wein aus. Jörg setzte sich zu den beiden Perwanger-Brüdern. „Ein frohes Fest euch beiden. Wie geht es jetzt weiter?"

Christoph und Augustin prosteten ihm zu. „Wir genießen erst einmal die fette Raunacht und den Weihnachtstag."

„Wann setzen wir die Mission fort?"

Christoph antwortete für seinen Bruder: „Wir starten gleich am morgigen Stephanstag. Wir müssen die ruhige Zeit bis Heilig-Drei-König ausnutzen. Da sind die Bauern empfänglich für die neue Botschaft."

„Gehen wir dieses Mal zu den Dörfern direkt am Lech ...?"

Krachend flog die Tür auf. Mit zornesrotem Gesicht stürmte Pfarrer Kittl in den Saal. Grob schob er einen Bediensteten beiseite und taxierte die feiernde Gemeinde wie Schlachtvieh. „So sieht es also aus, wenn Ihr *nicht* feiert."

Ungehalten sprang Augustin auf. „Herr Pfarrer, das ist, gelinde gesagt, eine Unverschämtheit. Wir sitzen hier einfach zusammen unter Freunden und ..." Er hielt inne, weil aus dem Treppenhaus das Trampeln vieler Stiefel wie Donnergrollen hallte. Nur Augenblicke später stürmte ein Dutzend Bewaffneter in den Saal und hielt den verdutzten Täufern ihre Hellebarden unter die Nasen.

Mit lauter Stimme rief Augustin: „Was soll das? Dies ist die Wohnung eines Ritters und Edelmannes. Wer hat hier das Kommando?"

„Ich!", schallte es vom Eingang her.

Unwillkürlich zog sich Jörg in die Schatten des Saales zurück. Augenblicke später baute sich ein diabolisch grinsender Schaller vor dem Hofmarksherrn auf.

„Erklärt Euch, Herr Amtmann! Wir feiern hier Weihnachten und Ihr platzt wie ein Wildschwein herein."

Genüsslich entfaltete Schaller ein Dokument. „Hier drin steht, dass ich dazu befugt bin." Er zeigte auf das Siegel am Ende des Schreibens. „Der Großinquisitor persönlich hat es unterzeichnet. Ihr seid verhaftet!" Mit einem knappen Wink gab er seinen Männern das Zeichen. Diese stürzten sich sofort auf die sichtlich eingeschüchterten Gäste, packten sie grob und schoben sie unbarmherzig vorwärts.

Panik ergriff Jörg. Er sah sich um. Zu seiner Erleichterung entdeckte er in der Ecke, kaum eine Armlänge entfernt, eine Tür. Ohne zu zögern, schlich er wie eine Katze dorthin, drückte die Klinke und verschwand. Mit wild klopfendem Herzen tastete er sich in völliger Dunkelheit voran. Ein kalter Lufthauch streifte sein Gesicht. Sein Fuß trat ins Leere und er stieß mit einem dumpfen Schlag gegen eine Holzvertäfelung. Das musste die Treppe zur Küche sein! Jörg rieb sich die schmerzende Schulter. Über ihm wurde die Tür aufgerissen.

„Hier ist ein Gang!"

„Schaut nach, es darf uns keiner entkommen!", bellte Schallers befehlsgewohnte Stimme.

Hinter ihm rief jemand: „Wir brauchen Licht. Holt Kerzen!" Jörg stolperte die Treppe hinunter, schlug sich den Kopf an einem Querbalken und fiel hin. Sich schnell hochrappelnd, eilte er weiter, die Hände schützend vor sich haltend. Am Ende des Ganges stieß er gegen eine Tür, die nach außen aufschwang. Die Küche war von einer Öllampe schwach erhellt.

Hinter ihm polterten die Büttel die Treppe herunter. Die Tür nach draußen war abgeschlossen. Jörg riss ein Fenster auf und stieg auf den Sims.

In seinem Rücken das Geschrei seiner Verfolger:
„Bleib stehen, du Hundsfott!"
Obwohl es mindestens zehn Schritt nach unten ging,
sprang er. Ein Busch bremste seinen Fall! Die dorni-
gen Zweige verhakten sich in seinem Wams. Er
strampelte sich frei und rannte los, als ob das *Wilde
G'jäg* hinter ihm her wäre, hinein ins neblige Moos.

Kapitel 37

Über Nacht war es klirrend kalt geworden. Trotzdem strömte Lenz der Schweiß über das Gesicht und rann ihm in die Augen. Er wischte ihn fort und hackte weiter mit einem Spaten die gefrorenen Schneewehen zu kleinen Brocken. Vor wenigen Wochen hatte ihm Ignaz hier im Innenhof hinter der Werkstatt noch eifrig Nägel zugereicht. Doch jetzt? Annas Brief hatte ihm die Weihnachtsfreude verdorben und ob sie und Ignaz an Lichtmess zurückkommen würden, stand in den Sternen.

Hinter ihm knirschte der Schnee und er wandte sich um. Eingehüllt in ein dickes Wolltuch kam Vev auf ihn zu. Ihr Atem stand wie eine kleine eisige Wolke vor ihrem Mund. Besorgt sah sie ihn an. „Ich kann verstehen, dass du wütend bist. Hab Geduld bis Lichtmess."

Lenz warf den Spaten zur Seite. „Sie kommt nicht wieder!"

„Was macht dich da so sicher?"

„In dem Brief stand kein einziges Wort darüber, dass sie mich vermisst. Dass wir dann eben nach Lichtmess heiraten. Selbst wie es Ignaz geht, weiß ich nicht. Alles dreht sich nur um ihre Augsburger Täufer. Alles!" Seine Wut erlosch mit den Tränen, die über seine Wangen rannen und sofort zu Eis gefroren. Zurück blieben eine Leere und Einsamkeit, die er bisher trotz aller Unglücke nie erlebt hatte. Niedergeschlagen senkte er den Kopf.

„So kenne ich dich gar nicht". Vev hakte sich bei ihm unter. „Du wirst doch jetzt nicht aufgeben. Wenn sie tatsächlich nicht kommen will, holst du die beiden eben zurück."

„Das wird nicht so einfach gehen." Seine Stimme klang hohl.

„Von einfach habe ich nichts gesagt." Sie hielt kurz inne. „Aber zuerst musst du die Sache mit Magdalena klären."

Er winkte ab. „Da ist alles gesagt. Sie ist wahrscheinlich schon in Landsberg, so wie ich es ihr geraten habe."

„Das ist sie nicht! Ich habe sie vorhin auf dem Markt gesehen. Wenn du mich fragst, verfolgt diese Metze einen Plan."

„Wie kommst du darauf?"

„So, wie ich es sage. Ich habe dir schon einmal erklärt, dass es seltsam ist, dass Tante und Nichte zugleich schwanger sind. In all der Zeit habe ich nie einen Tratsch über eine ledige Schwangere im Haus des frömmlerischen Webers Pfeifer gehört."

„Sie geht doch damit nicht hausieren. Vielleicht ist das sogar der Plan, dass Magdalena ihr Kind hier zur Welt bringt. Damit macht sie ihren Eltern im altgläubigen Landsberg keine Schande."

„Die nimmt auch darauf keine Rücksicht. Ich nehme das jetzt in die Hand. Wir werden schon bald wissen, was wirklich los ist", entschied Vev.

Das Misstrauen in Magdalenas Augen war nicht zu übersehen, als sie die Tür einen Spalt öffnete. „Was willst du?"

Vev zeigte auf ihren Korb. „Ich bringe eine Kleinigkeit für die Weberin zur Stärkung für sie und das Ungeborene."

Magdalena zog unwillig die Augenbrauen hoch. Auf ihrer Stirn bildeten sich Falten. Für einen Wimpernschlag befürchtete Vev, dass ihr die Tür vor der Nase zugeschlagen würde. Doch näherkommende Schritte ließen Magdalena zögern.

„Vev, was machst du hier?" Die Weberin erschien im Türrahmen. Sie deutete mit dem Kopf auf das Haus in der Nachbarschaft. „Normalerweise bist du doch immer dort drüben, um zu beten." Der Tonfall verriet, dass sie nichts von diesen Treffen hielt. Ihr Blick fiel auf den Korb.

Vev wusste, dass die Weber gerade so viel zum Essen hatten, dass sie nicht verhungerten. „Ich habe im Wirtshaus mitbekommen, dass du in anderen Umständen bist. Deshalb wollte ich dir getrocknete Apfelringe zur Stärkung bringen."

Rasch schob die Weberin Magdalena zur Seite. „Komm herein. In der beißenden Kälte holt sich eine alte Frau wie du noch den Tod." Sie zog Vev in die Kuchl, wo ein Eintopf auf dem Feuer brodelte. Dem Geruch nach zu urteilen mit Schweinebauch. Verwirrt setzte sich Vev auf den angebotenen Hocker. So ein üppiges Mahl hätte sie bei den armen Webern an einem Wochentag nicht erwartet.

In ihrem langen Leben hatte die alte Magd schon viele schwangere Frauen gesehen. Meist war es der veränderte Gesichtsausdruck, der die gute Hoffnung verkündete. So wie bei Magdalena. Bei der Weberin dagegen konnte Vev nichts entdecken, obwohl sie deutlich fülliger erschien, als sie Vev in Erinnerung hatte. „Wann ist es denn soweit?"

Die Augenlider der Weberin zuckten kurz, bevor sie antwortete: „Im Mai, so Gott will."

Vev wandte sich an Magdalena, die vor dem Feuer auf und ab stolzierte: „Dann ist deine Tante sicherlich froh, dass du ihr zur Seite stehst. Natürlich nur, soweit es dir selber möglich ist."

Magdalenas Lippen wurden schmal.

„Magdalena ist eine kräftige, junge Frau. Sie hilft mir, damit ich dieses Kind behalte. Gleichzeitig lernt sie alles, was sie für den eigenen Hausstand braucht. Schließlich wollen sie ihre Eltern nach meiner Niederkunft verheiraten."

Das waren ja Neuigkeiten! Entweder wussten die Weber tatsächlich nichts von Magdalenas Schwangerschaft, was naturgemäß nicht mehr lange gutgehen würde. Oder hier wurde ein falsches Spiel gespielt. Vev hatte immer wieder erlebt, wie ungewollte Kinder auf den Stufen einer Kirche oder vor den Toren eines Klosters abgelegt wurden. Vielleicht musste in diesem Fall die Türschwelle des Weberhauses herhalten? Natürlich nicht umsonst. Das würde zu dem Schweinefleisch im Eintopf passen. Mit dem nötigen Silber ließ sich alles regeln. Das hieße aber, dass die Weberin ihre Schwangerschaft nur vortäuschte.

Sie nahm das Mitbringsel aus dem Korb und legte es auf den Tisch. „Lass sie dir schmecken." Mit einem Augenzwinkern Richtung Magdalena fügte sie hinzu: „Es sind genug da. Da fällt für die helfende Hand sicher auch etwas ab."

Kapitel 38

29. Dezember Anno Domini 1527, Augsburg

Seit seiner halsbrecherischen Flucht aus dem Günzlhofer Schloss waren vier Tage vergangen. Jörgs Leben war abermals aus den Fugen geraten. Bis zur
Verhaftung in der Christnacht hatte er geglaubt, die
Perwanger seien unantastbar. Was für ein Irrtum!
Die Mission im Lechrain war gescheitert. Er war vo-
gelfrei und brachte jedem einen Jahreslohn, der ihn
verriet. Was war aus seinen Gefährten geworden?
War er der Einzige, der entkommen konnte?
Die ganze Nacht hindurch hetzte er ohne Licht
durch das eisige Fürchelmoos. Der allgegenwärtige,
feuchtkalte Geruch nach Erde und Verfall verdeut-
lichte ihm den dramatischen Niedergang der Täuferbewegung im Lechrain. Als der Morgen dämmerte, erreichte er das Dorf Längenmoos. Ein armer
Kleinhäusler, den er selbst getauft hatte, bot ihm ein
bescheidenes Mahl an. Das Entsetzen über die Verhaftung der Perwanger war so groß, dass der spon-
tan beschloss, mit Jörg zu fliehen.
Auf versteckten Pfaden marschierten beide bis zum
Haspelwald, wo sich ihnen zwei Köhler aus Mittelstetten anschlossen. Zu viert folgten sie in den
Nächten dem Lauf des Lechs. In der Nähe von Kis-
sing stießen sie auf zwei Bauernsöhne aus Schmie-

chen. Diese hatten ebenfalls von der Verhaftung der Perwanger gehört und waren wie sie auf dem Weg nach Augsburg. Die Nachricht, dass die Inquisition selbst vor Adligen nicht Halt machte, hatte im Fürchelmoos eingeschlagen wie eine Bombe.

Zusammen mit Bauern, Tagelöhnern, Huklern und fahrenden Händlern drängten sie sich jetzt auf der Lechbrücke vor dem Zollhaus. Es war bitterkalt und der Lech unter ihnen atmete Nebelschwaden zu ihnen herauf. Die sechs Mösler hofften, dass ihre Tarnung nicht aufflog. Auf selbstgebauten Kraxen trugen sie gespaltenes Holz, das sie einem Bauern in der Nähe des Kuhsees gestohlen hatten. Quälend langsam rückten sie vor zum Zollhaus. In der verzweifelten Hoffnung, unbehelligt durchzuschlüpfen, schlichen sie mit gesenkten Köpfen hinter drei Kleinhändlern her.

Plötzlich erklang eine scharfe Stimme: „Halt! Was wollt ihr in Augsburg?" Mit zusammengezogenen Augenbrauen musterte sie einer der Wächter. Sein Blick durchdrang sie wie ein scharfes Messer.

Jörg trat vor. „Wir sind Kleinbauern aus Rederzhausen, Herr. Wir wollen unser Holz auf dem Kesselmarkt verkaufen."

„Aus Rederzhausen? Es gibt genug Brennholz in der Stadt. Da braucht es kein feuchtes baierisches Glump."

Jörg sank der Mut. Wies man sie ab, wusste er nicht, wohin.

Einer der Köhler aus Mittelstetten fasste sich ein Herz. „Herr, wir haben gut abgelagertes Buchenholz dabei. Es liegt schon zwei Jahre bei uns und ich bin mir sicher, dass auch die hohen Herrschaften in Augsburg eine warme Stube wünschen."

Hinter den sechs Lechrainern regte sich Unmut. Die Leute froren und drängten nach vorne. „Das wird ja immer schöner! Jetzt erdreisten sich die Wachknechte schon, unsere Ware zu begutachten."

Ein anderer rief: „Hauptsache sein Arsch ist warm in der Wachstube."

„Unverschämtheit!"

„Seit wann will Augsburg keine Waren mehr aus dem Umland? Das melden wir dem Rat."

Schließlich gaben die Wachleute nach und winkten die Lechrainer widerwillig durch. Offensichtlich wollten sie Ärger mit der Obrigkeit vermeiden.

Jörg fiel ein Stein vom Herzen. Eine Stunde später klopfte er an die vertraute Tür im Lechviertel.

Sie öffnete sich einen Spalt weit. Annas schmales Gesicht erschien. Als sie Jörg erkannte, schlug sie die Hände vor den Mund.

Es dämmerte bereits, als sich am selben Tag im Haus der Adolfin der von ihr ins Leben gerufene Bibelkreis traf. Beinahe ein halbes Hundert Frauen drängte sich in der Daucher'schen Werkstatt am Ende der Hinteren Lechgasse. Überall im Raum waren Kerzen aufgestellt und verströmten eine feierliche Atmosphäre. Sie alle einte der Wunsch, selbst in der Bibel zu lesen und darüber zu disputieren.

Der Daucher Adolf erschien und zog seine Frau hinaus in den Flur. „Das werden immer mehr. Du kannst so nicht weitermachen!"

Sie küsste ihn auf den Mund. „Adolf, mein Lieber, all diese Frauen wollen nur das Wort Gottes hören."

„Das können sie in der Messe am Sonntag", brauste er auf.

Unbeirrt lächelte Sie ihn an. „Das kann doch niemanden stören, wenn wir unwissenden Frauen verstehen wollen, was in der Bibel steht."

Hinter ihnen erklang ein Hüsteln. Adolf fuhr herum. Vor ihm stand die Frau des Augsburger Bürgermeisters. „Frau Rehlinger, Gott zum Gruße. Ihr auch hier?"

„Ja, Meister Daucher. Das hat uns doch früher alle geärgert, als die Altgläubigen irgendetwas in Latein faselten und uns dann erzählten, was es bedeutete. Dank Doctor Luther können wir nun alle in der Bibel lesen."

„Aber dafür gibt es doch lutherische Prediger, die sonntags ..."

Die Rehlingerin fiel ihm ins Wort: „Eure liebe Gattin ist ein Engel. Dank ihr können wir Frauen über das

Wort Gottes disputieren, ohne uns auf die oft fehlerhafte Interpretation anderer verlassen zu müssen."

Adolf murmelte resigniert: „Ich wünsche Euch einen schönen Abend", bevor er verschwand.

Als er fort war, umarmten sich die Frauen. „Meinem Gemahl gefallen unsere Bibelabende auch nicht", räumte die Rehlingerin ein. „Wer liest heute?"

„Die Schleifer Barbara."

„Sehr gut, sie und ihr Mann sind Stützen unserer Gemeinde. Aber ich habe beunruhigende Nachrichten aus dem Lechrain. Die letzte sichere Zuflucht im Fürchelmoos ist dahin."

„Ich weiß, die Perwanger wurden verhaftet", bestätigte die Adolfin. „Anna hat mir schon erzählt, dass der Sedlmaier Jörg fliehen musste. Zusammen mit einem halben Dutzend anderer versteckt er sich vorläufig auf dem Dachboden vom Färber-Jos."

Entschlossen betraten die beiden Frauen den Raum. Die Adolfin bat um Ruhe. „Wir wollten heute in der Bibel lesen, doch die Verhaftung der Perwanger von Günzlhofen hat eine wahre Fluchtwelle ausgelöst. Immer mehr Flüchtlinge strömen aus dem Baierischen zu uns in die Stadt und bitten um Quartier. Langsam gehen uns die Möglichkeiten aus. Wir brauchen nicht nur Schlafgelegenheiten, sondern auch Verpflegung für unsere Glaubensgeschwister."

„Außerdem können sie sich ja schlecht den ganzen Tag im Keller verstecken", warf die Schleifer Barbara ein.

Eine Frau kreischte: „Das können wir nicht mehr leisten! Es sind schon so viele in der Stadt. Mittlerweile haben wir selbst kaum genug zu Essen."

Eine andere Frau pflichtete ihr bei: „Ihr habt doch alle gesehen, was mit dem Hut geschehen ist. Der Rat kann jederzeit losschlagen."

Die Stimmung drohte zu kippen und einige verließen schon die Werkstatt. Die Adolfin wechselte einen Blick mit der Rehlingerin, die daraufhin mit erhobenen Händen um Ruhe bat. Als Gemahlin des amtierenden Bürgermeisters gelang es ihr, die aufgebrachten Frauen zu beruhigen. „Ich möchte euch einen Vorschlag unterbreiten. Meine Familie besitzt ein altes Lagerhaus mit Faktorei, in dem früher Wein gelagert wurde. Dort könnten sicherlich drei Dutzend Menschen untergebracht werden. Ich besorge die Viktualien. Aber ich brauche euch, um sie dort zuzubereiten und zu verteilen."

Die folgende Debatte unter den Frauen endete erst, als die Adolfin auf einen Stuhl stieg. „Liebe Schwestern im Glauben, verzagt nicht! Bitte bedenkt, es geht nur um eine kurze Zeitspanne. Wir müssen nur bis zum kommenden Pfingstfest durchhalten."

Anna stand noch eine Weile regungslos da und ließ die Worte auf sich wirken. Sie war froh, Teil dieser Gemeinschaft zu sein, in der alle füreinander da waren. Gleichzeitig durchzog sie eine tiefe Sehnsucht nach Lenz, die ihre Freude überschattete. Ob ihre

Liebe jedoch eine Zukunft hatte, lag in erster Linie bei ihm und nicht in ihrer Hand. Nach dem heutigen Treffen spürte sie, dass der Wunsch, nach Memmingen zurückzukehren, brüchiger wurde.

Kapitel 39

4. Januar Anno Domini 1528,
München, Falkenturm

„Wir werden brennen!" Der Perwanger Christoph schlug die Hände vors Gesicht. Mit einem hysterischen Anflug in der Stimme schimpfte er: „Das haben wir davon, diesen Täufern aufgesessen zu sein."
Augustin erhob sich von seinem Strohsack und ging hinüber zu seinem jüngeren Bruder, der ihn trotzig anstarrte. Er setzte sich neben ihn. „Ich würde nicht davon sprechen, dass wir jemandem aufgesessen sind. Wir haben uns aus freien Stücken der Bewegung angeschlossen. Immerhin haben sie unsere Familien wieder auf freien Fuß gesetzt, so wie die meisten unserer Glaubensgeschwister auch."
„Dazu mussten wir schwören, dass außer uns keiner getauft wurde." Christoph klang bitter.
„Unser Ehrenwort als Ritter hat uns vor der peinlichen Befragung verschont und – unsere Untertanen ebenfalls." Er seufzte. „Als der Ältere trage ich die Verantwortung alleine für die Hofmark. Ich habe versucht, dich da rauszuhalten, aber es hat nichts genützt."
Christoph vergrub den Kopf zwischen seinen Knien. Das Zucken seiner Schultern verriet, dass er weinte.

Augustin legte ihm die Hand auf den Rücken. „Herzog Wilhelms Angst davor, die Kontrolle zu verlieren, ist einfach zu groß."

„Aber warum?", krächzte Christoph mit tränenerstickter Stimme. „Wir glauben an denselben Gott wie er …"

„Du hast recht. Aber *wir* brauchen seine Kirche nicht. Und ohne die hat er keine Macht darüber, was wir denken. Am Ende geht es immer nur um Macht und Einfluss." Die Bitterkeit legte sich schwer wie ein schaler Geschmack auf Augustins Zunge.

Sie vernahmen Schritte im Gang vor der Zelle. Die Tür wurde aufgeschlossen und der Eisenmeister trat herein. „Kanzler von Ecken will wissen, ob Ihr Euch entschieden habt." Der kräftige Mann machte keine Umschweife. Auch wenn die Perwanger in seiner besten Zelle im Falkenturm einsaßen, waren sie doch nur Gefangene, um die sich bald der Henker kümmern würde.

Augustin erhob sich. „Lass Seiner Exzellenz ausrichten, dass wir bereit sind."

„Seid Ihr bereit zu revocieren, Perwanger? Ansonsten hat man mich angewiesen, zwei Fuder Holz zu besorgen, damit der Henker den Scheiterhaufen errichten kann."

Es musste wahrlich schlecht um sie beide stehen, wenn sich dieser ungehobelte Klotz derartige Frechheiten herausnahm. Augustin nickte widerstrebend. „So ist es."

5. Januar Anno Domini 1528, letzte Raunacht,
München, Falkenturm

Gegen Mittag des nächsten Tages erschien der Kanzler Leonhard von Ecken persönlich im Gefängnis. Wie immer trug er seine samtene Kappe und blickte streng auf die beiden Adligen. „Perwanger! Da habt Ihr Euch in eine schöne Malaise geritten. Der Herzog ist außer sich und lässt sich nicht beruhigen."

Augustin schwieg.

Von Ecken fuhr fort: „Ich hätte Euch klüger eingeschätzt. Es ist eine Sache, einen faulen Pfaffen beim zuständigen Bischof zu denunzieren."

„Dieser Kittl hat mein Leben zur Hölle gemacht, weil ich mich um das Seelenheil der Menschen in Hattenhofen gekümmert habe", brach es aus Augustin heraus. „Er selbst wollte nicht ins Moos gehen, um dort die Seelsorge zu übernehmen. Als ich einen anderen Vikar ernannt habe, hat er mich verleumdet."

Von Ecken hob die Hand. „Das ist uns bekannt, Perwanger." Müde schüttelte er den Kopf. „Aber dass Ihr dann wegen dieser unglücklichen Zwietracht zu einem Wiedertäufer geworden seid? Dass Ihr euch mit Bauern und Kleinhäuslern eingelassen habt? Das ist zu viel." Er zog ein Schriftstück aus einer Tasche. „Lest es sorgfältig durch. Es hat mich gehörige

Anstrengungen gekostet, unseren Herrn Herzog zu diesen Zugeständnissen zu bewegen."

Beide Perwanger begannen zu lesen. Überrascht sah Augustin auf. „Mein Sohn Eustach wird die Hofmark erben?"

„Und Euer Stiefbruder Sebastian bleibt Pfleger in Mering. Aber nur, wenn Ihr als gute Christen sterbt."

„Als gute Christen?" Christoph schluckte schwer.

„Ihr müsst revocieren und in den Schoß der Heiligen Mutter Kirche zurückkehren. Dann, nur dann verpflichtet sich unser gnädigster Souverän zu diesen Zugeständnissen. Ich rate Euch, unterschreibt. Beide."

7. Januar Anno Domini 1528, München

Es war bitterkalt am ersten Tag des neuen Jahres, als sie das Gefängnis im Falkenturm verließen. Über Nacht war Schnee gefallen und überzog die Dächer mit einer glitzernden Schicht. Zusammen mit den beiden Perwanger-Brüdern wurde der Müller aus Mittelstetten auf einen bereitstehenden Wagen gehoben. Man hatte ihn während der Weihnachtsfeier zusammen mit den Perwangers verhaftet. Augustin vermutete, dass der brave Müller als Witwer wohl als Einziger während seiner Befragung die Taufe eingeräumt und revociert hatte. In der Gewissheit, das gleiche Schicksal zu teilen, nickten sie einander wortlos zu.

Der Wagen setzte sich in Bewegung. Kurze Zeit später passierte er den Alten Hof. Nach einer weiteren Viertelmeile erreichten sie den Marktplatz, auf dem sie trotz der frühen Stunde eine große Schar Menschen erwartete. Von Osten fielen erste Sonnenstrahlen auf die Prozession aus Eisenknechten und Stadtbütteln, die den Wagen begleiteten.

Augustin hatte über den Eisenmeister erfahren, dass tags zuvor ein großer Teil der Münchner Täufer verhaftet worden war. „Über zwei Dutzend Ketzer habe ich im Falkenturm zu verköstigen", hatte der einfältige Kerl geklagt. „Der Henker darf sich freuen, denn so viele peinliche Befragungen hatte der sicher noch nie vor der Brust. Das bringt dem Hundsfott glatt ein Pfund Silber ein."

Sie passierten die Kirche Sankt Peter gegenüber des Rathauses. Unvermittelt begann eine einzelne Glocke zu läuten. Augustin jagte ein kalter Schauer über den Rücken.

„Die Arme-Sünder-Glocke", murmelte sein Bruder unter Tränen.

Von hier aus ging es an der Frauenkirche vorbei, durch den schönen Turm und weiter bis zum Augustinerkloster. Augustin blickte zurück. Schweigend folgte ihnen eine unüberschaubare Menge die Kaufinger Straße entlang bis zum Neuhauser Tor im Westen. Viele waren vermutlich nur deshalb gekommen, um zu sehen, wie Herzog Wilhelm mit adligen Ketzern verfuhr. An der Richtstätte vor dem Tor erwartete sie bereits der Henker.

Die Knechte des Eisenmeisters hoben sie vom Wagen und übergaben sie dem grimmigen Scharfrichter. Der ermahnte sie mit eindringlicher Stimme, oben auf dem Podest keine Volksreden zu halten. „Sonst lernt ihr meine Knute kennen", drohte er unverhohlen.

Augustin und Christoph nickten schicksalsergeben.

Der Müller dagegen funkelte ihn aus zornigen Augen an.

Der Richter stieg auf das Podest und verlas das Urteil über die drei Delinquenten. Dann brach er einen Stab entzwei.

Trommelwirbel setzte ein, als der Henker Christoph als Ersten über die steile Stiege nach oben bugsierte. Die Trommeln verstummten. Wortlos ließ er den Sermon eines Geistlichen über sich ergehen. Der Priester verließ das Podest, der Henker nahm Maß und köpfte den Verurteilten mit einem einzigen Hieb. Dumpf fiel Christophs Kopf auf die Bretter, bevor sein zuckender Körper ebenfalls dort aufschlug. Augustin wandte den Blick ab.

„Warum hat er nichts gesagt?", schrie plötzlich der Müller. „Er hätte noch vom kommenden Strafgericht künden können. Dass die Menschen umkehren müssen!"

Der Knüppel des Henkers traf ihn hart am Kopf. „Halt dein ketzerisches Maul! Ich will keinen Ärger mit der Obrigkeit. Schließlich hast du auch abgeschworen, um nicht verbrannt zu werden. Zeig dich wenigstens jetzt dankbar!"

Er schleifte den benommenen Müller auf das Podest. Erneut setzte der Trommelwirbel ein.

Unvermittelt schrie der Verurteilte: „Perwanger, du teuflischer Bastard! Ich gebe mein Leben für unsere gerechte Sache hin und du hast dein Schweigen verkauft. Vermutlich, dass dein Sohn die Hofmark nicht ..."

Weiter kam er nicht. Der Hieb war mit solcher Gewalt geführt, dass Kopf und Körper zur Seite geschleudert wurden.

Als Letzter stieg Augustin die Stiege nach oben und betete, dass ihr Tod nicht umsonst war.

Kapitel 40

7. Januar Anno Domini 1528, Landsberg

Mit gesenktem Kopf eilte die Mitterhuberin Richtung Klösterl. Kreszentia wusste keinen Ausweg mehr. Sie musste sich der Kirchperger Julia anvertrauen.

Vor ein paar Tagen hatte der Hauner sie im Hinteren Anger erneut bedrängt. In ihrer Verzweiflung hatte sie ihm ihre wertvolle Gewandfibel überlassen, mit der sie ihren Mantel schloss. Ein Fehler. Sein Jagdinstinkt war geweckt. Ihre Ringe und Ketten würden den Hauner nicht lange zufriedenstellen. Ganz abgesehen davon, dass dies ihr Mann merken würde. Sobald der ungehobelte Kerl Gulden von ihr verlangte, war es ohnehin aus. Sie hatte kein Geld und dann würde er den Ruf ihrer Familie zerstören.

Auf ihr Klopfen hin öffnete der Kirchperger Lienhart und sah sie verwundert an. „Kann ich dir helfen, Mitterhuberin?"

„Ich muss mit deiner Mutter reden", stammelte sie.

„Du hast Glück. Sie ist gerade vom Markt zurück." Er deutete auf die enge Stiege nach oben. „Sie schneidet in der Kuchl die fauligen Rüben aus. Der frühe Wintereinbruch hat ihnen geschadet. So wie meiner Werkstatt. Deshalb muss ich jetzt weg, um nach neuen Aufträgen für das Frühjahr zu schauen."

„Ich weiß. Alfons hat es mir erzählt. Mir tut es immer noch leid, dass aus Magdalena und Lenz nichts geworden ist. Dann wäre sicherlich vieles anders gekommen."

Lienhart zuckte mit den Schultern. „Da kann man nichts machen. Wir müssen es so hinnehmen." Grußlos verschwand er hinaus auf die Gasse.

Nach diesem kurzen Wortwechsel fühlte sich Kreszentia noch mutloser. Oben angekommen öffnete sie zögerlich die Tür.

Julia sah überrascht auf. „*Du* bist es, Kreszentia. Was führt dich denn zu uns?"

Kreszentia wusste nicht mehr, ob es richtig war, gerade hier nach Hilfe zu suchen. Sie räusperte sich. „Es geht um Lenz und Magdalena."

Julias Miene erstarrte. Das Messer fiel ihr aus der Hand. „Um was geht es?"

„Ist Lenz mit Frau und Kind in Memmingen?" An Julias Miene erkannte sie, dass ihre Frage ins Schwarze getroffen hatte. „Also doch!"

Zögerlich nickend erklärte Julia: „Anna ist noch nicht seine Frau und der kleine Ignaz ist ihr Neffe, den sie versorgt. Woher weißt du das?"

„Das hat mir der Hauner gesteckt."

„Wieder dieser Hauner", erboste sich Julia. „Anfang November ist er hier aufgetaucht und hat lautstark verkündet, dass Lenz auf dem Weg nach Memmingen ist. Wollte sogar eine Belohnung dafür. Lienhart hat ihn hinausgeworfen und dabei bemerkt, dass Magdalena das Gespräch belauscht haben muss."

„Daher weiß sie es also." Kreszentia schüttelte verzweifelt den Kopf. „Lenz ist schon über zwei Jahre fort. Wusstet ihr, dass er nach Memmingen wollte?"

„Lenz war im Oktober kurz hier und hat uns Anna und Ignaz vorgestellt."

Kreszentia beschlich der Verdacht, dass das nur die halbe Wahrheit war. „Warum ist er nicht in Landsberg geblieben? Ihr habt eine Werkstatt, die irgendwann einen Nachfolger braucht."

„Das hätten wir uns auch gewünscht, aber er wollte seine Landsberger Vergangenheit endgültig hinter sich lassen. Auf seiner Wanderschaft hat er mehrmals in Memmingen gearbeitet und sein alter Meister nimmt ihn gerne auf. Wer weiß, vielleicht kommt er irgendwann wieder zurück." In den Augen der alten Frau glitzerten Tränen. „Aber sag du mir, ob die Schwangerschaft deiner Schwester der einzige Grund ist, warum Magdalena jetzt in Memmingen ist. Ich werde das Gefühl nicht los, dass deine Tochter hier ihr eigenes Spiel spielt."

„Da hast du vermutlich recht. Genaues wissen wir auch nicht." Es half nichts. Sie musste alle Karten auf den Tisch legen. „Magdalena ist schwanger."

Nach einigen Herzschlägen stand Julia auf. „Dann lag ich mit meiner Vermutung richtig!" Mit zu Eis erstarrter Miene lief sie wortlos in der Kuchl auf und ab.

Eine unbestimmte Angst kroch in der Mitterhuberin hoch. Was hatte Magdalena noch angestellt? Sie hielt es nicht mehr auf ihrem Stuhl und stellte sich Julia in den Weg. „Rede mit mir!"

„Deine Tochter hat mir am Tag von Lenz' Abreise vor die Füße gekotzt."

„Ich verstehe gar nichts mehr." Kreszentia rang verzweifelt die Hände. „Wusste Magdalena, dass Lenz in Landsberg war?"

„Ja, ein dummer Zufall. Aber es kommt noch schlimmer. Sie sind beieinander gelegen."

Kreszentia stockte der Atem. Erschrocken presste sie ihre Hand auf den Mund. „Das ist alles noch schlimmer, als ich vermutet habe."

„Wie meinst du das?"

„Magdalena hat sich von einem Wandergesellen schwängern lassen."

„Das Kind ist gar nicht von Lenz?"

Kreszentia nickte.

„Mein Enkel ist sicherlich nicht unschuldig, aber Magdalena hat es darauf angelegt, mit ihm im Stroh zu landen. Da bin ich mir sicher."

„Das mit Lenz wussten wir nicht. Das musst du mir glauben. Wir wollten sie so schnell wie möglich mit dem Kistler Bartholomäus aus dem Vorderen Anger verheiraten. Was blieb uns anderes übrig? Wir wollten ihr und uns die Schande eines Bankerts ersparen."

„Dann war Lenz auf einmal da und mit einem Schlag schien ihr Problem gelöst", folgerte Julia. „Warum habt ihr sie nach Memmingen gehen lassen?"

„Meine Schwester ist kinderlos. Für sie wäre ein Kleines in ihren Armen das größte Glück. Selbst wenn es nicht das eigene ist."

„Du brauchst nicht weiterzureden. Magdalena hat euch in dem Glauben gelassen, dass sie das Kind in Memmingen zur Welt bringt, um es deiner Schwester zu überlassen. Natürlich finanziell gut versorgt durch euch. Anschließend würde sie als wohlerzogene und hilfsbereite Tochter zurückkehren und vielleicht sogar den Kistler heiraten. Das war die Geschichte, die sie euch erzählt hat. Tatsächlich ist sie in Memmingen, um Lenz mit ihrem Kuckuckskind zu einer Heirat zu zwingen. Wie erbärmlich ist das denn!" Julia hatte sich in Rage geredet. Dabei hatten beide Frauen nicht bemerkt, dass Lienhart im Türrahmen stand.

„Was ist denn hier los? Meine eigene Mutter keift so laut, dass man sie bis auf die Gasse hört."

Julia winkte ab. „Das erzähle ich dir gleich." An Kreszentia gewandt fügte sie hinzu: „Es ist besser, wenn du jetzt gehst."

„Das ist noch nicht alles." Weinend rang Kreszentia die Hände. „Der Hauner erpresst mich."

„Der Hauner Caspar? Wieso?" Lienhart trat an den Tisch.

„Er weiß ja, dass Lenz auch in Memmingen ist. Ich habe ihm dummerweise erzählt, dass Magdalena meiner schwangeren Schwester beisteht und nach ihrer Rückkehr den Kistler heiratet. Da hat er nur anzüglich gegrinst. Außerdem kennt er Gott und die Welt. Nicht nur in Landsberg, sondern auch in Memmingen. Ich kann nicht sagen, was ihm bisher zu Ohren gekommen ist. Vor kurzem hat er dem Kistler und meinem Mann im Wirtshaus auf den Zahn gefühlt."

„Dann solltest du deinem Gatten schnellstens reinen Wein einschenken", brummte Lienhart.

„Das kann ich nicht. Nach der Nacht in der Zelle sieht Alfons sofort rot, wenn ich Magdalena nur erwähne. Er verstößt sie, wenn ich ihm alles erzähle. Dann verliere ich mein letztes Kind."

9. Januar Anno Domini 1528, Memmingen

Obwohl Lienhart momentan jeden Heller umdrehen musste, hatte er das teurere Salzfuhrwerk für die beschwerliche Reise nach Memmingen gewählt. Die Mitterhuberin und seine Mutter hatten darauf gedrängt. Der Fuhrmann hatte Landsberg bereits weit vor Sonnenaufgang verlassen und wenn die Straßen frei von Eis und Schnee blieben, würden sie es bis zum Einbruch der Dunkelheit nach Memmingen schaffen.

Die Gedanken kreisten nach dem gestrigen Gespräch mit der Mitterhuberin unaufhörlich in seinem Kopf, als er alleine mit sich selbst auf der Ladefläche saß, unbeachtet von den beiden Fuhrleuten, die ihre eigenen Sorgen hatten. Er hoffte, dass er noch rechtzeitig eintraf, um Lenz vor einem Fehler zu bewahren. Denn schließlich hatte Magdalena in den letzten beiden Monaten genug Zeit gehabt, um ihre Fallstricke auszulegen.

Sie erreichten das imposante Kalchtor, als es fast schon dunkel war. Die Torwachen waren gerade im Begriff, die schweren Holzgitter zu schließen. Das Gespann des bekannten Salzkutschers winkten sie mit einem kurzen Nicken durch. Lienhart dagegen zwangen sie zum Absteigen und versperrten ihm mit ihren gekreuzten Spießen den Weg. Mit fester Stimme erklärte er, dass er seinen Zimmererkollegen Lodweber besuchen und am nächsten Tag wieder ausreisen wollte. Nach kurzem Zögern stellten sie ihm einen Besuchsschein aus. Erleichtert atmete er auf. Im Schatten der Nacht tastete er sich durch die gewundenen Gassen der Stadt, die ihm die beiden jungen Burschen auf sein Nachfragen hin mürrisch beschrieben hatten. Vor Lodwebers Werkstatt angekommen, überkam ihn eine ungewisse Anspannung. Seine dumpfen Klopfgeräusche hallten in der Dunkelheit, doch nichts regte sich im Inneren. Er klopfte erneut. Endlich vernahm er Schritte hinter der Tür, die sich einen Spaltbreit öffnete. Ein runzeliges

Frauengesicht erschien. Der abweisende Blick durchbohrte ihn.

„Was wollt Ihr?" Eine funzlige Öllampe leuchtete ihm ins Gesicht.

„Ich bin der Kirchperger Lienhart, der Vater vom Lenz. Mein Sohn ist mit der Schuster Anna und dem kleinen Ignaz Ende Oktober hierher gezogen, um beim Lodweber um Arbeit nachzufragen. Ist er da? Ich muss ihn unbedingt sprechen."

Ihre unnahbare Miene veränderte sich schlagartig. „Ich bin die Vev, die Magd vom Lodweber. Kommt mit in die warme Kuchl. Ihr habt sicher Hunger. Der Meister und Lenz richten noch eine Baustelle ein. Sie kommen bald."

„Kann ich dann schon mal mit Anna reden?"

„Sie und Ignaz sind in Augsburg."

Lienhart hatte es geahnt. „Ich bin zu spät. Es ist wegen Magdalena, habe ich recht?"

„Was wisst Ihr über Magdalena?", fuhr sie ihn an.

„Das spielt doch jetzt keine Rolle mehr." Eine tiefe Verzweiflung machte sich in ihm breit.

„Alles spielt eine Rolle, um der falschen Schlange das Handwerk zu legen."

„Wie meinst du das?"

„Setzt Euch!" Sie ging zum Herd und füllte eine irdene Schüssel aus einem Topf, der auf dem Feuer stand.

Gierig löffelte er den warmen Gemüseeintopf. Dabei enthüllte er alles, was er von der Mitterhuberin erfahren hatte. Als er die vorgetäuschte Schwanger-schaft erwähnte und das abgekartete Spiel mit Magdalenas Tante, schlug die Alte auf den Tisch. „Das bestätigt meinen Verdacht. Jetzt hat sie ausgespielt und Lenz kann ohne schlechtes Gewissen seine Anna heiraten."

Er sah sie fragend an. In knappen Worten erläuterte sie ihm, was zwischenzeitlich in Memmingen vorgefallen war, unterbrach dann kurz, als Männerstimmen auf der Stiege erklangen. Lenz und Meister Lodweber traten in die Kuchl. Lienhart stand auf. „Vater! Was machst du hier?"

Noch bevor Lienhart etwas antworten konnte, fuhr Vev dazwischen. „Er bringt gute Neuigkeiten. Einer Hochzeit mit Anna steht nichts mehr im Wege."

In Lenz' Gesicht wechselten Freude und Zweifel.

Lienhart ging auf ihn zu und nahm ihn in die Arme. Sein Hals fühlte sich in diesem Moment wie zugeschnürt an. Er brachte kein Wort heraus. Stattdessen klopfte er Lenz nur ein paarmal auf den Rücken, bevor er sich wieder von ihm löste.

Sie redeten noch lange an diesem Abend. Hatte Lienhart seinen Sohn beim Abschied aus Landsberg eher in gedrückter Stimmung erlebt, so wuchs dessen Zuversicht von Augenblick zu Augenblick. Das Kind war nicht von ihm und Magdalenas Komplott aufgedeckt.

Als Lienhart dann endlich auf einem Strohsack lag, fand er lange keinen Schlaf. Er hoffte nur, dass Anna tatsächlich an Lichtmess zurückkam. Was, wenn Magdalena nicht kampflos aufgeben würde? Seine größte Sorge war, dass sie herausfand, dass Lenz als entflohener Ketzer gesucht wurde. Dieses Wissen konnte sie alle auf den Scheiterhaufen bringen. Ihr traute er alles zu. Lienhart verbot sich, diese Gedanken weiterzuspinnen.

Am nächsten Tag fuhr er mit demselben Salzfuhrwerk wieder zurück. Er dankte Gott, dass dieser Hauner mit seinem Gefährt nicht auf dem Weinmarkt stand. Das hätte dem Schandmaul nur neue Nahrung gegeben.

Kapitel 41

Magdalena strich sich mit eiskalten Fingern über den nackten Bauch, der immer rundlicher wurde. Seit einigen Tagen spürte sie ein leises Flattern, wenn sie zur Ruhe kam. In diesen Momenten verwandelte sich ihre unterdrückte Wut in schmerzhafte Verzweiflung. Welchen Pakt hatte sie mit dem Schicksal geschlossen? Warum nur hatte sie Lenz nach dem Tod ihres Bruders so abweisend behandelt? Das Echo seiner flehenden Worte hallte in ihrem Kopf wider. So oft war er vor dem Haus ihrer Eltern aufgetaucht, hatte sie beschworen, ihn zu erhören. Jedes Mal hatte sie ihn weggeschickt, verbittert und voller Rachegedanken. Sie wollte, dass er sich genauso schuldig fühlte wie sie selbst. Damit hoffte sie, das Gewicht ihrer eigenen Schuld zu verringern.

Sie erinnerte sich an die Tage, als sie Georg damit geneckt hatte, dass er nicht den Mut aufbringen würde, in den Krieg gegen die Bauern zu ziehen. Ihr kleiner Bruder, der schließlich dem Beispiel seines Freundes und Vorbilds Lenz folgte und sich mit stolzgeschwellter Brust und einem Spieß in der geballten Faust meldete. Der Vater hatte Georg anerkennend auf die Schulter geklopft, während Magdalena und ihre Mutter vor Entsetzen wie erstarrt waren. Inständig hatte sie daraufhin Lenz angefleht, auf ihren Bruder aufzupassen. Doch der hatte ihn tot nach Hause gebracht.

Aber noch schlimmer als die Erinnerungen war die Angst, dass ihr Plan nicht aufging. Sollte Lenz nicht auf ihre Forderungen eingehen, blieb ihr nichts anderes übrig, als den Kistler zu heiraten. Eine Vorstellung, vor der ihr graute.

Magdalena ließ ihr hochgeschobenes Hemd wieder fallen. Gerade im rechten Moment. Mit einem heftigen Ruck stieß der Weber die Tür auf und musterte sie von oben bis unten. Sie hielt seinem Blick stand und streifte ihr Oberkleid über. „Was willst du in meiner Kammer?"

„Das ist nicht *deine* Kammer. Außerdem ist es Zeit, dass du dich an die Arbeit machst. Für faule Weiber ist hier kein Platz."

„Für geile Böcke auch nicht." Sie warf ihre roten Locken in den Nacken und schob sich mit hoch erhobenem Kopf an ihm vorbei. Der Mann hielt sie für eine Dirne und widerte sie an.

„Spute dich! Das Frühstücksmus kocht sich nicht von alleine."

Magdalena verbiss sich eine weitere gehässige Bemerkung. Sie musste das abgekartete Spiel mitspielen. Zumindest so lange, bis sie wusste, wie sie Lenz von der geplanten Hochzeit mit dieser Anna abbringen konnte. Viel Zeit hatte sie nicht mehr. Dass die

Magd vom Lodweber Bescheid wusste, machte die Sache nicht einfacher.

Ihre Tante schnitt sich die letzte getrocknete Apfelscheibe in die morgendliche Gerstengrütze. Unvermittelt hob sie an: „Die alte Vev kann einem leidtun. Jetzt, wo diese Anna mit ihrem Neffen in Augsburg ist, hat sie niemanden mehr, der ihr im Haushalt hilft."

Magdalena spürte, wie ihr Herz schneller schlug. Sie versuchte, sich ihre Aufregung nicht anmerken zu lassen. „Wieso? Vor ein paar Wochen hieß es doch noch, dass sie im Januar diesen Lenz heiratet." Sie starrte den Weber an, der ihr gegenübersaß. „Das zumindest hast du uns erzählt."

Bevor er etwas sagen konnte, mischte sich seine Frau ein. „Der Waldhauser hat sie mitgenommen." Sie spuckte den Namen aus, als wäre er Gift. „Er ist ohne sie zurückgekommen. Angeblich braucht ihr alter Meister ihre Hilfe."

„Wer ist der Waldhauser?" Magdalena verstand gerade gar nichts.

„Ein Prediger, der bei den Nachbarn ein- und ausgeht und dort die Treffen der Täufer leitet."

„Er ist ein Ketzer, ein Wiedertäufer", fuhr der Weber auf. „Wäre ich ein Ratsmitglied, hätte ich ihn schon längst der Stadt verwiesen." Er funkelte seine Frau an, als wäre sie mitschuldig an dem, was bei den Nachbarn vor sich ging.

„Beruhige dich! Mir ist das auch nicht geheuer. Aber der Rat der Stadt duldet es, dass sie zusammen beten und essen."

„Was hat Vev damit zu tun?", hakte Magdalena beiläufig nach.

„Sie besucht die Treffen. Vermutlich ist sie eine von ihnen."

„In Landsberg wurden vor kurzem Wiedertäufer hingerichtet", berichtete Magdalena. Sie hatte mit ihrer Mutter das grausige Schauspiel verfolgt.

„Das ist auch richtig", ereiferte sich der Weber erneut. „Im Gegensatz zu unserem Rat greift der baierische Herzog mit eiserner Hand durch."

„Ist diese Anna auch eine Wiedertäuferin?"

Ihre Tante zuckte mit den Schultern. „Das kann ich dir nicht sagen. Ich weiß nur, dass sie immer noch in Augsburg ist. So sagt es zumindest der Waldhauser. Vermutlich muss sich dieser Lenz nun eine neue Frau suchen."

13. Januar Anno Domini 1528, Memmingen

Lenz konnte sich nicht auf die Abrechnungen konzentrieren, die ihm der Meister zur Kontrolle gegeben hatte. Dass er lieber auf dem Reißboden stand, als sich mit dem Schriftlichen auseinanderzusetzen, war aber nicht der einzige Grund für seine Unaufmerksamkeit. Obwohl er nach dem Gespräch mit seinem Vater anfangs zuversichtlich war, vermied er seit drei Tagen beharrlich die unvermeidliche Auseinandersetzung mit Magdalena. Immer noch war er ein Fremdgeschriebener, der sich nichts zu Schulden kommen lassen durfte. Nach wie vor wurde er in Baiern als Ketzer gesucht. Was, wenn das Magdalena herausbekam? Bei ihr war man vor bösen Überraschungen niemals gefeit.

Vev verstand sein Zaudern. Trotzdem drängte sie darauf, reinen Tisch zu machen. Dann könnte er auch endlich Anna Bescheid geben, dass alles geregelt war und ihrem Zurückkommen nichts mehr im Wege stand.

Vev hatte recht. Entschlossen stand er auf. Nachdem er nicht einfach bei den Webern auftauchen konnte, würde er Magdalena auf dem Weg zum Markt abpassen. Beim Öffnen der Tür raubte ihm nicht die klirrende Kälte den Atem. „Magdalena! Ich wollte gerade zu dir."

Freudige Erwartung spiegelte sich in ihrem Gesicht. Sie zog die Kapuze von ihren roten Locken und wollte eintreten, doch Lenz stellte sich ihr in den Weg.

„Du kannst gleich wieder umdrehen."

„Das glaube ich nicht. Schließlich haben wir beide etwas zu klären. Jetzt, wo deine Anna in Augsburg ist, steht unserem Glück nichts mehr im Wege." Sie redete langsam. Kostete jedes Wort aus, ohne ihn dabei aus den Augen zu lassen.

Lenz wusste, dass sich Annas Weggang herumgesprochen hatte. Doch die Worte aus Magdalenas Mund zu hören, verlieh dem Ganzen eine besondere Schärfe. Dieses Wissen in ihren Händen fühlte sich an wie ein spitzer Dolch, den sie ihm unmittelbar auf die Brust setzte. Nur damit er sich ihrem Willen beugte.

„Mein Vater war hier."

Ihr Gesichtsausdruck blieb regungslos, doch in ihrer Stimme lag ein Hauch von Unsicherheit. „Habt ihr euch endlich ausgesprochen? Damals in Landsberg hast du dich ja sogar im Holzschuppen vor ihm versteckt." Sie strich ihm mit ihrem Zeigefinger über seine Wange. „Aber es hatte ja auch sein Gutes. Sonst gäbe es dieses kleine Wesen von dir nicht in meinem Bauch."

Angewidert stieß Lenz ihre Hand weg. „Dieses kleine Wesen ist nicht von mir! Deine Tante ist auch nicht schwanger."

„Sagt das dein Vater?" Ihre Stimme troff vor Hohn. „Der muss es ja wissen. Vermutlich wäre er selbst gern bei mir gelegen, so wie der Mann meiner Tante hier."

Lenz war fassungslos. Sie schreckte vor nichts zurück.

„Mein Vater weiß es aus sicherer Quelle. Außerdem würde er mich nie belügen."

Ihr Gesicht verzog sich zu einer hässlichen Fratze. Schnell jedoch hatte sie sich wieder in der Gewalt.

Tränen glänzten in ihren Augen, und Lenz war sicher, dass es Tränen des Zorns waren. „Ich war einfach verzweifelt. Als ich dich dann im Holzlager gesehen habe ...“

„... wusstest du sofort, dass dein Problem gelöst war“, beendete Lenz den angefangenen Satz. „Besser mich als den Kistler Barthl.“

„Das klingt jetzt hart.“ Ihre Tränen gingen in ein heftiges Weinen über und sie rang die Hände. „Siehst du denn nicht die göttliche Fügung hinter allem? Wir haben uns wieder gefunden, selbst wenn das Kind nicht von dir ist. Als du dann mit dieser Anna bei Nacht und Nebel abgehauen bist ...“

„... so wie damals nach Georgs Tod, wolltest du sicher sagen.“ Er schnitt ihr mit einer heftigen Handbewegung das Wort ab, als sie weitersprechen wollte. „Sei still! Dir geht es nicht um mich. Dir geht es auch nicht um das Kind in deinem Bauch. Ein für alle Mal: Ich werde dich nicht heiraten und auch nicht zurück nach Landsberg gehen.“

Magdalena straffte ihren Rücken. Ihre Fassungslosigkeit wich einer bedrohlichen Entschlossenheit. „Ist das dein letztes Wort?“

„Ja, es ist alles gesagt!“ Er wandte sich abrupt ab. Doch ehe er sich versah, packte sie ihn am Arm. „Glaub nicht, dass du damit ungeschoren davonkommst“, zischte sie. „Ich kenne Mittel und Wege, dass du in Memmingen keine Ruhe findest.“

Kapitel 42

19. Januar Anno Domini 1528, Augsburg

„Gehst du heute endlich zu Anna?"

Hubertus verdrehte die Augen. „Darf ich noch in Ruhe mein Frühessen einnehmen? Hernach breche ich zum Perlachturm auf. Mal sehen, ob jetzt im neuen Jahr auch neue Händler dort sind."

„Warum gehst du nicht gleich ins Lechviertel?", beharrte Christof. „Es ist schon wieder ein ganzer Monat verstrichen, seit du das erste Mal dort warst."

Hubertus atmete hörbar aus. „Das ist mir wohlbekannt. Wie ich dir damals schon erzählt habe, hätte ich meine erste Kontaktaufnahme mit deiner Anna fast mit meiner Gesundheit bezahlt. Ich bin schwer gestürzt."

„Du hast dir den Kopf gestoßen! Übertreib mal nicht."

„Nach Weihnachten habe ich mich von meinem Freund Johann Agricola untersuchen lassen. Er promoviert gerade und soll in absehbarer Zeit die medizinische Fakultät in Ingolstadt ..."

„Papperlapapp. Du willst mir aber jetzt nicht einen neuen Käse auftischen."

Hubertus sprang zornig auf. „Hätte ich eine innere Blutung bekommen, stünde ich heute nicht hier."

Christof hob beschwichtigend die Hände und fuhr in versöhnlicherem Ton fort: „Ich wollte dir nicht zu nahe treten. Außerdem möchte ich dir noch zu deinem Geistesblitz gratulieren. Um unverdächtig ins Gespräch mit diesen Wiedertäufern zu kommen, hast du dich glatt vor denen auf den Boden geschmissen. Respekt!"

Hubertus wollte etwas antworten, verkniff es sich dann aber. Es war zwecklos, mit Christof zu disputieren. „Also, ich gehe zum Markt und kaufe ein Dokument. Dieses Dokument untermauert meine Erzählung, dass ich ja im Auftrag der Universität hier in der Stadt bin. Mit diesem Dokument besuche ich meine Retterin."

„Klingt nach einem Plan."

„Das nennt man Logik, du Banause."

Christof setzte sich zu seinem Freund und goss sich einen Becher Dünnbier ein. „Ich habe da noch eine kleine Sache, die ich mit dir besprechen muss."

„Kleine Sache?" Hubertus zog die Stirn in Falten. „Welche kleine Sache?"

„Der Rat ist in großer Sorge. Wieder in großer Sorge, möchte ich hinzufügen."

„Steigen die Brotpreise?"

„Das auch. Aber vor allem sorgt er sich um die öffentliche Ordnung. Auf der baierischen Seite des Lechs geht der Herzog mittlerweile unbarmherzig gegen Ketzer vor und treibt sie in Scharen in unsere Stadt."

„Davon habe ich gehört. Diese Geschichten dringen sogar bis zu uns nach Ingolstadt. Ist das die kleine Sache, von der du gesprochen hast?"

Christof legte seine Hand auf Hubertus' Arm. „Wenn du zu Anna gehst, halte bitte Augen und Ohren auf, ob dieser Färber-Jos oder andere aus diesem Kreis solche Flüchtlinge beherbergen."

„Ich bin kein Spitzel!", entfuhr es Hubertus. „Dich bei der Dame deines Herzens in ein gutes Licht zu rücken, ja. Aber sie gleichzeitig ausspionieren, das mache ich nicht."

„Du druckst seit Monaten lutherische Schriften in der Druckerei einer durch und durch altgläubigen Universität. Und jetzt spielst du den Moralapostel!" Christofs freundliche Miene hatte sich zu einem hämischen Grinsen verzogen. Bevor Hubertus etwas darauf antworten konnte, sattelte er noch einen drauf: „Weiß dein verehrter Professor Apianus davon?"

Hubertus wich einer Antwort aus, indem er eilig seinen Mantel überwarf.

Nasskalter Schneeregen fiel auf den gefrorenen Boden und verwandelte den Rathausplatz wieder einmal in eine gefährliche Eisbahn. Um nicht erneut auszurutschen, setzte Hubertus Culinula vorsichtig einen Fuß vor den anderen. Seit seinem Sturz vor einem Monat schmerzte ihn immer wieder sein Kopf. Momentan dröhnte er geradezu. Vor allem, weil ihm sein ›Freund‹ Christof gerade versteckt gedroht hatte. Er würde ihn, ohne mit der Wimper zu zucken, bei Professor Eck verpfeifen und so ans Messer liefern.

Hubertus versuchte, diese Erpressung zu verdrängen. Jetzt brauchte er erst einmal die Dokumente, nach denen Apianus trachtete. Suchend stakste er über den Eiermarkt, vorbei an Ständen, an denen Eier, Butter und Schmalz feilgeboten wurden. Doch Hubertus musste zum Perlachturm, wo eingezwängt zwischen Fischmarkt und Eiermarkt einheimische und fremde Händler Schriften und Traktate verkauften. Viel mehr als bei seinem letzten Besuch konnte er allerdings nicht ausmachen. Er wollte schon aufgeben, als er einen unbekannten Stand direkt vor dem Perlachturm entdeckte. „Gott zum Gruße, guter Mann. Ich sehe, Ihr habt auch wissenschaftliche Schriften dabei." Er deutete auf das Regal hinter ihm. „Sind darunter auch Traktate über Mathematik?"

„Werter Herr, ich lege großen Wert auf eine gehobene Auswahl." Unterwürfig zog der Händler den Kopf zwischen die Schultern. „Nach was sucht der Herr genau?"

Hubertus' Blick schweifte über die ausgestellte Ware. „Genau genommen suche ich nach arabischen Schriften."

Das gierige Glitzern in den Augen des Händlers erlosch. Er rang die Hände. „Leider nein, damit kann ich nicht dienen. Momentan komme ich nicht an so ausgesuchte Texte. Der Winter ist dafür eine schlechte Zeit. Aber vielleicht interessiert Ihr Euch für das hier." Er zog ein Dokument aus einem Stapel, das augenscheinlich bereits durch viele Hände gegangen war. „Ein italienisches Traktat. Dort steht, wie man jede Art von Gleichungen lösen kann."

Interessiert trat Hubertus näher. Nach einem kurzen Blick gab er das Heft zurück. „Ihr wollt mich wohl beleidigen! Es ist von Dal Ferro, und der hat keine Ahnung. Wie mir scheint, versteht Ihr nicht viel von diesem Geschäft." Enttäuscht wandte er sich ab. „Ich suche originale Dokumente, von denen Leute wie Dal Ferro abgeschrieben haben."

„Werter Herr, wartet!" Die Stimme des Händlers klang flehend. „Kommt Anfang März wieder. Da habe ich mehr dabei – auch arabische Schriften. Nach welchem Autor sucht Ihr denn?"

Hubertus winkte ab. „Omar Chayyam kennt Ihr sicher nicht."

„Chayyam! Natürlich kenne ich den großen Chayyam."

Hubertus drehte sich verblüfft um.

„Den findet Ihr bei keinem anderen Händler hier. Kommt im März noch einmal, dann habe ich vielleicht etwas für Euch."

Hubertus unterdrückte einen Fluch. März! Noch bis in die Fastenzeit würde er die falsche Natter Christof nicht ertragen. Sollte er unter einem Vorwand erneut zurück zu Professor Apianus nach Ingolstadt fahren und im Frühjahr wiederkommen? Dieser Gedanke gefiel ihm. Wenn da nicht Christofs Drohung gewesen wäre.

Schlecht gelaunt kaufte Hubertus einen kleinen Tiegel Griebenschmalz als Geschenk. Dann rutschte er den Eisenberg hinunter zu den engen Gassen des Lechviertels, wo er wenig später das Färber-Haus erreichte. Aus dem ersten Stock drangen Stimmen zu ihm heraus. Hatte der Färber Besuch? Hubertus klopfte. Sofort verstummten die Gespräche über ihm. Er trat ein paar Schritte zurück, verließ die Brücke und sah nach oben. Hatte er sich getäuscht? Schließlich brummte sein Kopf noch immer.

„Wollt Ihr zum Meister?"

Hubertus fuhr herum. Anna stand vor ihm. Sie trug einen Korb mit vielen Broten, den sie sofort hinter ihrem Rücken versteckte. „Seid gegrüßt, meine Retterin." Er hielt ihr sein Geschenk hin. „Ich wollte mich noch einmal bei Euch bedanken."

„Das ist nicht nötig. Der Meister möchte das sicher nicht. Wir haben nur unsere Christenpflicht getan."

„Ist er nicht da? Ich habe Stimmen gehört."

„Da habt Ihr Euch sicher getäuscht." Dabei blickte sie ständig am Haus nach oben.

„Wo ist denn Euer Neffe? Ignaz hieß er doch ..."

„Bei einer Freundin." Die Antwort kam schnell. „Da hat er Spielkameraden. Wenn Ihr mich jetzt entschuldigt. Ich muss das Essen vorbereiten." Sie drängte sich an ihm vorbei, schloss die Tür auf und verschwand mit einem kurzen Nicken im Haus.

Hubertus starrte den Topf mit Griebenschmalz an, den er wohl selbst verspeisen musste. Was sollte er jetzt Christof auftischen? Er machte sich auf den Weg zurück. Gedankenverloren lief er durch die Bäckergasse bis zum Milchberg. Schwer atmend erreichte er schließlich die Ulrichskirchen. Kurz entschlossen ließ er die kleine protestantische Kirche Sankt Ulrich links liegen und betrat die altgläubige Basilika *Sankt Ulrich und Afra*. Obwohl ihm das lateinische Geschwätz der altgläubigen Pfaffen zuwider war, schätzte er immer noch die Erhabenheit des riesigen Baus und den Weihrauchgeruch, der in allen Ecken hing. Im Süden befanden sich mehrere Kapellen. In einer davon las ein Kaplan die Messe vor einer Handvoll Gläubiger. Hubertus blieb im Halbschatten des westlichen Langhauses.

Das eintönige Gemurmel beruhigte seine wirren Gedanken. Sein zweites Treffen mit Anna war ja gründlich fehlgeschlagen. Er brauchte eine gute Ausrede. Vielleicht würde Christof ja die Nachricht besänftigen, dass an seiner Vermutung über versteckte Flüchtlinge etwas dran war. Warum sonst kaufte ein Färber so viel Brot? Das würde aber im Umkehrschluss bedeuten, dass diese Anna auch eine Ketzerin war und beim Verstecken der Flüchtlinge half. Hubertus schüttelte den Kopf. Die würde sich von Christof niemals bekehren lassen. Andererseits

war Hubertus wohl bewusst, dass sein alter Studienfreund Mittel und Wege kannte, um den Willen der
jungen Frau zu brechen, war sie erst einmal sein
Weib.

Jetzt war guter Rat teuer.

Kapitel 43

„Wie soll ich das deiner Meinung nach anstellen?"
Hubertus Culinula war außer sich.

„Ganz einfach! So wie ich es dir gerade erklärt habe."

„Ganz einfach!", höhnte Hubertus. Er hätte sich ohrfeigen können. Christof hatte ihn vor zwei Tagen so bedrängt, dass er zu guter Letzt doch eingeknickt war. Er hatte ihm nicht nur davon berichtet, dass ihn Anna abgewimmelt hatte, sondern auch von seinem Verdacht, dass der Färber-Jos Wiedertäufer versteckte.

Christof lief aufgeregt in seiner Stube auf und ab. „Die Lage hat sich grundlegend geändert. Es gibt nur einen Weg. Du musst das Vertrauen dieser Leute gewinnen."

Hubertus rang die Hände. „Ich habe es dir schon tausend Mal erklärt: Diese Anna hat mich eiskalt stehen lassen, als ich vorgestern dort war. Sie oder ihr Meister müssen mich erkannt haben. Ich war ja bei deiner Disputation letzten Sommer dabei."

„Und wenn schon! Das ist deine Trumpfkarte. Spiel ihnen etwas vor. Das sollte dir nicht schwerfallen. Immerhin übst du ständig in der Druckerei deines Professors in Ingolstadt."

Er grinste gehässig und Hubertus hätte ihm am liebsten eine reingehauen.

„Erzähl ihnen, dass du es an deiner altgläubigen Universität nicht mehr aushältst und Luther die Reformation nicht zu Ende denkt."

„Das nehmen die mir nie ab, dass ich so plötzlich ein Täufer werden will."

„Deshalb ziehst du jetzt auch sofort aus. Nimm dir eine Kammer in einem Gasthof. Dann kannst du immer behaupten, du hättest dich mit mir überworfen", resümierte Christof selbstzufrieden.

„Und Anna? So wirst du sie nie für dich gewinnen. Wenn ich mit dir offiziell zerstritten bin, kann ich ja schlecht für dich werben. Schon mal darüber nachgedacht, Herr *Magister*?"

Christof winkte ab. „Das lass meine Sorge sein. Wenn ich dieses Ketzer-Nest ausheben lasse, kann Anna froh sein, wenn ich sie und ihren kleinen Neffen vor dem Scheiterhaufen bewahre. Denn da wird dieser Färber-Jos zusammen mit der anderen Brut landen."

Hubertus war wie vor den Kopf gestoßen, doch tief in seinem Inneren schrillte eine Alarmglocke, ohne dass er wusste, warum. Nur was?

Christof begann, seine Bücher mit einem Riemen zusammenzuschnüren.

Plötzlich traf es Hubertus wie ein Blitz. Er wusste, was ihn irritiert hatte: Annas Neffe! Besser gesagt, der Löffel, den Annas Neffe besaß.

„Halt keine Maulaffen feil!" Christof steckte die Bücher in Hubertus' Reisesack. „Wenn du dich sputest, bekommst du sicher im *Weißen Adler* in der Bäckergasse noch eine preiswerte Kammer."

„Einen Augenblick mal!", fuhr nun Hubertus auf. „Als ich kurz vor Weihnachten bei Anna war, habe ich auch ihren Neffen kennengelernt."

„Na und? Auf, auf! Du musst zum *Adler*. Nächste Woche wird es eng, denn dann strömen hunderte Wandergesellen in die Stadt, die an Lichtmess eine neue Anstellung suchen." Er zog Hubertus am Arm.

Der schlug seine Hand fort. „Der Junge ist eine Vollwaise, seit sein Vater in Landsberg hingerichtet wurde."

„Der Ketzer hat seine gerechte Strafe erhalten", spie Christof zurück.

„Mag sein, aber wie ist seine Mutter gestorben? Und warum hat der Kleine deinen wertvollen Löffel?"

Christof schwieg.

„Ah, unserem genialen Prediger gehen die Worte aus."

„Solche Löffel gibt es viele", zischte Christof trotzig. Er packte den Reisesack und stieß ihn so heftig Hubertus in die Arme, dass dieser zurücktaumelte. „Du kannst nichts beweisen. Außerdem, wen interessiert ein totes Bauernweib drüben im Baierischen? Ein Doctor der Mathematik, der an einer altgläubigen Universität ketzerische Schriften druckt, dagegen schon. Jetzt geh mir aus den Augen."

„Jetzt weiß ich, woher ich diesen Kerl kenne." Der Färber-Jos stürmte in die Kuchl, die Anna gerade ausfegte.

Sie sah ihn verständnislos an. „Wen meinst du?"

„Na, diesen Doctor aus Ingolstadt."

„Welchen Doctor?" Anna stellte den Besen in die Ecke.

„Der Kerl, der im Advent vor unserem Haus ausgerutscht ist."

„Ach der! Der war übrigens vorgestern noch einmal hier und wollte mir zum Dank für unsere Hilfe ein Geschenk übergeben."

„Davon hast du mir gar nichts erzählt."

„Ich habe es vergessen. Die viele Arbeit und die Sorge um unsere Gäste füllen meinen Kopf mit tausend Gedanken. Aber sag, woher kennst *du* ihn? Mir kam er nicht bekannt vor."

„Ich komme gerade von der Adolfin. Sie hat von der Frau des Bürgermeisters erfahren, dass der wieder seinen Hausgeistlichen Pfettner beauftragt hat, Erkundigungen über uns einzuholen."

„Der Pfettner Christof?" Angst zeichnete Sorgenfalten in ihr jugendliches Gesicht. „Was hat der mit diesem Doctor zu tun?"

„Erinnerst du dich an die Disputation im Haus der Kießlings letzten Sommer?"

Jetzt schien auch Anna zu verstehen. „Der Verunglückte ist ..."

„... Pfettners Freund, dieser Gelehrte aus Ingolstadt! Ein unangenehmer Kerl. Wie der sich bei der Disputation zwischen Denck und Pfettner aufgeführt hat. Wegen seiner längeren Haare und dem Bart habe ich ihn erst nicht erkannt."

Anna sank auf einen Stuhl. „Wieder der Pfettner. Mir krampft sich der Bauch zusammen bei diesem Namen. Der hat die Verfolgung unserer Brüder und Schwestern letzten Sommer überhaupt erst in Gang gesetzt."

„Ich sag dir was. Der war nicht nur hier, um sich mit einem Geschenk zu bedanken."

Anna presste die Hände gegen ihren Mund. Mit weit aufgerissenen Augen sah sie ihn an. „Ich glaube, der Mann hat bemerkt, dass noch jemand bei uns im Haus wohnt."

„Wie kommst du darauf?" Jos' Gesicht glühte.

„Er hat gesagt, dass er oben jemand gehört haben will. Ich glaube, er weiß, dass wir Flüchtlinge verbergen. Wenn ihn der Pfettner wirklich auf uns angesetzt hat, sind wir verloren." Sofort ging sie zu den Fenstern und sah hinaus.

Obwohl der Färber-Jos innerlich tobte wie ein reißender Fluss nach einem heftigen Regen, legte er sanft seine Hand auf Annas Schulter, um sie zu beruhigen. „Das wissen wir nicht. Uns bleibt nichts anderes übrig, als abzuwarten. Wir müssen auf jeden Fall Augen und Ohren aufhalten."

„Das beunruhigt mich so sehr, dass ich kaum atmen kann." Sie holte tief Luft und bekreuzigte sich. „Aber ich möchte mich nicht von meiner Angst beherrschen lassen. Letzten Endes liegt unser Schicksal in der Hand des Herrn."

Vom Flur verrieten leise Schritte, dass mehrere Menschen die Stiege herunterkamen. Der Sedlmaier Jörg und seine Brüder aus dem Fürchelmoos traten in die Stube. „Draußen dämmert es bereits. Essen wir zusammen?"

Anna nahm ihren Mantel von der Bank und schlang sich ein wollenes Tuch um Kopf und Schultern. „Ich gehe und hole meinen Neffen von der Adolfin."

Der Sedlmaier Jörg sah sie besorgt an. „Wenn du selbst nichts isst, geht dir irgendwann die Kraft aus."

Sie lächelte ihn an. „Danke für deine Fürsorge, aber ich esse mit Ignaz bei Susanna. Es ist ohnehin besser, wenn er nur zum Schlafen herkommt. Wir dürfen nicht riskieren, dass ein falsches Wort von ihm dazu führt, dass die Büttel euch hier finden."

Der Färber-Jos bedeutete ihr mit seinem Blick, noch nichts von ihrem Verdacht zu erzählen. Sie brauchten mehr Gewissheit.

Bei der Adolfin ging es hoch her. Eine ihrer Mägde versorgte die beiden Buben von Susanna, sechs und drei Jahre alt, und ihren Neffen. Als sie endlich satt waren, fielen den Kleinen schnell die Augen zu.

„Ich muss los. Der Ignaz muss ins Bett."

Die Adolfin hielt sie zurück. „Lass ihn heute Nacht hier schlafen. Meine Buben freut es und du hast morgen früh auch eine Arbeit weniger." Sie strich Anna zärtlich übers Haar. „Ich mache mir Sorgen um dich. Du warst heute Morgen sehr blass, als du Ignaz gebracht hast. Weißt du, dass du tiefe Ringe unter deinen Augen hast? Wobei es mich nicht wundert. Du arbeitest Tag und Nacht bis zum Umfallen."

Anna nickte zögerlich. Sie sah der Adolfin direkt in die Augen. „Sagst du nicht selbst, dass wir bis zum kommenden Pfingstfest durchhalten müssen und währenddessen in christlicher Nächstenliebe alles teilen sollen?"

„Das ist richtig. Dann setzt sich die göttliche Gerechtigkeit überall durch. Aber wir müssen es auch bis Pfingsten schaffen und heil an Körper und Geist bleiben."

Anna deutete auf ein eng beschriebenes Blatt, das auf dem Tisch lag. „Es wird immer schwieriger, Unterkünfte zu finden, nicht wahr?"

„Das stimmt, aber mit Gottes Hilfe findet sich immer irgendwo ein Plätzchen. Der Herr schaut auf unseren Glauben und unsere Entschlossenheit. Die Rehlingerin überlegt sogar, Flüchtlinge in ihrem Besitz in Leeder im oberen Lechrain unterzubringen."

„Was sagt ihr Mann dazu?"

„Die Rehlinger Maria kann ziemlich überzeugend sein, wenn sie sich etwas in den Kopf gesetzt hat."

Die Spur eines Lächelns huschte über das ernste Gesicht der Adolfin.

Die Magd kam mit zwei Bechern dampfendem Würzwein zurück. „Die Buben schlafen."

„Danke, du kannst zu Bett gehen. Wir kommen zurecht." Als die Magd die Tür hinter sich geschlossen hatte, reichte sie Anna einen der Becher. „Hast du schon einmal darüber nachgedacht, dich taufen zu lassen?"

Anna nickte zögerlich.

„Du würdest zu den Auserwählten gehören", erklärte Susanna sanft.

Anna stand auf und nahm ihre Laterne. „Ich denke darüber nach und spreche mit Jörg."

„Der spendet dir auch sicher gerne die Taufe."

Kapitel 44

23. Januar Anno Domini 1528, Augsburg

Hubertus saß sinnierend auf dem harten Bett in seiner Kammer unter dem Dach des *Weißen Adler*. Mit einer Decke um die schmalen Schultern bemitleidete er sich selbst. Er stieß die Luft aus. „Jetzt ist Dreck Trumpf!", murmelnd erhob er sich. Mit steifen Gliedern wanderte er in der kleinen Kammer auf und ab. Fünf Schritte in die eine und fünf in die andere Richtung. Mehr Platz gab es nicht. Jedes Mal, wenn er auftrat, ächzte der Fußboden unter ihm. Er wusste, dass er in der Scheiße saß. Sein alter Studienfreund erpresste ihn schamlos. Zu diesem Menschen hatte er aufgesehen!

Hubertus schloss die Augen. Entweder er tat, was Christof wollte, oder er lief selbst Gefahr, zumindest seine Stellung an der Universität oder sogar sein Leben zu verlieren. Er war sich im Klaren darüber, dass man in Ingolstadt mit lutherischen Ketzern mittlerweile kurzen Prozess machte. Das Schlimmste aber war, dass auch sein verehrter Professor Apianus der Ketzerei beschuldigt werden könnte. Apianus war sein Gönner und Förderer am neuen Lehrstuhl für Mathematik. Warum nur hatte sich Hubertus dazu hinreißen lassen, heimlich lutherische

Schriften in der Druckerei des Professors zu drucken?

Es war zum Haare raufen. Es half nichts. Er musste etwas tun. Kurz entschlossen warf er die Decke auf den wackeligen Tisch, zog sich seinen Mantel über und verließ die Dachkammer. Unten in der warmen Gaststube bestellte er sich einen Teller Gemüsesuppe. Mit klammen Fingern setzte er ein Bewerbungsschreiben auf für die Universität in Wittenberg. Er wollte bei Professor Melanchthon um eine Anstellung in der Artistenfakultät nachsuchen. Von Apianus wusste er, dass in Wittenberg gerade die Ausbildung in Mathematik neu geordnet wurde. Obwohl er seinen Professor zutiefst respektierte und ihn nur ungern verließ, musste er einen Ausweg aus der Zwickmühle finden.

Auf dem Weg ins Lechviertel legte er sich seine Geschichte zurecht. Dass es für ihn schlicht unerträglich geworden sei an der Universität Ingolstadt. Die Dominanz der beiden altgläubigen theologischen Lehrstühle, manifestiert durch den Vizekanzler Professor Eck, der damit vor allem Vorteile für die Universität suchte. Dass Eck die Hochschule als Bollwerk gegen Luther in Stellung brachte, war zuviel für Hubertus. Seitdem, so wollte er erzählen, war er ein heimlicher Parteigänger Luthers, der jedoch die Reformation nicht zu Ende dachte und mit den Fürsten paktierte. Ganz im Gegensatz zu den Täufern, die Hubertus mehr und mehr in Bann ziehen würden. Er hoffte, dass sie ihm seine ausgedachte Erzählung abnehmen würden.

Kurze Zeit später postierte er sich in der Gasse am Hinteren Lech so, dass er einen guten Blick auf das Haus des Färbers hatte. Sobald diese Anna das Haus verließ, um auf den Markt zu gehen, würde er sie ansprechen.

Die Uhr der Barfüßerkirche schlug schon zum zweiten Mal, seit er sich auf die Lauer gelegt hatte. Seine Zehen waren eiskalt, seine Finger schmerzten und er fühlte seine Ohren nicht mehr. Er war drauf und dran, sich in einem Wirtshaus aufzuwärmen, als ihn jemand von hinten packte und herumwirbelte.

„Habe ich dich erwischt, du mieser Schnüffler."

Hubertus riss die Augen auf und starrte in das wutverzerrte Gesicht des Färber-Jos. „Ich ... Ich kann das erklären."

„Da bin ich mal gespannt. Schnüffelt dein Kumpan Pfettner auch hier herum?"

„Er ist nicht mehr mein Freund. Er hat mich rausgeworfen."

„Wo wohnst du dann?"

„Im ... Im *Weißen Adler*. Ich habe dort eine kleine Kammer."

„Da gehen wir jetzt hin. Abmarsch!" Damit schob er ihn rüde vor sich her.

Widerstandslos marschierte Hubertus voraus in Richtung Bäckergasse. Aus den Augenwinkeln musterte er den Färber, dessen bedrohliche Erscheinung ihm mit seiner raubvogelartigen Hakennase und dröhnender Bassstimme Angst einjagte.

„Seit wann wohnst du im *Weißen Adler*?", verlangte der Färber zu wissen.

„Seit zwei Tagen", antwortete er wahrheitsgemäß.

„Du warst vorher im Haus des Rehlinger Ulrich?"

„Ja, als Insitz seines Hausgeistlichen, des Pfettner Christof. Wir kennen uns von der Universität Ingolstadt."

Der Färber bugsierte ihn in den Eingang des Gasthofes. Drinnen empfing sie der Wirt: „Schon wieder zurück, Herr Doctor? Soll ich nochmal eine warme Suppe bringen für Euch und Euren Begleiter?"

Hubertus sah den Färber fragend an.

Der nickte und zog ihn in eine ruhige Ecke des weitläufigen Gastraumes. Sie nahmen an einem Tisch am Fenster Platz, wo der Färber sein rotes Barett vom Kopf zog. „So, spuck´s aus, warum schleichst du um mein Haus und beobachtest es?" Seine Stimme klang weniger bedrohlich als vorher.

Hubertus holte tief Luft. Doch bevor er etwas sagen konnte, tauchte der Wirt auf und stellte zwei Schüsseln Suppe, einen Krug Bier und zwei irdene Becher auf den Tisch.

Der Färber klopfte mit seinen gichtigen Fingerknöcheln auf die vernarbte Tischplatte: „Ich hoffe, dass du satt und aufgewärmt eine gute Geschichte für mich hast." Er bekreuzigte sich und holte seinen Löffel hervor.

Während des Essens schwiegen die beiden ungleichen Männer. Hubertus' Blick fiel immer wieder auf die Hände des Färber-Jos, dessen Finger von entzündeten Gichtknoten angeschwollen waren. Das Arbeiten im kalten Wasser und in den Laugenbottichen forderte seinen Tribut. Seine eigenen Finger dagegen wiesen nur Tintenflecke auf. Man sah ihnen an, dass er sein Brot nicht damit verdienen musste.

Überhaupt beeindruckte ihn der Färber-Meister immer mehr. Seine durchdringenden schwarzen Augen schienen in sein Innerstes zu schauen. Doch was würde er dort sehen? Einen Altgläubigen, der die alte Kirche mittlerweile verabscheute und seinen Professor belog? Einen heimlichen Anhänger Luthers, der blind seinem ehemaligen Freund Christof das Wort redete? Oder eher einen Suchenden, der noch keine neue Heimat gefunden hatte? Er wusste es ja selbst nicht.

Eine Stunde später hatte Hubertus wortreich erklärt, warum er in Kontakt zu den Täufern treten wollte.

„Das mit Ingolstadt kann ich nachvollziehen. Aber warum hast du dich mit dem Pfettner überworfen? Er ist doch ein Lutherischer." Die Augen des Färber-Jos verengten sich bei dieser Frage zu schmalen Schlitzen. „Wenn ich mich an die Disputation mit dem Denck zurückerinnere, wart ihr doch letztes Jahr ein Herz und eine Seele."

Hubertus sah am Färber vorbei und suchte nach Worten. „Er ist ... Wie soll ich das sagen? Christof ist mehr an seinem beruflichen Fortkommen interessiert als am Glauben. Wenn man so will, unterscheidet er sich nicht groß von altgläubigen Pfarrern oder Predigern."

„Und weiter?"

„Ich bin tatsächlich in Augsburg, weil ich hier für meinen Professor Bücher und Traktate kaufen soll. Augsburg verfügt durch seine guten Verbindungen nach Italien über ein deutlich interessanteres Angebot als Ingolstadt."

„Das beantwortet immer noch nicht meine Frage."

„Immer, wenn ich in der Stadt bin, übernachte ich bei Christof. Aber von Mal zu Mal ging mir seine Haltung mehr gegen den Strich. Er verhält sich opportunistisch, redet dem Bürgermeister nach dem Mund. Genau genommen redet er verächtlich über alle anderen Glaubensströmungen. Ja, er sieht auf jeden herab, den er nicht für ebenbürtig hält." Hubertus hatte sich in Rage geredet.

Der Färber beobachtete ihn derweil interessiert. „Das kam wohl von Herzen", konstatierte er trocken.

„Ich habe schon länger einen Groll gegen Christof. Mein Kopf hat es nur nicht wahrhaben wollen."

Nach einer längeren Pause erklärte der Färber: „Ich werde deinen Wunsch, Mitglied in unserer Gemeinschaft zu werden, den anderen Brüdern und Schwestern vorschlagen. Versprechen kann ich dir nichts. Wenn sie einverstanden sind, komme ich kommenden Sonntag früh wieder."

„Und dann?"

„Dann geht die Sonne auf." Der Färber lachte. „Ich dachte, das wüsstest du." Er erhob sich. „Bis Sonntag."

Der Färber-Jos erreichte sein Haus gegen Mittag. In der guten Stube oben fand er den Sedlmaier Jörg und Anna. „Wo sind die anderen?"

„Zur Arbeit bei der Schleifer Barbara und ihrem Mann. Ich habe sie hingebracht, nachdem du nicht gekommen bist. Wo warst du eigentlich?" Jörg klang vorwurfsvoll.

„Wir haben mit dem Schlimmsten gerechnet", pflichtete ihm Anna bei.

Jos grinste. „Ich habe den Spion gefunden und zur Rede gestellt."

Anna sah ihn überrascht an. „Ist es dieser Gelehrte aus Ingolstadt?"

„Welcher Gelehrte?" Jörg sah ratlos von einem zum anderen.

Bevor Jos antworten konnte, klopfte es an der Haustür. Er ging ans Fenster und sah hinunter. „Das trifft sich gut. Die Adolfin. Anna, machst du ihr bitte auf?"

„Glaubst du diesem Culinula?" Der Sedlmaier Jörg klang misstrauisch. „Ich denke, der Kerl hat dir etwas vorgespielt, Jos. Weißt du nicht mehr, wie er letzten Sommer bei der Disputation herumgeschrien hat? Wie ein Verrückter, sage ich dir. Der hat sich doch nicht geändert. Ich sage, der steckt mit diesem Pfettner unter einer Decke. Die wollen uns an den Bürgermeister und seinen Stadtschreiber Peutinger verraten. Wie den Kießling."

Die Adolfin hob die Hand. „Beruhige dich, Jörg. Ich weiß von der Frau des Bürgermeisters, dass der Pfettner wohl tatsächlich seinen Freund aus dem Haus geworfen hat. Er hat ihr beim Abendessen erzählt, dass er sich mit ihm überworfen habe."

„Das kann auch eine Finte sein", bemerkte Anna.

„Vielleicht", erwiderte die Adolfin. „Aber vielleicht sucht der junge Mann einen Glauben, der ihn trägt. Am Ende geht es ihm so wie mir auch. Wie uns allen."

Jörg beharrte jedoch auf seiner ablehnenden Haltung: „Ich sage, wir halten diesen Doctor Culinula erst einmal auf Abstand."

„Dann gebe ich ihm am Sonntag Bescheid, dass wir noch Bedenkzeit brauchen", konstatierte Jos. „Ich habe seine Zerrissenheit gespürt und hätte ihm deshalb gerne einen Platz an unserem Tisch angeboten. Ich verstehe aber Jörgs Bedenken."

Kapitel 45

2. Februar Anno Domini 1528, Lichtmess,
Memmingen

Als Lenz und der Lodweber Hans das Haus verließen, schlug die Glocke von Sankt Martin fünf Mal. „Eil dich, Lenz. Die Zunftversammlung fängt gerade an. Wir sind schon zu spät." Es begann in Strömen zu regnen und die beiden Männer warfen die Kapuzen ihrer wollenen Umhänge über. Nach wenigen Schritten erreichten sie den Weinmarkt, wo in den Häusern erste Lampen entzündet wurden. Tropfnass hasteten sie in den oberen Stock des Zunfthauses der Zimmerer, wo der Versammlungsraum lag.

„Zu spät kommen ist ein Zeichen von mangelndem Respekt", konstatierte der Zunftvorsteher Hewel, der sie mit säuerlichem Gesichtsausdruck begrüßte.

Aller Augen waren auf Lodweber und Lenz gerichtet, die ihre nassen Umhänge ausschüttelten.

„Außerdem wärt ihr dann nicht nass geworden wie zwei Fische im Stadtbach." Hewel lachte über seinen Witz. Doch niemand stimmte ein.

Die meisten Zunftmitglieder schauten betreten zu Boden oder nestelten an ihren Bierkrügen.

Lodweber wertete das als gutes Zeichen, dass nur wenige gegen ihn eingestellt waren.

Der Hewel Georg stichelte weiter: „Wen hast du denn heute mitgebracht, Hans?"

„Ich habe dir meinen Gesellen bereits vor zwei Monaten im Wirtshaus vorgestellt. Du kennst ihn."

„Kennen ist übertrieben." Hewel grinste. „Ich weiß, dass er ein Wandergeselle ist und das Gespräch beim *Bolz-Wirt* war nicht sehr erhellend. Vielleicht ist er ein fanatischer Altgläubiger oder gar ein Unruhestifter."

Lodweber blieb ruhig. „Der Lenz ist so zwinglisch wie du und ich, Georg. Das hat er dir schon vor zwei Monaten *beim Bolz* erzählt. Schon vergessen?"

„Hat er das?" Hewel winkte ab. „Ich habe mich in der Zwischenzeit ein wenig schlau gemacht."

Lodweber und Lenz tauschten einen kurzen Blick. „Was meinst du?"

„Vor zwei Monaten hat mir dein Geselle erzählt, dass er auch in Augsburg gearbeitet hat." Er fixierte Lenz mit einem durchdringenden Blick: „Stimmt es, dass du bei Meister Kießling im Lechviertel warst?"

Lenz zögerte einen Moment und räusperte sich. „Ja, Zunftmeister. Zwei Monate."

Hewel grinste breit. Seine Augen funkelten. „Nun, ich habe gehört, dass dieser Meister Kießling im Gefängnis gesessen hat. Ist das wahr?"

Lenz schluckte hart, bevor er mit fester Stimme antwortete: „Meister Kießling ist ein Maurermeister mit einem ausgezeichneten Ruf. Er hat für die Fugger ein Lagerhaus gebaut und etliche Häuser für die angesehensten Kaufleute und Handwerker in Augsburg."

„Wenn er so angesehen war, warum ließ ihn dann der Rat ins Gefängnis werfen?"

„Man hat ihn falsch beschuldigt, aber er kam bald wieder frei. Meister Kießling steht fest auf Seiten der Reformation."

Lodweber trat vor: „In einer Stadt wie Augsburg, mit ihren vielen Glaubensrichtungen kommt es leicht zu hitzigen Debatten und falschen Anschuldigungen. Der Rat ist seit dem Schilling-Aufstand vor drei Jahren besonders empfindlich. Doch jetzt ist alles in Ordnung, wie euch mein Geselle versichert hat."

Hewel ließ nicht locker: „Warum warst du nur so kurz bei Kießling? Gab es einen Grund dafür? Oder wurdest du am Ende mit ihm verhaftet?"

„Nein, Zunftmeister. Ich musste mit meiner Zukünftigen zurück in den Lechrain, weil ihre Schwägerin verstorben war." Diese Notlüge hatten sie sich bereits im Vorfeld zurechtgelegt. Sie hofften, dass Hewel keine genaueren Nachrichten aus Augsburg hatte.

Offenbar hatte der Zunftmeister nur auf den Busch geklopft, denn er erwähnte nicht, dass Kießling seine Werkstatt verloren hatte. Stattdessen wandte er sich dem Grund der Versammlung zu: „Du musst erst das eingeschränkte Bürgerrecht, den Beisitz, erwerben. Hast du überhaupt die fünf Rheinischen Gulden, um dich in Memmingen einzukaufen?"

Lodweber sprang ihm zur Seite: „Der Lenz ist ein tüchtiger Zimmermann, war als Wandergeselle in Bern und in Zürich und in Augsburg bei einem angesehenen Meister beschäftigt. Er bringt sicherlich neben wertvollen Kenntnissen auch das nötige Beisitzgeld mit. Zudem hat er bereits für ein Jahr und einen Tag bei uns in der Stadt gearbeitet, was auch Voraussetzung ist, um hier zu bleiben."

„Ja, ja, Hans. Kann er nicht für sich selbst sprechen?"

Lenz legte seine Hand beruhigend auf Lodwebers Arm. „Danke, Hans. Während meiner Wanderjahre habe ich genug Geld verdient, um das Beisitzgeld zu bezahlen."

„Noch ist es nicht so weit, Kirchperger. Sowohl in der Reichsstadt Memmingen als auch in der Zunft brauchen wir nur Leute, die moralisch untadelig sind und auch zupacken können. Als künftiges Zunftmitglied müsstest du Feuerwache und Wehrdienst leisten."

Lenz nickte entschlossen. „Darüber habe ich mir bereits Gedanken gemacht, Zunftmeister. Ich trinke nicht, bin keusch und ich habe in meiner Heimatstadt schon als Schütze Kriegsdienst geleistet."

„Schütze bist du? Vermutlich mit einer alten Armbrust." Er stieß verächtlich die Luft aus.

„Nein, ich war Feuerschütze an der Arkebuse meines Vaters. Auch mit dem Rapier verstehe ich umzugehen."

Zustimmendes Gemurmel erhob sich in der Versammlung.

„Gute Feuerschützen können wir immer gebrauchen", rief jemand von der Tür her.

Aller Augen wandten sich dem Neuankömmling zu.

Der Bürgermeister Keller höchstpersönlich stand dort, die Fäuste in die Hüften gestemmt. „Solltest du eine Arkebuse dein Eigen nennen, steht deiner Ernennung zum Beisitz und wohl auch als Zunftmitglied nichts mehr im Wege."

Dankbar nickte Lodweber dem Bürgermeister zu. „Der Lenz kann meine Arkebuse haben. In meinem Alter treffe ich sowieso nichts mehr." Er lachte. „Außerdem bürge ich für ihn."

„Na, dann wäre ja alles geklärt. Wenn der Kirchperger Lenz hier und jetzt das Beisitzgeld bezahlt, nehme ich ihm den Beisitzeid ab. Dann steht ja wohl seiner Aufnahme in die Zunft nichts mehr entgegen."

„Augenblick mal!", warf Hewel ein. „So schnell geht das nicht." Er sah seine Zunftgenossen an. „Über die Aufnahme in die Zunft entscheiden wir."

Bürgermeister Keller beschwichtigte: „Blas dich nicht so auf, Georg. Nachdem, was ich gerade gehört habe, ist dieser Kirchperger ein tüchtiger Zimmermann und versteht sich auch aufs Kämpfen. Solche

Leute brauchen wir. Vor allem jetzt, da wir unsere Stadtmauer instandsetzen müssen. Bei all den Bedrohungen um uns herum. Er kann nächsten Sonntag gleich mit der Schützenbruderschaft üben."

Hewel gab sich noch nicht geschlagen. „Ein Beisitz braucht eine Frau! Man munkelt, dass seine Zukünftige abgehauen ist." Triumphierend sah er in die Runde.

„Ich habe Nachricht von ihr. Sobald es die Straßenverhältnisse erlauben, kommt sie zurück."

Die meisten der Anwesenden klopften zustimmend auf die Tische.

Der Bürgermeister ließ sich eine Bibel reichen und trat näher. Er gebot Lenz, die rechte Hand zu heben, und nahm ihm den Beisitzeid ab. „Dein Geld nehme ich gleich an mich. Die Urkunde bekommst du morgen auf dem Rathaus. Und jetzt ..." Er sah den Zunftmeister an. „Jetzt könnt ihr euer Ritual abhalten und Lenz in die Zunft aufnehmen."

Hewel stimmte griesgrämig zu. Es war offensichtlich, dass er sich vom Bürgermeister überrumpelt fühlte. Es würde für Lenz keine leichte Zeit werden, denn Hewel konnte sehr nachtragend sein. Sollte sich Lenz irgendetwas zu Schulden kommen lassen, würde Hewel alles daransetzen, ihn wieder aus der Zunft zu werfen.

Kapitel 46

3. Februar Anno Domini 1528, Blasiustag,
Memmingen

Die Freude über seinen neuen Status als Memminger Beisitz und seine Aufnahme in die Zunft verflog
schon am nächsten Tag. Der Waldhauser Thomas
war aus Augsburg zurückgekehrt – doch ohne Anna.
Obwohl er ihr mit einem Postreiter eine kurze Nachricht geschickt hatte, dass mit Magdalena alles geklärt war. Statt seiner Geliebten hatte der Waldhauser wieder nur einen Brief für Lenz dabei. Er schloss
die Haustür. Seine Schuhe fühlten sich plötzlich wie
aus Blei an, so schwer fiel ihm das Treppensteigen
zur Wohnstube. Mit zitternden Fingern riss er das
Schreiben auf und begann zu lesen:
Lieber Lenz,
ich habe diesen Brief mit eigener Hand geschrie-
ben. Dennoch hoffe ich, dass du ihn lesen kannst.
Danke für deine Zeilen, die leider sehr knapp gehal-
ten sind. Ich tröste mich deshalb damit, dass du mir
alles genau erzählst, wenn ich wieder in Memmin-
gen bin. Das wird aber noch eine Weile dauern.
Hier in Augsburg überschlagen sich die Ereignisse.
Die Menschen drängen zu Hunderten aus Baiern zu
uns. Susanna sagt, dass es ein Gebot der Nächsten-
liebe ist, sie alle aufzunehmen, obwohl die Beher-

bergung verboten ist. Momentan lässt uns der Rat gewähren. Allerdings wissen wir nicht mehr, wo wir all die Menschen unterbringen sollen. Auch, wenn mit Magdalena alles geklärt ist, kann ich Susanna und all die anderen helfenden Hände nicht im Stich lassen.

Lenz spürte, wie sich sein Herzschlag beschleunigte. Wie konnte Anna nur so leichtsinnig sein? Das, was in Augsburg gerade geschah, war brandgefährlich. Schweren Herzens las er weiter:

Ignaz geht es gut, aber er vermisst euch alle.

Der Waldhauser Thomas wird nur eine Woche in Memmingen bleiben, weil er in Augsburg mehr ausrichten kann. Die Begeisterung meiner Glaubensgeschwister hier ist so ansteckend. Ich möchte auch zu diesem Kreis der Auserwählten gehören! Deshalb wird mich der Sedlmaier Jörg taufen. So fühle ich mich auch meinem Bruder Gebhart näher, der für seinen Glauben gestorben ist.

Gott beschütze dich.

Anna

Wütend warf er den Brief auf den Tisch. Er wusste nicht, wie er darauf reagieren sollte. Doch eins war klar: Er konnte nicht tatenlos zusehen.

Die Tür flog auf. Meister Lodweber stürmte herein. „Der Waldhauser hat sein Pferd über den Weinmarkt geführt." Er sah sich um. „Wo sind sie?"

„Sie sind nicht gekommen." Lenz ballte seine Hände zu Fäusten.

„Wieso? Sie wird in Augsburg mehr gebraucht, als hier." Lenz gelang es nicht, die Bitterkeit in seiner Stimme zu verbergen.

„Das kann doch wohl nicht wahr sein", war alles, was Lodweber herausbrachte. „Dann kommt sie gar nicht mehr?" Tränen traten in seine Augen.

Lenz spürte, dass auch der Meister Anna und den Jungen von ganzem Herzen herbeigesehnt hatte. Er ertrug es kaum, den weinenden Hans anzusehen.

Vev kam mit einem Krug Würzwein herein. „Der Waldhauser hat mir auf dem Markt erzählt, dass Anna noch in Augsburg ist. Wir brauchen jetzt erst einmal eine Stärkung." Sie wandte sich an Lenz: „Du hast sicher schon einen Plan?"

„Nein! Sie will sich sogar taufen lassen, wie ihr Bruder. In meinen Augen wird sie immer verbissener und sieht nicht, in welcher Gefahr sie schwebt. Das hat ihr sicher die Adolfin eingeschwatzt. Diese Frau tut ihr nicht gut!"

„Bedenke deine Worte", beschwichtigte Vev. „Nur weil man sich taufen lässt, ist man noch nicht verbissen. Außerdem: Rede nicht so von der Adolfin. Sie setzt sich für ihre Mitmenschen ein und tut viel Gutes. Ich wollte, wir hätten mehr Frauen wie sie hier in Memmingen."

Lenz war beschämt. In seiner Aufgebrachtheit war er zu weit gegangen. „Bitte entschuldige. Aber ich mache mir große Sorgen. Alles, was Anna gerade tut, ist gegen das Gesetz! Das lässt der Rat der Stadt nicht lange mit sich machen. Der baierische Herzog greift ja schon mit eiserner Hand durch."

„Stimmt!", pflichtete ihm Lodweber bei. „Ein Salzhändler hat mir vorgestern erzählt, dass Ende Januar sieben Handwerker aus München verbrannt und drei ihrer Ehefrauen in der Isar ertränkt wurden."

„Mir schaudert bei dem Gedanken, dass das auch Anna zustoßen könnte."

„Umso wichtiger, dass du nach Augsburg gehst und selbst nach dem Rechten siehst", forderte Vev.

„Wie stellst du dir das vor? Ich kann doch nicht einfach nach Augsburg hineinspazieren! Wenn ich Pech habe, werde ich mittlerweile selbst per Haftbefehl gesucht."

Eine Zeit lang schwiegen die drei.

Schließlich ergriff wieder Vev das Wort: „Dann musst du dich verkleiden. Ganz einfach."

„Wie soll das gehen?" Lodweber sah sie fragend an.

„Lenz geht in der Fastnacht hin. Verkleidet mit einem Häs und einer Maske. Als *Wilder Mann* wird er nicht auffallen und kann Anna aufsuchen."

„Als *Wilder Mann*?"

„Das kennt ihr Baierischen nicht. Ich nähe dir ein Häs und du schnitzt dir eine Maske. In zwei Wochen musst du fertig sein. Dann ist Fastnacht."

Kapitel 47

7. Februar Anno Domini 1528, Augsburg

„Ich flehe euch an, seid leise!" Der Sedlmaier Jörg mahnte eindringlich die am Tisch Sitzenden. „Auch wenn die Freude über die Taufe unserer Anna groß ist, müssen wir doch weiterhin vorsichtig sein. In diesen Zeiten weiß man nie, wer vor dem Haus herumschleicht."

Anna, die neben ihm saß, sah ihn besorgt an. „Du traust diesem Hubertus Culinula immer noch nicht über den Weg?"

„Wir müssen weiterhin vorsichtig sein", beharrte Jörg. Er blickte die Adolfin und den Färber-Jos an. „Selbst, wenn ihr beide anderer Meinung seid."

Jos hob in einer abwehrenden Geste die Hände. „Ich habe ihm, wie vereinbart, erzählt, dass wir noch Bedenkzeit brauchen. Nach wie vor finde ich, dass Annas Taufe heute ein schöner Anlass gewesen wäre, um ihn bei uns einzuführen."

„Du hast recht. Aber wir haben dieses Ritual heute bewusst nur in kleinem Rahmen gefeiert. Nur wir und die Brüder und Schwestern, denen du Unterschlupf gewährst. Schließlich besiegelt die Taufe Annas Aufnahme in den Kreis der Auserwählten." Jörg faltete die Hände. „Außerdem hast du diesem Culinula in Aussicht gestellt, dass wir den Beginn der

Fastenzeit am Aschermittwoch mit ihm zusammen begehen wollen."

„Ja, aber er war enttäuscht darüber, dass er noch über zwei Wochen warten soll."

Die weiteren Worte rauschten an Annas Ohren vorbei. Die Befindlichkeiten von diesem Culinula waren ihr momentan egal. Sie brauchte jetzt einen Moment für sich, um Ordnung in ihre Gedanken zu bringen. Sie stand auf. „Ich gehe kurz nach oben, um nach Ignaz zu schauen."

Ihre Füße trugen Anna kaum, als sie sich die Treppe hoch plagte. Die Aufregung der vergangenen Tage hatte sich in eine bleierne Müdigkeit verwandelt. Eingerollt wie eine Katze lag Ignaz auf dem Strohsack, die Decke hochgezogen bis zum Kinn. Anna lehnte sich an die raue Wand und betrachtete liebevoll ihren schlafenden Neffen. Er hatte sich in den letzten Wochen gut entwickelt, war nicht mehr so blass und dünn wie zu Beginn ihrer Zeit in Augsburg. Manchmal stotterte er noch, wenn er aufgeregt war. Es verging kein Tag, an dem er nicht mit dem geschnitzten Bären, den ihm Lenz geschenkt hatte, unter dem Tisch saß und ins Leere starrte. Auch sie vermisste ihn. Die Art, wie er sie ansah, seine Zärtlichkeit, aber auch seine Leidenschaft, die ihr nur eine einzige Nacht vergönnt war. Aber würde sie tatsächlich zu ihm zurückgehen?

Leise knarrend öffnete sich die Tür. „Wir vermissen dich unten." Die Adolfin musterte sie prüfend. „Die Freude über deine Taufe hat nicht lange angehalten", flüsterte sie. „Du wirkst so traurig."

Anna zuckte mit den Schultern. „Ich bin gerade einfach nur erschöpft. Meine Zuversicht, dass ich mich durch die Taufe besser fühlen würde, hat sich bislang nicht erfüllt. Ich betete vorhin inbrünstig dafür, dass eure Begeisterung für den Glauben auf mich überspringen möge, aber ich spüre nichts. In mir glimmt nur ein kleiner Funke, den der sanfteste Windstoß auslöschen könnte."

„Deine Zweifel sind auch mir nicht fremd. Gerade wenn ich vor Müdigkeit aufgrund der vielen Arbeit kaum mehr stehen kann, schleichen sie sich an wie ein Dieb in der Nacht. Trotzdem bin ich von Tag zu Tag mehr überzeugt, das Richtige zu tun. Selbst, wenn das mein Mann anders sieht." Sie legte Annas Hand auf ihren Bauch. „Aber vielleicht besänftigt ihn ja die Nachricht über das neue Leben in meinem Leib. Er wollte immer noch ein drittes Kind."

„Du bist schwanger?" Anna spürte, wie ein unangenehmes Gefühl von Neid in ihr aufstieg. Warum war sie selbst nicht schwanger geworden, nachdem sie bei Lenz gelegen hatte? Sie zwang sich zu einem Lächeln und umarmte die Adolfin. „Das sind doch gute Nachrichten. Umso mehr musst du auf dich und die Frucht in deinem Leib aufpassen. Du weißt selbst, wie schnell man ein Kind verlieren kannst."

Die Adolfin winkte ab. „Ich hatte bisher nie Beschwerden. Du musst dir keine Sorgen machen. Außerdem greifst du mir ja unter die Arme."

9. Februar Anno Domini 1528, Augsburg

Hubertus fragte sich, wann der Rat wohl die Stadttore schließen würde. Seit Wochen strömten ohne Unterlass Männer, Frauen und Kinder aus Baiern und der Umgebung nach Augsburg. Sie drängten sich in den Gassen und auf den Plätzen. Man konnte sehen, dass das nicht nur Hukler waren, die ihre Waren feilboten. Glaubte man den Worten Christofs, waren all diese Menschen ketzerische Wiedertäufer, die sich vor den Schergen des baierischen Herzogs hier in Sicherheit brachten. Hubertus fragte sich, wo die alle unterkamen. Vor allem, weil ihre Beherbergung seit Monaten verboten war. Ganz abgesehen davon, dass diese ausgemergelten Gestalten etwas zu essen brauchten.

Kalter Nieselregen setzte ein. Er steckte die Dokumente, die er soeben auf dem Markt gefunden hatte, unter sein Wams. Schnellen Schrittes eilte er zurück in seine Unterkunft. Christof, der diesen Rapport gefordert hatte, wartete bereits mit mürrischem Gesicht vor dem Gasthof *Weißer Adler*.

„Pünktlichkeit war noch nie deine Stärke."

„Ich habe auch noch etwas anderes zu tun, als hier deinen Dienstboten zu spielen. Vergiss das nicht." Er lotste Christof am neugierigen Wirt vorbei und führte ihn nach oben in seine Kammer. Dort zog er seinen feuchten Mantel aus und legte die Traktate auf den wackeligen Tisch.

„Ich finde, du übertreibst mit deiner Vorsicht." Christof zog sich den einzigen Stuhl heran, während sich Hubertus auf die Bettkante setzte. „Statt unten im Schankraum gemütlich ein kleines Mittagsmahl zu uns zu nehmen, treffen wir uns in dieser kalten, kleinen Kammer."

„Der Plan, die Täufer auszuspionieren, war deine Idee. Ich will nicht, dass dem Färber-Jos zu Ohren kommt, dass ich mich immer noch mit dir treffe."

„Du hast ja recht! Beruhige dich. Sag mir lieber, was du herausgefunden hast. Schließlich hattest du fast drei Wochen Zeit."

Kurz setzte er Christof über den Stand der Dinge ins Bild. „Der Färber hat mir meine Geschichte abgekauft."

„Sehr gut. Und weiter?"

Hubertus hatte schon geahnt, dass Christof mit diesen dürren Erkenntnissen nicht zufrieden sein würde. „Sie wollen mich zu einem Treffen einladen." Dass der Färber-Jos wie versprochen am Sonntag darauf hier war und sich noch Bedenkzeit erbeten hatte, erwähnte er Christof gegenüber nicht.

Der musterte ihn misstrauisch. „Du willst mir damit aber nicht sagen, dass dieses Treffen bisher nicht stattgefunden hat?"

„*Noch* nicht", betonte Hubertus. „Am Aschermittwoch ist es soweit."

„Ich fasse es nicht." Christof schlug mit der flachen Hand auf den Tisch. „Du erzählst mir gerade seelenruhig, dass du nichts weiter hast als ein Gespräch mit dem Färber, während mir der Rehlinger im Genick sitzt." Christof war vor Zorn derart erfüllt, dass kleine Spucketröpfchen auf Hubertus' Gesicht niedergingen. „Augsburg ist mittlerweile das *Gelobte Land* für diese Ketzer. Der Bürgermeister schätzt, dass zwei- bis dreitausend Wiedertäufer hier sind. Du hast nicht die geringste Ahnung, was gerade vor sich geht. Der Rat kann gar nicht so viele festnehmen und ausweisen, wie in die Stadt drängen. Langsam macht sich auch bei den einheimischen Anhängern Luthers und des alten Glaubens Unmut breit, weil das Essen in einem ohnehin kargen Winter nicht für so viele Menschen reicht. Die Schlangen auf den Märkten werden immer länger."

„Das ist mir auch aufgefallen", murmelte Hubertus. Doch *er* sah auch Hoffnung und Zuversicht in den ausgemergelten Gesichtern derjenigen, die hier Schutz suchten. Das würde Christof jedoch nicht verstehen.

„Warum gibst du dich dann mit einem Treffen erst am Aschermittwoch zufrieden? Ich kann meine Predigerstelle vergessen, wenn ich dem Rehlinger nicht bald die Anführer liefere. Der Rat der Stadt hat noch andere Spitzel auf diese Ketzerbrut angesetzt. Wenn die schneller sind, dann ...“

Daher wehte also der Wind. Christof fürchtete wieder einmal um seinen Ruhm. Hubertus versuchte, das Gespräch auf eine andere Ebene zu lenken, damit Christof nicht weiter auf ihm herumhackte: „Was ist, wenn einer der anderen Spitzel deine Anna ans Messer liefert?“

„Du verstehst nichts! Gerade deshalb brauche ich Ergebnisse von dir. Solange ich die Rädelsführer nicht zum Dachser in den Kerker stecken kann, sind mir die Hände gebunden.“

„Vielleicht solltest du schon vorher bei ihr vorsprechen?“

Christofs vor Wut verzerrtes Gesicht entspannte sich und ein spöttisches Grinsen erschien. „Da brauchst *du* dir keine Gedanken zu machen. Mein Plan steht bereits. Ich werde mich am Faschingsdienstag verkleidet unter die Feiernden im Lechviertel begeben. Anna wird sich meinem Charme nicht entziehen können.“

Christof war schon lange fort, als Hubertus immer noch aus der Luke in seiner Kammer starrte. Von hier oben sah man nur die Dächer der Stadt. Die Angst und Unsicherheit lauerte in den Hinterhöfen und engen Gassen. Vermischte sich mit der Hoffnung der Neuankömmlinge auf Gerechtigkeit durch das angekündigte Jüngste Gericht zu Pfingsten. Was, wenn dieser Hut recht hatte?

Kapitel 48

15. Februar Anno Domini 1528, Memmingen

„Du wirst mich nicht einfach einsperren!"
Magdalena war außer sich, und ihre Stimme vibrierte vor unterdrückter Wut. Ihr Onkel wollte sie doch tatsächlich bis zur Entbindung im Mai nicht mehr aus dem Haus lassen. Dann wären ihr völlig die Hände gebunden. Seit Lenz ihr eine deutliche Abfuhr erteilt hatte, zermarterte sie sich den Kopf, wie sie ihn doch noch von einer Heirat überzeugen konnte. Obwohl das Kind nicht von ihm war.
Ein scharfer Schmerz durchfuhr ihren Bauch und zwang sie in die Hocke.
Erschrocken sprang die Pfeiferin auf. Sie packte ihren Mann am Arm und zischte: „Lass Magdalena in Ruhe! Mit deinen gehässigen Stänkereien gefährdest du das Ungeborene. Willst du, dass sie ihr Kind verliert und sich die Memminger wieder über unsere Kinderlosigkeit das Maul zerreißen?"
Ihre Hand abschüttelnd herrschte er seine Frau an: „Sie werden auch über uns herziehen, wenn es mit einem Mal *zwei* Schwangere in unserem Haus gibt. Wäre das besser?"
„Das lass meine Sorge sein. Magdalena ist groß und man bemerkt sogar ohne Umhang den Bauch nur, wenn man genau hinsieht. Mit ihrem weiten Mantel

kann sie auf jeden Fall noch bis zum Frühjahr raus. Was dann ist, werden wir sehen."

Ohne ein weiteres Wort stürmte der Weber aus der Kuchl.

Magdalena atmete erleichtert auf. Sie hoffte, dass er sie künftig in Ruhe ließ. Vorsichtig stand sie auf und rieb sich den Bauch. Der Schmerz war weg.

„Geht es wieder?"

„Ja, aber ich muss an die frische Luft."

„Ich begleite dich", bot ihr die Pfeiferin eilfertig an.

Widerwillig stimmte Magdalena zu. Eigentlich hätte sie lieber Zeit für sich allein gehabt, doch ein nagendes Unbehagen wegen ihrer Tante ließ sie nicht los. Diese hatte sich gerade gegen ihren aufbrausenden Ehemann durchgesetzt, nur um endlich ein Kind in ihren Armen zu halten. Sie selbst dagegen, würde das Neugeborene leichtfertig abgeben, sollte ihr Plan, Lenz zu gewinnen, nicht aufgehen. Doch so weit war es noch nicht.

Als sie auf die Gasse traten, sattelte dort ein Mann gerade sein Pferd auf. „Guten Morgen zusammen. Auch unterwegs in die Kirche, wie Euer Gatte gerade eben, Frau Pfeifer?"

„Nein, Ihr wisst ja ..." Sie deutete auf ihren Bauch. „Mir geht es heute nicht gut und meine Nichte aus Landsberg begleitet mich nur auf einen kurzen Spaziergang, bevor ich dann wieder ruhe. Gott hat mir mit ihr wahrhaftig eine große Hilfe geschickt."

„Die Wege des Herrn sind unergründlich." Mit diesen Worten schnürte er seinen Reisesack fest.

Magdalena horchte auf. Den Worten nach zu urteilen, musste er ein Geistlicher sein und sie ahnte auch schon, wer. „Ihr verreist?", sprach sie ihn an.

Er sah kurz auf. „Ich bin auf dem Weg nach Augsburg."

„Dann seid Ihr sicher der Waldhauser Thomas. Meine Tante hat mir schon viel Gutes von Euch erzählt." Sie ignorierte das leichte Drücken an ihrem Arm, mit dem sie die Weberin zum Weitergehen aufforderte.

Ihr Kompliment schien ihn zu überraschen. Sein verblüffter Blick traf den ihren und sie senkte mit gespielter Schüchternheit den Kopf.

„Das freut mich zu hören. Was spricht man denn so über mich?"

„Ihr habt doch die Schuster Anna mit ihrem Neffen auf dem gefährlichen Weg nach Augsburg begleitet."

„Das war doch nicht der Rede wert", beschwichtigte er. Doch an seiner Stimme hörte Magdalena, dass ihm vor Stolz gerade der Kamm schwoll. Ihre Augen weit aufgerissen, sah sie ihn bewundernd an. „Für schwache Frauen wie mich seid Ihr ein Held." Magdalena deutete auf das Pferd. „Holt Ihr sie jetzt wieder ab?"

„Nein, nein. Ihren ursprünglichen Plan, mit mir an Lichtmess zurückzukommen, hat sie aufgegeben. Der Meister, bei dem sie untergekommen ist, braucht gerade jede helfende Hand. Ich selbst bin jetzt auch für längere Zeit in Augsburg. Die Menschen dort benötigen meine geistliche Begleitung."

Magdalena hatte genug gehört. „Dann wünsche ich Euch eine gute Reise." Zu ihrer Tante gewandt, fuhr sie fort: „Wir beide gehen noch die kurze Strecke bis zum Gefängnisturm, damit du dich nicht überanstrengst." Mit einem kurzen Winken verabschiedete sie sich vom Waldhauser und zog die Weberin mit sich.

Als sie außer Sichtweite waren, blieb die Webersfrau stehen und musterte ihre Nichte empört. „Wie kannst du behaupten, dass ich ihn gelobt habe? Früher vielleicht. Seine Predigten haben in Memmingen alle mitgerissen. Aber das hat dem hohen Herrn ja nicht gereicht. Mittlerweile ist er ein Ketzer, der Luther und Zwingli in Frage stellt. Hoffentlich bleibt er für immer in Augsburg. Da passt er hin. Hukler und Fuhrleute, die von dort kommen, erzählen die schlimmsten Schauergeschichten. Die geflüchteten Ketzer überschwemmen die Stadt wie eine Rattenplage. Von wegen geistlicher Beistand. Mit seinen Weltuntergangsfantasien zündelt er vermutlich an allen Ecken und Enden. Das hat dank unseres Rates bislang hier in Memmingen nicht funktioniert. Wie man so hört, schaut die Augsburger Obrigkeit auch nicht mehr lange zu. Dann landet das ganze Pack im Kerker oder wird gleich verbrannt."

„Woher weißt du das?" Magdalena war erstaunt.

„Man redet schließlich mit den Nachbarn. Sie haben den Waldhauser aus Barmherzigkeit bei sich wohnen lassen. Sein Geschwätz vom bevorstehenden Weltengericht nimmt hier niemand ernst. Die hiesigen Täufer wollen sich zum Beten treffen. Von ihnen weiß ich auch, dass er diese Anna mitgenommen hat, die uns übrigens nichts angeht."

„Ich habe nur wegen der Magd vom Lodweber gefragt. Schließlich hat sie dir getrocknete Äpfel gebracht." Magdalena hoffte inständig, dass ihre Tante die Heuchelei in ihrer Stimme nicht bemerkte.

Die nickte eifrig. „Ja, die Vev ist eine Gute. Wenn ihr die Arbeit zu viel wird, muss der Lodweber sich eben eine neue Hilfe suchen. Und dieser Lenz ist trotz der Narbe im Gesicht ein schmucker Bursche. Der wird bald eine andere Frau freien. Schließlich will er in der Zimmererzunft bleiben."

Die Erkenntnis traf Magdalena wie ein Blitz: Diese Anna war eine Ketzerin! Hatte sich Lenz in Landsberg versteckt, weil er insgeheim auch ein Anhänger der Idee vom nahenden Jüngsten Gericht war? Vielleicht konnte sie Lenz mit diesem Wissen doch noch für sich gewinnen!

Kapitel 49

22. Februar Anno Domini 1528, Memmingen

Es war eiskalt in der Klosterkirche der Augustiner. Lenz und der Lodweber Hans standen zusammen mit einem halben Hundert Männer fröstelnd am Altar der Schützenbruderschaft und lauschten einem Mönch, der die lateinische Messe lustlos herunterleierte.

„Ich wusste gar nicht, dass hier noch die altgläubige Messe gelesen wird", flüsterte Lenz.

„Der Rat ist gerade bestrebt, die Kontrolle über das Kloster zu erlangen. Bis es soweit ist, lesen diese Burschen immer noch *ihre* Messe. Das soll uns aber nicht weiter kümmern. Wir melden uns nachher beim Schützenmeister und dann geht es raus vor die Mauern der Stadt."

„Die Schießbahn ist östlich des Ulmer Tores, habe ich recht?"

Der Mönch hielt in seinem Sermon inne und räusperte sich hörbar. Missmutig fixierte er Lodweber und Lenz, bevor er seinen Singsang wieder aufnahm. Nach dem Ende der Messe verließ der Augustiner grußlos die Kirche.

Kaum, dass er verschwunden war, sprach Lodweber beim Schützenmeister vor. Wie erhofft, hieß der Lenz überschwänglich willkommen. „Arkebusen-

Schützen können wir gut gebrauchen. Wir haben sogar zehn neue Waffen in Italien gekauft. Die sind deutlich leichter als die alten Modelle, die in der Schlacht von Pavia zum Einsatz kamen. Hast du eine eigene Waffe?"

Lenz war dieses sorglose Fachsimpeln über Mordwerkzeuge zuwider. Er war doch nur hier, um seinen Status als Beisitz der Stadt Memmingen zu erreichen. „Ich kann die Arkebuse von Meister Hans benutzen."

„Die stammt aus Nürnberg und hat schon zwanzig Jahre auf dem Buckel. Ist aber gut gepflegt."

„Kommt in einer Stunde zum Ulmer Tor. Ich teile euch dort einer Übungsgruppe zu."

Um die elfte Stunde fanden sich Lenz und Lodweber vor dem Ulmer Tor ein. Dort trafen sie auf Zunftmeister Hewel, umringt von anderen Zimmerern. Im Gegensatz zum Zunftmeister begrüßten sie die meisten herzlich. Lenz wuchtete die schwere Arkebuse von seiner schmerzenden Schulter. Lodweber dagegen trug nur die Schützentasche und den Gabelstock.

„Trägst du deinem Gesellen jetzt schon Pulver und Blei hinterher?", spottete Hewel.

„Nein, Georg, ich komme nur meiner Pflicht als Zunftbruder nach. Ich zeige dem Lenz alles, damit er künftig alleine hergehen kann."

Bevor es zu weiteren Sticheleien durch Hewel kam, beorderte der Schützenmeister Lenz und Lodweber in eine andere Übungsgruppe als den Zunftmeister. Sie marschierten über den Tummelplatz vor dem Gefängnisturm. Lenz sah hinüber zum kleinen Wäldchen vor dem Turm, wo er sich vor einem Vierteljahr mit Magdalena getroffen hatte. Beim Gedanken daran stieg ihm jetzt noch die Galle hoch.

„So in Gedanken wirst du nichts treffen", feixte Lodweber. „Wir sind gleich da. Da vorne liegt der Rennweg, wo die Schützen üben."

Eine Hütte kam in Sicht. Die einzelnen Schützengruppen stellten sich zunächst in 50 Schritten Entfernung zu den Zielscheiben auf. Lenz lud die Waffe und kam als einer der Letzten an die Reihe. Das Ziel war ein Wagenrad, das mit einer Haut bespannt war, in der Mitte mit einem aufgemalten schwarzen Kreis. Lenz kannte diese Art der Übungen aus Landsberg, wo man in einem Graben östlich des Baiertors übte. Er legte seine Arkebuse auf dem Gabelstock auf und blies noch einmal die Lunte zur Glut. Dann visierte er das Wagenrad an, schloss die Augen und drückte die Lunte auf die Pulverpfanne. Der Explosionslärm und der Rückstoß weckten in ihm düstere Erinnerungen an das Gemetzel in Kleinkitzighofen.

Sogleich stellte sich heraus, dass er nicht getroffen hatte.

Von gegenüber ertönte die spöttische Stimme des Hewel Georg: „Vielleicht wäre es besser, wenn wir dir eine klapprige Armbrust geben? Bolzen haben wir genug im städtischen Magazin. Pulver und Blei sind zu teuer für dich."

„Hör nicht auf ihn", raunte ihm Lodweber zu. „Der will dich nur aus der Reserve locken." An den Zunftmeister gewandt erklärte er: „Der Lenz kennt die Waffe noch nicht. Er muss sie erst einschießen."

Aber auch bei 75 Schritt Entfernung schoss er im Gegensatz zum Hewel vorbei.

Zu guter Letzt wurde auf 100 Schritt eine hölzerne Krähe auf einem zehn Fuß hohen Stab aufgestellt.

„Spar dir dein Pulver, Kirchperger. Die triffst du noch weniger als ein Wagenrad." Der Hewel grinste, während er seine prächtige italienische Arkebuse lud.

Doch bei Lenz war nun der Ehrgeiz geweckt. Keiner der Schützen vor ihm traf das Unikum aus Lindenholz. Als Lenz endlich an der Reihe war, peilte er über das metallene Rohr auf den Vogel und schoss. Nur Augenblicke später zersplitterte die hölzerne Krähe in viele Einzelteile und die anderen Schützen brachen in Jubel aus.

Lodweber kam auf ihn zugerannt. Enthusiastisch schlug er ihm auf die Schulter. „Du hast den Vogel abgeschossen!" Mit einem Seitenblick auf den mürrisch dreinblickenden Zunftmeister ergänzte er: „Das ist dem Hewel noch nie geglückt. Damit hast

du dir eine Reputation geschaffen, auf der du auf-
bauen kannst. In der Schützenbruderschaft – und in
der Zunft. Gut gemacht.“

23. Februar Anno Domini 1528, Memmingen

Es war noch stockfinstere Nacht, als Lenz die Holzmaske hervorholte, die er in den letzten beiden Wochen aus Lindenholz geschnitzt hatte. Sie zeigte das
verzerrte Gesicht eines alten Mannes mit schwar-
zem Bart. Dazu hatte ihm Vev ein Häs genäht, das
aus Fellteilen und Moosflechten bestand. Er würde
sich als *Wilder Mann* in die Fastnacht stürzen, wobei er nicht wusste, wie er Anna in dem Durcheinander einer feiernden Stadt finden sollte. Mit entschlossener Miene packte er die Maske zum Häs in
seine Schultertasche. Er verließ seine Kammer und
ging hinunter in die noch kalte Kuchl, wo Vev gerade das Feuer anschürte. Die züngelnden Flammen
hatten etwas Tröstliches und vertrieben für einen
kurzen Moment seine Sorgen.
„Auf dem Tisch liegt ein Beutel. Da sind ein Laib
Brot und ein Käse drin. Das wird bis Augsburg reichen.“
Der Lodweber Hans schlurfte herein und brachte
einen Schlauch Bier. „Damit du nicht verdurstest
auf dem Weg. Zielwasser brauchst du ja nicht, wie
wir seit gestern wissen.“ Lodweber gab ihm einen

aufmunternden Schlag auf den Rücken. „Dein Pferd habe ich schon gesattelt. Am besten reitest du über Erkheim direkt nach Schwabmünchen und meidest Mindelheim. In den Gasthäusern dort gibt es zu viele neugierige Augen. Wenn du in Schwabmünchen bist, schau, dass du bei deinem Zelter im Stall schlafen kannst. So wirst du nicht behelligt."

„Ich werde mich schon nicht verlaufen."

„Häs und Maske legst du am besten an, bevor du das Haunstetter Tor erreichst. Wenn du Glück hast, lassen sie dich hinein, ohne dass sie dein Gesicht sehen wollen. Immerhin ist morgen Fastnacht, und die Wachen werden nicht mehr ganz nüchtern sein."

„Das ist auch meine Hoffnung." Lenz griff sich den Beutel mit den Viktualien.

„Alles wird gut." Vev ging zur Tür, wo früher der Weihwasserbehälter hing. Sie brach ein Stück des Salzkringels ab und gab es Lenz auf die Hand. „Eine gesegnete Reise und eine glückliche Wiederkehr."

Lenz schob das Stück in den Mund, bekreuzigte sich und ging hinunter in den kleinen Stall neben dem Reißboden.

Kapitel 50

24. Februar Anno Domini 1528, Fastnacht, Augsburg

Anderntags erreichte ein kostümierter Lenz um die zehnte Stunde das Haunstetter Tor. Der Morgennebel hatte sich noch nicht verzogen, sodass man das heruntergekommene Stadttor nur zur Hälfte sah. Wie vom Lodweber vorausgesagt, ignorierte ihn die Wache und er gelangte unbehelligt in die Stadt. Er folgte der Spitalgasse bis zum Milchberg, wo er auf eine Gruppe tanzender Menschen traf. Die meisten waren verkleidet und tranken Bier aus einem Fass. Die Fastnacht ließ sie ihre Armut wenigstens für einen Tag vergessen.

In der Bäckergasse war weniger los. Hier quartierte er sich im *Weißen Adler* ein, wo er früher schon gewohnt hatte. Dort versorgte er seinen Zelter, bevor er ins Lechviertel aufbrach.

Nach wenigen Schritten erreichte er den Konvent der *Schwestern der freiwilligen Armut am Schwall*, wo sich der Schwalllech in den Mittleren und Hinteren Lech teilte. Hier stand ein altgläubiger Priester und hielt die Menschen zum Maßhalten an. Sein Sermon verhallte jedoch ungehört im Gelächter der Vorübergehenden. Was ein paar Krüge Bier und eine Maske zum Verstecken doch ausmachten, dachte Lenz.

In den engen Gassen des Lechviertels herrschte dichtes Gedränge. Doch mit Häs und Maske fühlte sich auch Lenz sicher. Nun war es nicht mehr weit bis zum Haus des Färber-Jos.

Christof verließ das prächtige Haus der Familie Rehlinger, verkleidet mit einer Frauenmaske und einem Häs aus Stoffresten. Die Maske stammte von einem venezianischen Händler auf dem Eiermarkt. Das Häs hatte ihm die Mutter eines Schülers am Sankt-Anna-Gymnasium geschneidert.

Beim Brunnen vor dem Siegelhaus traf er auf eine Gruppe verkleideter Teufel, die mit alten Weibern um die Wette tanzte. Ungehemmt griffen die Tanzenden dabei nach ihren Lenden. Die aufgehende Sonne löste den Nebel auf, sodass im Norden der Turm der Moritzkirche aus der Nebeldecke hervorragte. Daneben war das Tanzhaus. In einer Stunde würde dort der traditionelle Herrentanz der elf Junggesellen aufgeführt. Der Bürgermeister hatte ihm erzählt, dass dieses Ereignis jedes Jahr viele Menschen aus der Stadt und ihrer Umgebung anzog. Doch Christof ließ das Spektakel kalt. Stattdessen plante er, verkleidet ins Lechviertel zu schleichen, um dort unbemerkt Anna zu beobachten.

Auf dem Weinmarkt drängten sich unzählige Menschen. Auch hier fielen ihm zwei Männer auf, die einer jungen Frau ungeniert an die üppigen Brüste fassten. Verächtlich beobachtete Christof das lästerliche Treiben. Er verstand nicht, dass der Rat dieses anarchische Schauspiel überhaupt zuließ. Vermutlich wurden heute mehr Bankerte gezeugt als an jedem anderen Tag im Jahr. Ihn ekelte es, wie hemmungslos sich die Augsburger Bürger den niedrigsten Trieben hingaben. Es wurde gefressen, gesoffen und gehurt! Sodom und Gomorrha in *der* Stadt, die einst Luther während seiner Befragung durch Kardinal Kajetan so triumphal begrüßt hatte.

Die Aussicht, Anna zu sehen, vielleicht sogar anzusprechen, trieb ihn weiter.

Lenz kam im dichten Gedränge kaum vorwärts. Am Eingang zur Hinteren Lechgasse staute sich alles, weil dort ein Händler Schmalzgebäck verkaufte. Es war schon halb elf, als er endlich das Haus des Färber-Jos erreichte. Nun galt es! Er holte tief Luft und klopfte an die Haustüre.

Drinnen blieb es still.

Lenz drückte die Klinke, doch die Tür war verschlossen. „Mist!" Er hatte nicht damit gerechnet, dass Anna und Jos auch feiern könnten.

„Sucht Ihr den Färber-Jos?"

Lenz fuhr herum. Es war Maria, die ehemalige Magd von Meister Kießling. „Wisst Ihr, wo er ist?" Er sah ihr in die Augen und bemerkte sofort das Zögern, das kaum merklich in ihrem Blick lag. Es war offensichtlich, dass sie mehr wusste, als sie preisgeben wollte. Lenz musste es riskieren und zog seine Holzmaske vom Gesicht.

Maria ließ ihren Korb fallen. „Lenz! Wo kommst du her?" Sie sah sich ängstlich um und senkte ihre Stimme. „Setz deine Maske wieder auf! Hier gibt es überall Spitzel."

„Weißt du, wo Anna und Jos sind?"

Sie beugte sich zu seinem Ohr und raunte: „Sie holen gerade etwas zu essen."

„Etwas zu essen? Gemeinsam?"

„Der Jos hat ein halbes Dutzend Flüchtlinge im Speicher versteckt."

Das war ja schlimmer, als er befürchtet hatte. „Ich muss sie sprechen. Wo sind sie?"

„Die beiden sind zum Rathausplatz. Dahinter im Fuggergässlein hat die Familie der Rehlingerin ein altes Lagerhaus."

„Die Frau des Bürgermeisters?"

„Die Rehlingerin unterstützt uns. Dort wird für viele Flüchtlinge gekocht. Aber ihr Mann weiß nichts davon."

„Wo finde ich dieses Fuggergässlein?"

„Es liegt etwas abseits zwischen der Moritzkirche und Sankt Anna. Aber nimm die Gassen Richtung Eisenberg. Über den Platz bei der Moritzkirche Richtung Rathaus ist heute kein Durchkommen."

Dankbar drückte er der Magd die Hand und machte sich auf den Weg. Seine anfängliche Zuversicht begann zu bröckeln wie das Holz eines morschen Dachstuhls. Wie sollte er Anna in diesem Gewühl nur finden?

Hubertus hatte erwartet, dass sich Christof als edler Ritter unter das feiernde Volk mischen würde. Doch als er ihn im schattigen Eingang eines Hauses erblickte, musste er sich das Lachen verkneifen. Ein Frauenkostüm? Glaubte sein verschlagener Freund wirklich, dass Anna auf diese lächerliche Verkleidung hereinfallen würde? Christof wischte sich den Schweiß von der Stirn und rückte nervös die Maske zurecht, während seine Augen rastlos hin und her sprangen. Hubertus überlegte kurz, ihn mit einem spöttischen Kommentar zu necken, ließ es jedoch bleiben. Er hatte ihn ohnehin für kommenden Freitag einbestellt. Da würde ihn Christof wieder ausquetschen.

Er ließ sich mit der Menge Richtung Rathausplatz treiben. Dort traute er seinen Augen nicht. Der Färber-Jos und Anna! Beide unverkleidet, wie er selbst. Sie zogen einen zweirädrigen, mit einer Plane abgedeckten Karren und steuerten auf den Eisenberg zu, der zu den Lechgassen hinunter führte. Beim Haus des Färbers würden sie unweigerlich auf Christof treffen. Wenn er den Wagen sah und erkannte, dass sie vermutlich Essen transportierten, würde er sofort eins und eins zusammenzählen. In seinem fanatischen Hass auf die Wiedertäufer würde er Jos ohne Zögern verhaften lassen und Anna erpressen.

Sein Herz hämmerte gegen seine Brust. Hubertus musste sie warnen, bevor es zu spät war. Mit einer Mischung aus Entschlossenheit und Angst drängte er sich mit seinen Ellbogen durch die dichte Menge. Jeder Schritt fühlte sich an wie ein Kampf gegen die Zeit. Endlich erreichte er den Karren. „Halt!", rief er außer Atem. „Ich muss mit Euch reden!"

Sie hatten ihn erkannt, doch unbeirrt schoben sie das Gefährt weiter. Seine Rufe anzuhalten gingen im Lärm der Menge unter. Kurzentschlossen nahm er Anna die Zugstange aus den Händen.

Wütend zischte sie: „Verfolgt Ihr uns auch hier?" Panisch sah sie sich um. „Ich ahnte, dass man Euch nicht trauen kann."

Der Färber-Jos, der von hinten angeschoben hatte, packte Hubertus am Kragen. Der versuchte, sich aus dem Griff zu befreien, doch die Hände des Färbers hielten ihn wie in einem Schraubstock unnachgiebig gefangen.

„Ihr versteht nicht. Ich will Euch helfen!", krächzte Hubertus. „Vor Eurem Haus wartet der Pfettner. Ihr transportiert sicher Viktualien für die Flüchtlinge in Eurem Haus. Wenn er Euch damit erwischt, seid Ihr verloren."

„Die Raben sollen ihn fressen", fluchte der Färber. Augenblicklich ließ er Hubertus los und drängte den Karren energisch durch das Gewühl, bis er an einer Hauswand zum Stehen kam. Sie starrten sich wortlos an. „Was schlagt Ihr vor?"

„Bringt den Wagen dorthin zurück, wo Ihr hergekommen seid. Im Lechviertel ist es heute nicht sicher. Ich kann Euch helfen."

Der Färber-Jos zögerte.

„Ich werde niemandem verraten, wo das Lagerhaus ist. Vertraut mir."

Mit vereinten Kräften schoben sie das Gefährt über das holprige Pflaster zurück.

Hubertus staunte nicht schlecht, als er das noch gut erhaltene Gebäude sah. „Da habt Ihr einen wohlhabenden und den Täufern geneigten Gönner, wenn er Euch so ein Gemäuer überlässt."

Ohne auf die unausgesprochene Frage einzugehen, trat der Färber-Jos auf ihn zu. „Habt Dank für Eure Hilfe. Wir treffen uns morgen Abend Schlag sieben bei mir, um gemeinsam den Beginn der Fastenzeit zu begehen. Wir würden uns freuen, wenn *du* dabei bist."

Der Färber war unvermittelt von der förmlichen Anrede in die vertrauensvollere Form gewechselt.

Hubertus senkte den Kopf, um dem forschenden Blick zu entkommen. Eine Welle der Scham überkam ihn; er fühlte sich wie der verlogenste Mensch auf Erden. Vielleicht wäre es klüger gewesen, sie ins offene Messer laufen zu lassen, um seinen eigenen Namen rein zu halten. Doch er wusste, dass Christof bei ihrem nächsten Treffen alles aus ihm herauspressen würde, was er über das morgige Beisammensein wusste. Der Gedanke daran legte sich wie ein schwerer Mühlstein um seinen Hals. Um jedoch keinen Verdacht zu erregen, setzte er ein freundliches Lächeln auf, winkte zum Abschied und verschwand hastig. Den *Wilden Mann*, der Anna und den Färber ansprach, sah er nicht mehr.

Kapitel 51

24. Februar Anno Domini 1528, Augsburg

„Lenz!" Annas Gesicht strahlte vor freudigem Erschrecken.

Der Färber-Jos schien von seinem Erscheinen weniger begeistert zu sein. Er klopfte ihm nur kurz auf die Schulter und begab sich zum Tor des Lagerhauses. Auf seinen leisen Ruf hin öffnete es sich knarrend einen Spalt. Nach einem kurzen, hastigen Wortwechsel manövrierte er den Karren hinein.

Anna nahm Lenz an der Hand. „Was machst du hier?"

Bevor er antworten konnte, war der Färber-Jos bereits wieder bei ihnen. „Ihr habt sicherlich einiges zu besprechen. Ich gehe derweil zurück zur Werkstatt." Er sah sich um. „Hoffentlich verliert dieser Pfettner bald die Geduld, uns zu bespitzeln. Zumindest heute wird er keinen Verdacht schöpfen, weil auch unsere Brüder und Schwestern zusammen mit dem Jörg im Faschingstreiben unterwegs sind."

„Christof stellt euch wieder nach?" Dass sein ehemaliger Freund aus Landsberg erneut seine Fallstricke auslegte, erschreckte Lenz bis ins Mark.

„Scheint so. Das haben wir gerade durch einen Freund erfahren. Der Hundsfott will sich wieder profilieren. Jetzt, wo der Rat wegen der vielen

Flüchtlinge nervös ist", erwiderte Jos mit scharfer Stimme.

„Dann komme ich ja gerade richtig."

Der finstere Blick des Färber-Jos sprach Bände. Vermutlich ahnte er, dass Lenz hier war, um Anna und Ignaz mitzunehmen. Er deutete auf das Lagerhaus. „Für heute Abend reicht das Essen noch, aber spätestens morgen früh müssen wir wieder herkommen, um Nachschub zu holen." Wortlos drehte er sich um und stapfte Richtung Rathausplatz davon.

Einige Betrunkene torkelten vorbei und rissen zotige Witze. Anna zog Lenz hinter das Lagerhaus im Fuggergässlein, wo sie vor neugierigen Blicken geschützt waren.

Er zog sie an sich. „Ich habe dich so vermisst", flüsterte er in ihr Ohr, während seine Lippen sanft ihr Ohrläppchen liebkosten. Ihr Körper wurde weich und sie schmiegte sich an ihn. Für den Hauch eines Augenblicks waren sie sich wieder so nah wie damals, als sie beieinandergelegen waren. Aber dieses Gefühl war nur von kurzer Dauer. Abrupt schob sie ihn von sich und sah ihn fragend an. „Warum bist du hier?"

„Kannst du dir das nicht denken?" Ohne ihre Antwort abzuwarten, fuhr er fort: „Ist Ignaz bei der Adolfin? Dann holen wir ihn gleich ab. Wenn wir heute noch aus der Stadt kommen, sind wir übermorgen in Memmingen."

Annas goldene Augen verdüsterten sich. „Du bleibst also nicht." Sie trat einen Schritt zurück und er spürte förmlich, wie sich eine unsichtbare Mauer der Ablehnung zwischen ihnen auftürmte.

„Wie stellst du dir das vor? In Memmingen wartet Arbeit auf mich und ich muss meine Pflichten als Beisitz erfüllen." Er nahm ihre Hand. „Jetzt, da Magdalena nicht mehr zwischen uns steht, können wir endlich heiraten. Das wolltest du doch auch." In knappen Worten schilderte er Magdalenas Ränkespiel in der Hoffnung, Anna würde sich dadurch endgültig überzeugen lassen.

Ihr Gesichtsausdruck blieb jedoch regungslos.

„Du scheinst dich nicht darüber zu freuen, dass sich die ganze Sache in Wohlgefallen aufgelöst hat."

Ihr tiefer Atemzug klang wie ein Seufzer. „Ganz abgesehen davon, dass ich an diesem *Wohlgefallen* zweifle: Ich kann momentan nicht weg von hier. Das stand auch in meinem Brief, weshalb ich nicht verstehe, warum du trotzdem hergekommen bist."

„Warum verstehst du das nicht?" Lenz war fassungslos. „Augsburg gleicht mit den vielen Flüchtlingen einem Pulverfass."

Anna sah ihn nur stumm an.

„Reicht das nicht als Grund, dass du so schnell als möglich die Stadt verlässt? Du bringst nicht nur dich selbst, sondern auch Ignaz in Gefahr."

Aufgebracht schleuderte ihm Anna entgegen: „Lass Ignaz aus dem Spiel! Es geht ihm gut. Es geht uns beiden gut, um genau zu sein. Der Sedlmaier Jörg hat mich vor zwei Wochen getauft. Ich gehöre jetzt zum Kreis der Auserwählten und lasse meine Glaubensgeschwister nicht im Stich."

Lenz flehte: „Ich bitte dich inständig: Komm mit!"

Sie schüttelte den Kopf. „Außerdem ist Susanna wieder schwanger. Sie ist mit ihren zweiunddreißig Lenzen nicht mehr die Jüngste. Gerade jetzt braucht sie meine Unterstützung."

Ihre Weigerung mitzukommen, traf ihn wie ein heftiger Schlag in den Bauch. Er ließ ihre Hand los. Er konnte nicht verhindern, dass ihm Tränen übers Gesicht liefen und sich in seinem Bart verfingen. Mit brüchiger Stimme sagte er: „Die Täufer sind dir wichtiger als ich." Er wandte sich zum Gehen. „Leb wohl!", war alles, was er noch hervorbrachte.

Anna lief zu ihm.

Er drehte sich zu ihr um, sah ihr schmales Gesicht durch einen Tränenschleier.

„Ich komme mit!"

Lenz begriff nicht. „Was?"

„Aber erst an Ostern. Ich will noch mit meinen Glaubensgeschwistern das Fest der Auferstehung des Herrn feiern."

Er schüttelte langsam den Kopf. „Du hast immer wieder neue Ausflüchte. Bis morgen früh bin ich noch im *Weißen Adler* in der Bäckergasse. Es liegt nun an dir." Ohne einen weiteren Blick zurück verließ er sie.

26. Februar Anno Domini 1528,
auf dem Weg zurück nach Memmingen

Mit den letzten Sonnenstrahlen erreichte Lenz das Lodweber-Haus hinter dem Weinmarkt. Allein, denn Anna war nicht in den *Weißen Adler* gekommen! Den ganzen Ritt zurück nach Memmingen hatte er sich den Kopf zerbrochen, wie er sie doch noch hätte umstimmen können. Aber in seinem Innersten wusste er, dass jeder weitere Überzeugungsversuch zum Scheitern verurteilt war. Anna hatte sich verändert. Ihre hilflose Verzweiflung nach den Geschehnissen in Landsberg war einer trotzigen Entschlossenheit gewichen. Dieser Hut hatte sie mit seinen Prophetien in den Bann gezogen. Das Entsetzen über seinen Tod und eine kämpferische Wut, jetzt erst recht die Auserwählten zu sammeln, beherrschten sie. Dabei konnte er Anna und ihren Bruder in ihrer Besessenheit sogar verstehen. Anstatt den leeren Worten der Pfaffen zu glauben, die das armselige Dasein der Bauern als gottgewollt ansahen und auf ein Leben nach dem Tod vertrösteten, hofften diese nun auf göttliche Gerechtigkeit beim angeblichen Weltengericht an Pfingsten.

Wieso aber ein wohlhabender Sedlbauer wie Jörg dieser Sache auch anhing, verwunderte ihn. Jörg hatte mittlerweile alles verloren und versprach als taufender Missionar den Suchenden das Seelenheil. Lenz glaubte nicht an die Hut'schen Versprechungen eines besseren Lebens im Diesseits, wusste aber um deren Macht. Das Wutgebrüll der Bauern auf dem Schlachtfeld in Kleinkitzighofen klang immer noch in seinen Ohren, wenn er daran dachte. Nur mit Dreschflegeln und rostigen Sensen bewaffnet, hatten sie sich in den ungleichen Kampf gestürzt. Tausende von ihnen hatten diesen Irrsinn mit dem Leben bezahlt. Die Hoffnung auf Gerechtigkeit im Hier und jetzt jedoch lebte weiter und fand eine neue Heimat bei den Täufern.

Lenz wollte nicht zu den Auserwählten gehören. Gleichzeitig schmerzte es ihn, Anna an diese Sekte zu verlieren. Und doch blieb ihm nichts anderes übrig, als an Ostern erneut nach Augsburg zu reiten, denn eine düstere Ahnung und die Angst um Anna und Ignaz wütete wie ein unsichtbarer Dämon ihn ihm.

Kapitel 52

3. März Anno Domini 1528, Landsberg

Die Mitterhuber Kreszentia rutschte unruhig auf der Bank unter dem Herrgottswinkel der Kirchpergers hin und her. Fast zwei Monate waren vergangen, seit Lienhart aus Memmingen zurückgekehrt war. Seine Worte hallten immer noch in ihrem Kopf wider und raubten ihr den Schlaf.

Magdalena hatte alle hinters Licht geführt. Dass Lienhart bei Lenz den ganzen Schwindel aufgedeckt hatte, hieß aber noch lange nicht, dass nun Ruhe eingekehrt war. Kreszentia kannte ihre Tochter.

Julia stellte zwei Becher mit würzig duftendem Kräutersud auf den Tisch und setzte sich zu ihr. „Du bist vermutlich nicht hergekommen, um einen heißen Aufguss mit mir zu trinken, oder?"

„Ich halte diese Ungewissheit nicht mehr aus. Es ist, als ob ein Wurm unaufhörlich an meinem Herzen nagt. Habt ihr Neuigkeiten aus Memmingen?"

„Nein. Wir haben das getan, was nötig war, um weiteres Unglück zu verhindern. Das war aber nur möglich, weil du uns eingeweiht hast. Dafür sind wir dir sehr dankbar. Jetzt bete ich dafür, dass sich alles so fügt, wie es soll."

Kreszentias Schultern fielen herab, als ob ihr jemand eine große Last auferlegt hätte. Enttäuscht flüsterte sie: „Insgeheim hoffe ich noch immer, dass dein Lenz und meine Magdalena doch noch zueinander finden."

„Sei keine Närrin! Deine Tochter wird wie geplant, deiner Schwester das Kind überlassen und im Sommer den Kistler Bartholomäus heiraten. Damit ist allen geholfen."

Kreszentia knetete ihre Finger. „Gebe Gott, dass sich Magdalena fügt."

„Was meinst du damit?"

„Meine Tochter hat ihren eigenen Kopf. Sie erträgt es nicht, wenn sie nicht bekommt, was sie will."

„Dann wird sie es eben lernen müssen", erklärte Julia entschieden. „Besser jetzt als nie."

„Da hast du wohl recht." Kreszentia erhob sich.

„Bevor du gehst: Hast du deinem Mann eigentlich schon reinen Wein eingeschenkt?"

„Dass Magdalena von Anfang an nur wegen Lenz nach Memmingen wollte, habe ich ihm noch nicht gebeichtet."

„Und das mit dem Hauner?"

„Auch nicht. Wobei ich glaube, dass meine Mantelfibel den Hauner zufriedengestellt hat. Er hat mir seit Wochen nicht mehr aufgelauert."

„Aber irgendwann musst du es deinem Mann sagen."

„Nein", schoss Zenzi zurück. „Alfons darf nichts erfahren. Seit der Wirtshausschlägerei sieht er sofort rot, wenn ich den Hauner nur erwähne. Ich fürchte mich vor seinem Jähzorn."

Es dämmerte bereits und ein leichter Nieselregen setzte ein, als Kreszentia die Kirchpergers verließ. Sie zog ihr Kopftuch enger um ihre Schultern. Im Schein ihrer Laterne folgte sie der Gasse zum Seelberg, wo die alte Stadtmauer teilweise abgetragen war. Der Trampelpfad war matschig und von Brombeerranken überwuchert. Das Rascheln schräg vor sich nahm sie zu spät wahr.

„Grüß dich, Zenzi!", rief der Hauner Caspar in anzüglichem Ton. „Dieses Mal kommst du mir nicht davon."

Die Mitterhuberin sah das gierige Funkeln in den rotunterlaufenen Augen des Weinhändlers. Nichts an diesem Kerl erinnerte mehr an den feschen jungen Mann, den sie beinahe geheiratet hätte. Sie versuchte, sich ihre Angst nicht anmerken zu lassen, und herrschte ihn an: „Geh mir aus dem Weg, Caspar! Der Alfons wartet schon auf mich."

Sein diabolisches Grinsen jagte ihr einen Schauer über den Rücken.

Sie sah den Schlag nicht kommen. Ihr wurde schwarz vor Augen. Er warf sich auf sie und drückte sie zu Boden. Der Geruch von saurem Wein und fauligen Zähnen raubte ihr den Atem. Bartstoppeln kratzten sie, als er sie küsste. In ihrer Not biss sie zu.

Der Hauner schrie auf und schlug sie mit der flachen Hand erneut ins Gesicht.

Blut lief ihr in den Mund.

„Du Lumpenweib!", keuchte der Hauner.

Kreszentia spürte, wie er mit seinen Knien ihre Beine auseinander zwängte. Mit der freien Hand schob er ihre Röcke hoch. „Wenn du nicht freiwillig bei mir liegen willst, dann eben mit Gewalt."

Kreszentia wehrte sich nach Leibeskräften und versuchte, sich von ihm wegzuschieben. Doch er war zu stark.

Unerwartet tauchte Moritz' Gesicht verschwommen in ihrem Blickfeld auf. Er riss den Hauner mit einem kräftigen Ruck von ihr weg und schlug ihm auf die Nase. Kreszentia hörte sie brechen und der Aufschrei des Weinhändlers glich dem Geheul eines verletzten Tieres, bevor er taumelnd davon stolperte.

Völlig erschöpft blieb sie einfach liegen.

„Mitterhuberin, kannst du aufstehen?"

Sie schluchzte und brachte keinen Laut heraus.

Moritz half ihr auf und legte behutsam den Arm um sie. „Komm, ich bringe dich zu Julia."

„Nein! Ich muss nach Hause." Sie schob ihn verzweifelt weg, doch ihre Beine versagten den Dienst.

Moritz fing sie auf. „Sei vernünftig! Das Kirchperger-Haus ist näher."

Kreszentia schüttelte den Kopf. „Ich danke dir, Moritz. Du hast mich schon zum zweiten Mal vor diesem Scheusal gerettet, aber ich *muss* jetzt nach Hause."

„Was wird dein Mann sagen, wenn er dich so sieht?"

„Ich werde ihm alles erklären. Ich habe lange genug damit gewartet." Sie sah ihn dankbar an. „Würdest du mich begleiten? Alleine schaffe ich es nicht die steile Berggasse hinauf."

Eine halbe Stunde später erreichten sie das stattliche Anwesen der Mitterhubers unweit des Münchner Tores. Ihre Angst machte einer stillen Entschlossenheit Platz. Noch bevor sie mit zitternden Fingern den Schlüssel ins Schloss stecken konnte, wurde die Tür von innen aufgerissen.

„Wo warst du so lange?" Alfons stockte, als er im Licht der Laterne ihr zerschundenes Gesicht sah. Fragend wechselte sein Blick zwischen Kreszentia und dem Stadtphysikus. „Was ist geschehen?"

Moritz antwortete: „Das erklärt dir deine Frau am besten selbst. Falls ihr noch ärztlichen Beistand benötigt, weißt du ja, wo du mich findest." Damit drehte er auf dem Absatz um. Das flackernde Licht seiner Laterne entfernte sich allmählich in der Dunkelheit.

In der guten Stube ließ sich Kreszentia auf einen Stuhl sinken.

Alfons legte ihr die Hand auf die Schulter und untersuchte besorgt ihr Gesicht. „Bist du gestürzt?"

„Das war kein Sturz."

„Was dann? Rede endlich! Ich merke doch schon seit Wochen, dass dich etwas bedrückt."

Die Fürsorge in seiner Stimme rührte sie. Sie schluckte die aufsteigenden Tränen hinunter. „Ich muss dir etwas gestehen."

Er nahm seine Hand von ihrer Schulter und trat zurück. Seine Augen verengten sich. „Was denn?"

„Es geht um Magdalena und um den Hauner."

Kreszentia sah, wie sein Adamsapfel auf und ab hüpfte – ein sicheres Zeichen für einen heraufziehenden Wutausbruch. „Beruhige dich! Setz dich einfach hin und hör mir zu."

Alfons' Miene verhärtete sich. Er stellte keine Fragen, nickte nicht einmal. Kreszentia ahnte, wie sehr ihn der Betrug seiner Tochter schmerzte. Erst der Tod seines Sohnes vor zwei Jahren und nun das. Als Kreszentia jedoch den Hauner und seine Erpressung zur Sprache brachte, hielt es ihn nicht länger auf seinem Stuhl. Ungestüm sprang er auf und begann, in der Stube auf und ab zu laufen. Die Adern an seinem Hals und auf der Stirn schwollen bedrohlich an.

„Dann war das der Hauner?" Er deutete auf ihre Schrammen.

Sie nickte. „Ich war bei der Kirchpergerin, weil ich wissen wollte, ob sie etwas Neues aus Memmingen gehört hat."

„Und dann?"

„Am Seelberg hat er mir aufgelauert." Die Scham stieg in ihr auf wie eine lodernde Flamme. „Gott sei

Dank kam der Stadtphysikus vorbei. Sonst wäre vielleicht Schlimmeres geschehen." Die Einzelheiten ersparte sie ihm, sonst wäre er vermutlich sofort losgestürmt, um den Hauner zu erschlagen.

„Dieser Kuhgeher! Den mache ich fertig. Darauf kannst du wetten."

„Wie willst du denn das anstellen? Wenn wir ihn beim Rat anzeigen, wird er uns mit in den Abgrund ziehen. Am Ende besudelt er unsere Familienehre und Magdalena wird als alte Jungfer enden."

Alfons antwortete gefährlich ruhig. „Keine Sorge, mein Täubchen. Ich habe das Wohl unserer Tochter auch im Auge – selbst, wenn sie uns von vorne bis hinten beschissen hat."

„Was willst du machen?"

„Wir zeigen den Hauner beim Kastner an."

„Beim Kastner? Wie soll das gehen?"

Alfons tippte sich an die Nase. Die Hitze seiner Wut ließ nach, wie die Glut eines Lagerfeuers, das allmählich zu Asche zerfällt. „Ich kenne sein Geheimnis, ganz einfach. Der Kirchperger Lienhart hat es mir gesteckt, weil er vor ein paar Jahren das Fuhrwerk vom Hauner repariert hat. Dabei ist ihm ein doppelter Boden unter dem Kutschbock aufgefallen. Da drin schmuggelt der Hundsfott Waren zwischen Landsberg und Memmingen."

„Was soll das bringen?" Kreszentia verstand nicht.

„Der Hauner bringt offenes Plachsalz aus Landsberg nach Memmingen. Dort verkauft er es und teilt sich die gesparten Wegezölle mit seinem Abnehmer. Umgekehrt transportiert er kleine Weinfässer aus der Pfalz, die er in Memmingen kauft. Die liefert er dann, ohne das fällige Ungeld zu bezahlen, seinem Komplizen im Nonnenbräu."

„Aber das ist ja Betrug!", entfuhr es Kreszentia.

„Der Landsberger Kastner wird ihn dafür mit Ruten aus der Stadt hauen lassen. Wenn er nicht gar eine Hand verliert. Mach dir keine Sorgen. Der Kerl wird nicht wissen, wer ihn hingehängt hat."

„Das ist zwar hart, aber ..."

„Er hat es verdient. Ich muss nur noch überlegen, wie ich die Anzeige bewerkstellige. Lass mich nur machen." Er nahm sie in den Arm. Etwas, was er schon lange nicht mehr getan hatte.

Kapitel 53

7. März Anno Domini 1528, Memmingen

Das Gebräu, das ihr die Hebamme einflößte, lief bitter den Hals hinab und brannte im Magen. Die Pfeiferin hatte sie in ihrer Verzweiflung geholt, da Magdalena seit Tagen immer wieder Krämpfe hatte.

Die zahnlose Alte sah zwischen den beiden Frauen hin und her. Ihrem Blick nach zu urteilen, wusste sie, welchen Plan die Pfeiferin und ihre Nichte geschmiedet hatten. Dementsprechend fiel auch die Entlohnung aus, die ihre Tante gerade aus dem Säckchen mit den Münzen holte und ihr mit zittrigen Fingern in die Hand zählte. Angsterfüllt fragte sie: „Verliert meine Nichte das Kind?"

„Nicht, wenn sie sich die nächsten sechs Wochen schont. Das brauche ich dir nicht zu sagen. Du hast es am eigenen Leib erfahren. Vielleicht ist es den Frauen in eurer Familie nicht vergönnt, ein Kind auszutragen."

„Das glaube ich nicht." Magdalena stemmte sich trotzig von ihrem Strohsack hoch. „Meine Mutter hat zwei Kinder entbunden."

„Das muss nichts heißen", murmelte die Hebamme. „Gott allein hat es in der Hand, welches Würmlein geboren wird und welches nicht." Sie deutete auf den falschen Bauch der Pfeiferin. „Nachdem *du* ja nicht guter Hoffnung bist, kannst du deiner Nichte beistehen. Es ist sowieso besser, wenn sie sich nicht mehr draußen blicken lässt. Das Kind ist groß und sie kann den Bauch nicht mehr lange verheimlichen." Mit diesen Worten schlurfte die Alte zur Tür, wo der Weber gelauscht hatte.

Als im Erdgeschoss die Haustür ins Schloss fiel, stürmte er zurück in die Kammer. „Was habe ich in den letzten Wochen unermüdlich gepredigt? Du kannst gleich deinen Eltern schreiben, dass wir mehr Silber brauchen. Es war nicht geplant, dass die Hebamme jetzt schon hier auftaucht und dir Arzneien verabreicht." Er packte seine Frau am Arm und zog sie nach draußen, wo er eindringlich auf sie einsprach.

Magdalena sank zurück. Nicht nur, dass sie im Haus bleiben musste, wo es nach Moder roch. Ihr Onkel würde sie ihre offene Widerrede jetzt büßen lassen. Sie durfte vermutlich nicht einmal mehr in den kleinen Garten hinter dem Haus, um wenigstens etwas frische Luft zu bekommen. Und ihre Tante würde ihn aus lauter Angst vor einer zu frühen Geburt gewähren lassen.

Das bedrückende Gefühl, gegen ihr unvermeidliches Schicksal nicht mehr ankämpfen zu können, lag schwer auf ihrer Brust. Magdalena war gefangen! Die drohende Hochzeit mit dem ungeliebten Kistler in Landsberg hing wie ein Fallbeil über ihr.

Sie musste um jeden Preis verhindern, dass diese Anna in die Stadt zurückkehrte. Der Zunftmeister Hewel würde sicherlich brennend daran interessiert sein, dass sich die Zukünftige von Lenz in Augsburg mit diesem zwielichtigen Waldhauser herumtrieb. Laut den Reden ihrer Tante war der Täuferprediger mit seinen apokalyptischen Fantasien äußerst unbeliebt in Memmingen.

Augsburg selbst war durch die Flut an Flüchtlingen zu einem finsteren Rattenloch verkommen, das der dortige Rat hoffentlich bald ausräuchern würde. Vielleicht erwischte es dann auch gleich diese Anna. Das würde Magdalenas Problem auf einen Schlag lösen. Wenn nicht, würde sie selbst dafür sorgen, dass für diese Ketzerin die Memminger Tore auf ewig verschlossen blieben. Lenz bliebe dann keine andere Wahl, als Magdalena zu heiraten. Selbstverständlich würde sie dem Zunftmeister glaubhaft versichern müssen, dass Lenz von alldem nichts gewusst hatte.

Jetzt brauchte sie nur einen guten Vorwand, um noch einmal hinauszugehen. Und das so schnell wie möglich.

Ihre Tante kam wieder herein und brachte eine Decke mit weniger Löchern als die bisherige. Fürsorglich breitete sie diese über Magdalena aus. „Damit dir und dem Kind nicht so kalt ist."

Einen Moment lang war Magdalena tief bewegt, was sie selbst überraschte. Das musste an der Schwangerschaft liegen. Dankbar drückte sie die Hand der

Tante, die verzweifelt ein Kind in ihren Armen halten wollte, während Magdalena nur eine kalte Leere verspürte, wenn sie das Ungeborene fühlte. Doch mit der Rührseligkeit kamen neue Zweifel. Was, wenn sie keine Gelegenheit mehr fand, mit dem Zunftmeister Hewel zu sprechen? Dieser Gedanke ließ ihr Herz wild klopfen. Ihre Gefühle wirbelten durcheinander. Sie war überzeugt, dass Lenz ohne sie nicht glücklich werden konnte. Das erkannte er nur momentan nicht, weil ihn diese Ketzerin Anna in ihren Bann gezogen hatte. Magdalena musste in seiner Nähe bleiben, ihm unmissverständlich zeigen, dass sie die Richtige für ihn war. Deshalb konnte sie nach der Entbindung nicht nach Landsberg zurückkehren.

Vorsichtig stand sie auf. Der Krampf in ihrem Bauch blieb aus. Ihre Tante drückte sie zurück auf den Strohsack. „Du sollst dich schonen. Ich komme auch ohne deine Hilfe zurecht."

„Die Kräuter der Hebamme wirken. Es geht mir besser. Ich glaube nicht, dass mir meine Eltern noch einmal Geld schicken. Ich habe sie nämlich sehr enttäuscht. Aber ich kann dir anbieten, dass ich nach der Entbindung noch etwas bleibe. Dann brauchst du keine Amme und kannst auch deinem Mann bei der Arbeit wieder mehr zur Hand gehen. Das spart ihm die Pfennige für einen Zuarbeiter. Ich mache das gerne. Meine Eltern und mein Zukünftiger haben dafür sicher Verständnis."

In den Augen ihrer Tante glitzerten Freudentränen. Ein siegessicheres Gefühl breitete sich in Magdalena aus. Endlich hielt sie die Zügel wieder in der Hand.

Kapitel 54

15. März Anno Domini 1528, Augsburg

An diesem Sonntagmorgen war ein Dutzend Täufer in der Stube des Färberhauses am Hinteren Lech versammelt. Der Sedlmaier Jörg, der die Zusammenkunft leitete, blickte in die Runde. „Bevor wir uns dem Text in der Bibel zuwenden, möchte ich mich beim Färber-Jos und der Anna bedanken, dass meine Gefährten und ich nach der Flucht aus dem Fürchelmoos hier ein Dach über dem Kopf haben. Der Herr wird es euch schon bald vergelten." Er sah zum Ehepaar Schleifer, das direkt vor ihm saß: „Barbara und Claus, ihr sorgt dafür, dass wir in der Stadt Arbeit gefunden haben. Keine Selbstverständlichkeit in diesen schwierigen Zeiten. Auch euch ein herzliches Vergelt's Gott!" Zuletzt blieb sein Blick an der Adolfin hängen, deren Schwangerschaft nun deutlich sichtbar war. Sie saß mit ihrer Magd auf der Ofenbank. In einer Ecke spielten ihre beiden Söhne mit Annas kleinem Neffen. „Ich freue mich ganz besonders, dass auch du, liebe Susanna, heute hier bei uns bist."

„Mein Adolf ist auf einer Geschäftsreise im fernen Wien", erklärte sie. „Deshalb konnte ich kommen. Aber irgendwann wird er mir verbieten, dass ich mich mit euch treffe."

„Der Herr wird deinen Adolf sicher bald von unserer gerechten Sache überzeugen. Ich bete darum."

Er zog ein Buch aus seiner Schultertasche und hielt es feierlich in die Höhe. „Das Werk hier ist von unserem ehemaligen Gemeindevorstand, dem Denck Hans. Er hat es in Worms geschrieben. Es ist eine vollständige Übersetzung der Prophetenbücher des Alten Testaments."

„Du hast die *Wormser Propheten*?", entfuhr es dem Färber-Jos. „Ich habe gehört, dass sie der Nürnberger Rat vor kurzem verboten hat."

„Meine Ausgabe wurde sogar hier in Augsburg gedruckt. Ich habe sie vor über einem Jahr auf dem Eiermarkt gekauft und betrachte sie als einen meiner Schätze." Er wandte sich an Hubertus Culinula und sah ihn aufmunternd an. „Du bist neu in unserer Gemeinschaft. Möchtest du heute einen Psalm lesen?"

Hubertus schien überrascht zu sein. „Ich ... Ich möchte mich nicht vordrängeln. Immerhin bin ich noch keine drei Wochen Teil eurer Gemeinschaft."

Die Schleifer Barbara meldete sich zu Wort: „Das stimmt. Mein Mann Claus wird gerne ..."

„Das ist eine sehr gute Idee von dir, Jörg", unterbrach sie die Adolfin. „Unsere Gemeinschaft sollte von vielen Schultern getragen werden." Sie lächelte Barbara an, die das Gesicht verzog. „Claus, würdest du hernach als Erster deine Gedanken zum Psalm mit uns teilen?"

Erfreut nickte der Schleifer Claus.

Der Sedlmaier Jörg schmunzelte still in sich hinein. Die Adolfin war einfach die gute Seele der Gemeinschaft. Die Schleifers waren unverzichtbar, wenn es darum ging, Wohnraum oder Arbeit für die vielen Geflüchteten zu finden. Sie dagegen hatte für jeden, selbst den Geringsten, stets ein gutes Wort übrig. An ihr richteten sich alle auf. Sie war der Fels in der Brandung.

Hubertus begann vorzulesen: „*Der Herr ist mein Hirte.*"

Jörg unterbrach ihn: „Lies bitte nur den ersten Teil vor, damit wir darüber disputieren können."

Hubertus fuhr fort:

„*Der Herr ist mein Hirte, mir wird nichts mangeln.*
Er weidet mich auf einer grünen Aue
und führet mich zum frischen Wasser.
Er erquicket meine Seele.
Er führet mich auf rechter Straße um seines Namens willen."

Hubertus hielt inne und sah auf.

Claus räusperte sich. „Meinem Verständnis nach wird in diesem Psalm davon gesprochen, dass wir die Schafe sind und Gott unser Hirte, der für uns sorgt."

„Ich habe Gott bisher nicht als Hirten gesehen", brach es aus Anna heraus.

Erstaunt über die Gereiztheit in ihrer Stimme hakte Jörg nach: „Warum nicht?"

„In Hürben sind wir oft hungrig ins Bett gegangen. Unser Pfaffe hat uns immer gepredigt, dass das gottgewollt ist und er unseren Hunger erst im Jenseits stillt."

„Um so wichtiger ist die Botschaft unseres lieben Hut Hans", ereiferte sich die Adolfin. „Wir teilen alles miteinander, bis der Tag der Gerechtigkeit an Pfingsten kommt. Selbst, wenn wir von Feinden umringt sind, gibt uns der Herr die Kraft, für alle da zu sein und sie zu bewirten." Sie sah ihre Gefährten an. „So wie jetzt gerade. In diesem Augenblick, wenn unsere Brüder und Schwestern zu uns fliehen und unsere Häuser Zufluchtsorte werden."

„*Omnia sunt comunia* war Hans' Leitspruch", ergänzte Jörg. „Wir sorgen alle füreinander." Er bedeutete Hubertus, weiterzulesen.

„Und ob ich schon wanderte im finstern Tal,
fürchte ich kein Unglück; denn du bist bei mir,
dein Stecken und Stab trösten mich.
Du bereitest vor mir einen Tisch im Angesicht meiner Feinde."

Der Sedlmaier Jörg ließ seinen Blick schweifen, nachdem Hubertus geendet hatte. „Was bedeuten Stecken und Stab?"

Bevor der Schleifer Claus zu Wort kam, rief seine Frau: „Der Stecken und der Stab werden von Hirten benutzt, um ihre Herde zu führen und zu schützen."

Jörg pflichtete ihr bei: „Wenn Gott an Pfingsten erscheint, wird er mit diesen Werkzeugen alle verirrten Schafe auf den rechten Weg zurückführen."

„Und die Gewaltigen und falschen Prediger strafen." Die Adolfin erhob sich und trat nach vorne. „Deshalb müssen wir viele Gleichgesinnte sammeln und uns in der Gemeinschaft für das Kommende rüsten."

„Was versteht ihr unter *rüsten*?", meldete sich Hubertus zu Wort. „So, wie ich es verstanden habe, predigt ihr doch Gewaltlosigkeit."

„Hans beschwor stets die Gewaltlosigkeit der Auserwählten bis zum göttlichen Strafgericht. Dann aber können sie alle mit dem Schwert in der Hand für die erduldeten Leiden Rache nehmen." Die Adolfin wurde laut: „Wir alle sind Werkzeuge des Herrn. So wie unser Märtyrer, der Hut Hans," fuhr sie fort. Zustimmendes Gemurmel erklang.

„Wie kommt der Hut eigentlich auf Pfingsten?" Hubertus sah verwirrt in die Runde. „Hat er darüber geschrieben? Dann könnte ich seine Berechnungen nachlesen und prüfen, denn als Wissenschaftler arbeite ich stets mit Beweisen."

Diese Frage bestätigte Jörgs Zweifel, die er Hubertus gegenüber immer gehegt hatte. Vielleicht war es doch ein Fehler, diesen Doctor der Mathematik vorschnell einzuladen. War er wirklich auf ihrer Seite? Dennoch erklärte er gelassen: „Der Hut Hans hat die verborgenen Zeichen in der Heiligen Schrift gedeutet und das Jüngste Gericht für Pfingsten 1528 *errechnet*."

„Da hast du deinen Beweis!", erregte sich die Schleifer Barbara.

„Wie errechnet? Wie soll das gehen?"

Geduldig fuhr Jörg fort: „Wie ein jeder sehen kann, steht das weltliche Recht nicht auf der Seite des gemeinen Mannes. Darum hat Hans danach gesucht, wie uns das göttliche Recht zu Hilfe kommen kann. Als Einziger hat er erkannt, dass all das Leid um uns herum nur bedeuten kann, dass wir auf das Weltengericht zusteuern. Aus schlüssigen Hinweisen in der Johannesoffenbarung hat er das kommende Pfingstfest dafür errechnet."

Nachdenklich entgegnete Hubertus: „Haben sich nicht auch die Bauern auf das göttliche Recht berufen? Sie sind damit in die Hölle geraten."

„Mein Bruder Gebhart ist aus der Schlacht bei Kleinkitzighofen verzweifelt und ohne Hoffnung heimgekehrt." Nach dieser Aussage von Anna breitete sich eine bedrückende Stille im Raum aus. Die Luft schien mit einem Mal von Unbehagen und Nachdenklichkeit erfüllt zu sein, und jeder vermied den Blick des anderen. Niemand wagte, ein Wort zu sagen, bis die Adolfin wie ein altgläubiger Priester bei der Wandlung ehrfürchtig ein Gefäß auf den Tisch stellte. „Hierin ist die Asche vom Hut Hans." Mit heiserer Stimme flüsterte sie: „Hans war in Frankenhausen dabei, als die Bauern geschlagen wurden. Er war überzeugt davon, dass sie gescheitert sind, weil sie nur auf ihr eigenes Wohl bedacht waren. Das tun *wir* nicht. Wir stehen zusammen und erwarten gemeinsam die Ankunft des Herrn. Erst dann dürfen wir uns rächen."

Nachdenklich ging Hubertus in seine bescheidene Herberge zurück. Bislang hatte er nie begriffen, warum dieser Hut so eine mächtige Anziehungskraft auf die Menschen ausübte. Erst durch Annas Worte war ihm das volle Ausmaß klar geworden. Luther hatte durch seine Reden von der Freiheit des Christenmenschen die armen Bauern aufgewiegelt. Mit Dreschflegeln und Sensen hatten sie ihren Kampf aufgenommen, nur um schließlich an der Übermacht der hochgerüsteten Soldaten zu scheitern. Dass Luther seine Aussage später dahingehend präzisierte, dass er nur die *geistige* Freiheit gemeint habe, war bei den leidenden Bauern nicht mehr angekommen. Und dann war mit diesem Hut plötzlich ein Prediger aufgetreten, der ihnen wie eine neue Hoffnung erschien. Warum jedoch jemand wie die wohlhabende Adolfin so fanatisch war, vermochte er nicht zu verstehen. Bei dem abschließenden gemeinsamen Mahl hatte man offen über das drohende Vorgehen des Rates gegen die Täufer disputiert. Einige Zögerliche schienen Furcht zu empfinden. Doch die Mehrheit war so begeistert, dass der Gedanke an die bevorstehende Verfolgung sie eher antrieb, als erschreckte. Sie betrachteten diese als eine Art *Taufe des Leidens*, durch die sie zu Märtyrern werden und für das Paradies vorbereitet würden.

War Anna auch von solcher Inbrunst beseelt? Hubertus vermochte diese Frage nicht zu beantworten, da er sie zu wenig kannte. Zudem hatte er den Eindruck, dass sie eher zu den Zurückhaltenden gehörte, die sich selten äußerten.

Aber noch etwas ließ ihm keine Ruhe. Beim Essen war ihm der wertvolle Löffel von Ignaz wieder aufgefallen. Mittlerweile war er sich sicher: Dieses kostbare Stück hatte Christof gehört. Doch wie war er in die Hände des Jungen gelangt? Ein Gedanke, der Unbehagen in Hubertus auslöste. Dafür gab es nur eine schlüssige Erklärung: Den Löffel hatte Christof nicht irgendwo, sondern im Haus des Schusters in Hürben verloren. Hubertus vermutete, dass er selbst bei dessen Frau vorgesprochen hatte und nicht der Pfaffe Sättelin. Deshalb hatte Christof auch so abweisend reagiert, als Hubertus ihn darauf angesprochen hatte.

Die Glocke von *Sankt Ulrich und Afra* schlug vier Mal, als er den *Weißen Adler* in der Bäckergasse erreichte.

„Wo warst du so lange? Ich warte beinahe eine geschlagene Stunde auf dich."

Hubertus schreckte aus seinen Gedanken. „Was machst du heute schon hier? Wir waren erst morgen verabredet."

„Ich brauche Ergebnisse! Und zwar umgehend! Das war schon dein viertes Treffen. Der Bürgermeister hat ein Dutzend Spitzel auf die Bande angesetzt. Wir müssen schneller sein, als die anderen. Sonst wird unsere Mühe nicht belohnt."

„Du meinst wohl, es wird sich für dich nicht lohnen", entgegnete Hubertus scharf.

„Kann schon sein. Aber du hast auch was davon: Ich zeige dich nicht in Ingolstadt an."

Ohne ein weiteres Wort ging Hubertus voraus und bedeutete Christof, ihm zu folgen. Schweißgebadet erreichten sie über die enge Treppe das oberste Geschoss. Die Luft in der kleinen Kammer war stickig und Hubertus riss die Dachluke auf. Er hatte genug davon, sich von diesem hochmütigen Widerling herumkommandieren zu lassen. „Bevor ich dir etwas sage, will ich zuerst wissen, warum du bei der Schuster Agnes in Hürben warst und warum sie jetzt tot ist?"

Unvermittelt packte Christof ihn mit eiserner Faust am Kragen und riss ihn zu sich herum. Mit hassverzerrtem Gesicht fauchte er: „Ah, der Herr Doctor glaubt, mich erpressen zu können. Da täuschst du dich gewaltig! Mir kann man nichts beweisen. Aber ich werde Himmel und Hölle in Bewegung setzen, damit Professor Eck erfährt, welche Natter er an seinem Busen nährt. Dann gnade dir Gott! Du wirst nicht nur von der Universität fliegen, sondern auf dem Scheiterhaufen landen. Dafür sorge ich persönlich. Und jetzt mach dein Maul auf!"

Kapitel 55

20. März Anno Domini 1528, Landsberg

Der Pfleger von Egloffstein zog seinen Umhang fester um sich. Obwohl die Märzsonne schon Kraft hatte, schaffte sie es nicht durch die dicken Mauern. Die Landsberger Burg war einfach ein kalter, zugiger Kasten. Ungeduldig trommelte er mit den Fingern auf das vor ihm liegende Schreiben. Die Aufforderung vom Großinquisitor Pasenseer war deutlich. Von Egloffstein sollte für die Suche nach Ketzern in den Hofmarken Schmiechen, Steinbach und Brunnen mehr Amtmänner abstellen. Das würde nicht einfach werden. Wenn er sämtliche verfügbaren Männer ins Umland entsandte, blieben nicht genug, um in der Stadt Recht und Ordnung aufrecht zu erhalten. Pfarrer Haldenberger beschwerte sich ohnehin jeden Sonntag darüber, dass immer weniger Bürger die Messen besuchten. Vermutlich hielten sie sich stattdessen zu Hause auf und huldigten dem lutherischen Gedankengut – oder schlimmer noch, sie fielen den Wiedertäufern zum Opfer, die in Augsburg gerade für Unruhe sorgten. So weit würde er es hier nicht kommen lassen. Wenn die ersten Verdächtigen als warnendes Beispiel in der Fronveste einsaßen, würden sich die Landsberger schon wieder auf ihre wahren christlichen Pflichten besinnen.

Doch hierfür benötigte er die Unterstützung des Stadtphysikus. In den Augen von Egloffsteins war Moritz ein Menschenfreund, der viel zu viel Mitleid mit Ketzern hatte. Vielleicht lag das daran, dass er selbst kein überzeugter Altgläubiger mehr war? Nur dafür fehlte der Beweis. Zumindest erschien Moritz jeden Sonntag zusammen mit den Kirchpergers in der Stadtpfarrkirche. Das hatten ihm seine Spitzel bestätigt. Nur, wo steckte dieser Stadtphysikus jetzt? Schlag elf war längst vorbei. Es klopfte an der Tür und auf sein Geheiß hin trat Moritz in das Zimmer. Er trug sein speckiges Barett auf den grauen Haaren und wie stets die ausgebeulte lederne Tasche mit seinen Utensilien über der Schulter. Man sah ihm mittlerweile seine sechzig Lenze an. Der Rat würde bald einen Neuen bestellen müssen. Hoffentlich einen, der nicht ständig widersprach. „Ihr kommt spät!"

Moritz trat an den Schreibtisch und hob entschuldigend die Hände: „Es tut mir leid. Aber in der Stadt gibt es gerade viele hustende Kinder, die …"

Von Egloffstein winkte ab: „Verschont mich mit Einzelheiten. Das, was ich von Euch brauche, ist wichtiger als hustende Bälger. Setzt Euch."

Moritz nahm sein Barett ab und stellte die Tasche neben sich.

Die selbstbewusste Haltung des Arztes reizte von Egloffstein. Sein aufgestauter Zorn über das Zuspätkommen entlud sich schärfer als beabsichtigt: „Ich mache es kurz. Der Großinquisitor in Jesenwang überstellt verdächtige Ketzer zu uns, weil bei ihm oben alle Gefängniszellen voll sind. Wir sollen hier auch die Verhöre durchführen. Haltet Euch bereit. Ihr kennt Eure Pflichten?"

„Was soll die Frage?", entgegnete Moritz barsch. „Zweifelt Ihr daran?"

„Mäßigt Euren Ton. Ich weiß, dass Ihr die Gefolterten nach jeder Tortur wieder so weit herstellt, dass sie der nächsten Stufe unterzogen werden können. Doch mir wurde zugetragen, dass Euch die richtige Geisteshaltung fehlt."

Moritz schüttelte den Kopf. „Ich bin Physikus geworden, um zu heilen. Jemanden *wiederherzustellen*, nur damit er dann erneut gefoltert werden kann, ist gegen meine Überzeugung."

„Ihr redet Euch gerade um Kopf und Kragen! Allein Eure bisherigen Verdienste um die Stadt bewahren Euch davor, dass ich Euch *selbst* dem Züchtiger überantworte."

Moritz nickte, ohne von Egloffstein anzuschauen. „Sind wir hier fertig?"

Der Pfleger spürte, dass er zu weit gegangen war. Auch wenn ihm dieser rechthaberische Physikus zuwider war, so genoss er doch das Vertrauen der Landsberger. Was wiederum ein Vorteil sein konnte.

„Verzeiht meine schlechte Laune. Es erzürnt mich immer aufs Neue, wenn ein Einheimischer sich etwas zuschulden kommen lässt."

„Was meint Ihr damit?"

Von Egloffstein beugte sich vertraulich nach vorne. „Der Kastner hat mich vorhin gebeten, einen Haftbefehl zu vollstrecken."

„Gegen wen?"

„Der Weinhändler Hauner wurde auf frischer Tat ertappt, als er geschmuggelten Wein an den Wirt des Nonnenbräus verkauft hat. So wie es aussieht, hat er auch Plachsalz geschmuggelt. Ich brauche Euch nicht zu sagen, was mit ihm passiert."

„Sein spärlicher Besitz wird konfisziert und er wird mit Ruten aus der Stadt geschlagen."

„Kein Mitleid mit dem Hauner?"

„Er leidet unter einer Hitze des Blutes, die er mit zu viel Wein zu lindern versucht. Das vernebelt den Blick und macht streitbar. Vielleicht läutert ihn der Rauswurf, was nur gut für ihn wäre."

„Eure Urteilsfähigkeit überrascht mich jetzt im positiven Sinne. Ihr seid nah an den Leuten, könnt einschätzen, was sie denken."

„In den Kopf schauen kann ich nicht."

„Ihr wisst, was ich meine. Es soll Euer Schaden nicht sein, wenn Ihr mir sagt, wer seine ketzerische Zunge nicht zügeln kann. Vielleicht gelingt es mir dann, den Rat davon zu überzeugen, noch keinen Nachfolger für Euch zu suchen."

Kapitel 56

28. März Anno Domini 1528, Memmingen

Es war eine mondlose Nacht. Ohne seine Lampe hätte Lenz kaum die Hand vor Augen gesehen. Über seiner Schulter trug er die alte Helmbarte des Lodweber Hans und auch dessen silberbeschlagenes Signalhorn. Ein milder Wind aus südwestlicher Richtung trug die ersten Frühlingsgerüche in die Stadt, doch der modrige Mief verrotteter Blätter und der Gestank vom nahen Schweinemarkt überdeckten sie.

Lenz war auf dem Weg zur Wachablösung am Westertor. Das Tor und die Mauer links und rechts davon lagen in der Verantwortung der Zimmerer. Vor allem in gefährlichen Zeiten wie diesen. Fürchtete der Rat doch jederzeit einen Angriff des Schwäbischen Bundes.

Utz, ein früherer Geselle des Lodweber Hans, begrüßte ihn mit einem kräftigen Handschlag. „Du bist eine Stunde zu früh dran. Warum kommst du jetzt schon?"

„Grüß dich, Utz. Es ist mein erster Wachdienst und ich will auf keinen Fall einen Fehler begehen. Der Zunftmeister Hewel kann mich ohnehin nicht leiden. Wenn mir etwas misslingt, wäre das Wasser auf seine Mühlen. Deswegen wollte ich sicher gehen und mir lieber alles genau zeigen lassen."

Utz lachte. „Der Wachdienst ist ein Kinderspiel, aber ich verstehe dich. Komm, ich zeig dir alles. Du wirst bald sehen, dass der schlimmste Feind der Schlaf ist, der sich irgendwann anschleicht. Den musst du im Auge behalten."

Als die Glocke von *Sankt Martin* zehn Mal schlug, verabschiedete sich Utz und ließ Lenz alleine auf seinem Posten. Er wusste jetzt, welchen Bereich das Vorfeld der Memminger Mauer umfasste, wie er Alarm schlagen konnte und von wo aus er den besten Überblick hatte. Anfangs zuckte er bei jedem Geräusch draußen vor der Stadt zusammen, ging sofort in Deckung und starrte angestrengt in die Dunkelheit. Doch jedes Mal stellte sich heraus, dass kein feindliches Heer anrückte.

Gegen Mitternacht löste sich seine Anspannung, denn der Wachdienst war weit weniger ruhmreich, als er sich das vorgestellt hatte. Krampfhaft versuchte er, die Augen offen zu halten. Es war stinklangweilig, gähnend in die Dunkelheit zu glotzen und in ein schwarzes Nichts zu lauschen. Er lief wie ein Wachhund in seinem Zwinger auf und ab, nur um nicht einzuschlafen. Als die nahe Kirchenglocke zwei Mal schlug, wurde Lenz endlich abgelöst.

Der Sonntag ging schwer und träge an Lenz vorbei, gleich einer Last, die er zu tragen hatte. Es fiel ihm schwer, sich auf das Gespräch mit Lodweber einzulassen, welcher am Nachmittag die Aufträge der kommenden Woche mit ihm durchging.

„Wie du weißt, stellen wir morgen zusammen mit zwei anderen Werkstätten einen großen Dachstuhl auf. Das geht nur im Werkhaus der Zunft, weil es größer ist, als alle anderen Werkstätten in der Stadt. Ich selbst komme erst später nach, weil ich mit dem Bürgermeister die Reparatur des Wehrganges beim Gefängnisturm besprechen muss."

„Aber das Werkhaus der Zunft liegt eine Viertelmeile vom Weinmarkt entfernt an der Stadtmauer im Osten. Das ist eine ziemliche Strecke. Alleine schaffe ich unsere Balken nicht dorthin."

„Der Leander wird dir helfen. Schaut, dass ihr vor der achten Stunde am Werkhaus seid. Der Zunftmeister Hewel wird auch da sein. Lass dich nicht auf einen Streit mit ihm ein."

Obwohl Lenz am Abend todmüde auf sein Lager fiel, fand er, wie so oft in den letzten Wochen, keinen Schlaf. Die drohende Gefahr, in der Anna schwebte, ließ ihn nicht zur Ruhe kommen. Tagsüber lenkte ihn die Arbeit ab, doch in der Nacht schlichen sich die Dämonen der Angst an. Dann fragte er sich, was er noch tun könnte, um Anna zu beschützen. Ihm fiel nichts ein. Sie hatte ihn an Fastnacht auf Ostern vertröstet! Was, wenn sie das in zwei Wochen wieder tat?

Am Ende gab er der Erschöpfung nach und sank in einen unruhigen Schlaf, in dem er von düsteren Träumen heimgesucht wurde.

Kurz vor acht Uhr am Montagmorgen schoben Lenz und Leander den Wagen mit vier großen Balken beladen am Salzstadel vorbei. Es war sehr anstrengend, den alten Wagen nur zu zweit auf dem holprigen Pflaster voranzubringen. Lenz bereute es, die Wagenräder nicht noch einmal geschmiert zu haben. Die Frühlingssonne schien bereits kräftig und der Schweiß rann ihnen in Strömen übers Gesicht. Sie hatten das Werkhaus gegenüber des prächtigen *Ottobeurer Hauses* noch nicht erreicht, als ihnen der Zunftmeister bereits von weitem zurief: „Da seid ihr ja endlich!"

„Die Glocke *Unserer lieben Frau* hat noch nicht die achte Stunde geschlagen."

„Geschenkt!", knurrte der Zunftmeister. „Bringt eure Balken zum Tor. Wir fangen gleich an."

Sie begannen mit vereinten Kräften, den Dachstuhl einer Scheune zusammenzusetzen. Die Arbeit ging gut voran, sodass schon bald alle Teile ineinanderpassten. Die Balken und Pfetten wurden nummeriert und wieder zerlegt. Anschließend luden sie die Bauteile auf zwei bereitstehende Fuhrwerke, die sie zur Baustelle nach Trunkelsberg fahren sollten. Der Tuchhändler Sättelin wollte eine neue Lagerhalle dort bauen. Schon eine Stunde vor dem Mittagsläuten waren sie fertig und setzten sich zu einer Brotzeit zusammen.

Utz, den Lenz als Torwächter abgelöst hatte, setzte sich neben ihn. „Wie war dein erster Wachdienst?"

„Es war hart. Vor allem nach Mitternacht musste ich kämpfen."

Utz grinste. „Das ist das Los der Neuen. Sie bekommen die blödesten Wachzeiten."

Der Zunftmeister gesellte sich zu ihnen. „Mein Geselle, der Utz hier, hat mir berichtet, dass du schon weit vor deinem Wachdienst am Tor warst, um dich einweisen zu lassen. Ich hätte nicht gedacht, dass du so pflichtbewusst bist."

Lenz sagte nichts. Er wusste nicht, worauf Hewel hinauswollte.

„Trotzdem kann ein zünftiger Zimmermann und Beisitz nicht alleine leben. Wie alt bist du eigentlich?"

„Vor ein paar Tagen bin ich zwanzig Jahre alt geworden."

„Wie gesagt, ein zünftiger Werkmann braucht eine Frau, Kirchperger. Beim letzten Mal hast du noch groß verkündet, dass deine Angebetete kommt, sobald das Wetter mitspielt." Hewel deutete zum klaren Himmel. „Dem steht nichts mehr im Wege."

„Ich werde sie und ihren Neffen zu Ostern holen."

„Wo ist sie denn jetzt?"

„In Augsburg. Ihr früherer Dienstherr dort benötigt ihre Hilfe."

Hewels Augen verengten sich zu schmalen Schlitzen. „In Augsburg sagst du? Von dort kommen ja so manche Gerüchte." Er stand auf und klopfte sich den Staub von den Beinlingen. „Dann hoffe ich für dich, dass keine weiteren Hindernisse auftauchen, denn andernfalls müsstest du dich hier in Memmingen umsehen."

Kapitel 57

4. April Anno Domini 1528, Samstag vor Palmtag, Landsberg

Die Tür der Fronveste krachte hinter dem Hauner Caspar ins Schloss. Sein Blick fiel auf das Spalier aus Menschen, das sich hinauf zum Marktplatz zog. Das, was ihn jetzt erwartete, war schlimmer, als es die Fesseln an seinen Füßen gewesen waren. Oder der Gestank nach Moder und den fauligen Wunden der anderen Gefangenen. Er hörte das Murmeln von Stimmen, das Lachen von Kindern und das Händeklatschen der Menschenmenge, als er loslief.

Der erste Schlag mit den Weidenruten traf ihn hart auf den nackten Rücken. Mit jedem weiteren Schlag, den der Henker ausführte, zählten die Landsberger laut grölend mit. Er schleppte sich mit gesenktem Kopf vorwärts. Spürte, wie ihm das warme Blut über den Rücken lief, wenn die Weidenruten auf bereits angeschwollene Striemen zischten. Schlag um Schlag prasselte auf ihn ein. Die Ruten zogen eine blutige Spur von seinem Rücken hinunter zu den Oberschenkeln. Seine Ohren dröhnten, während das Geschrei der Umstehenden zu einem gedämpften Murmeln verklang. Sein Blick verengte sich auf seine eigenen Füße, die mühsam vorwärts stolperten. Schwindel ergriff ihn. Er strauchelte. Bevor er jedoch auf dem Boden aufschlug, packte ihn die Hand des Züchtigers und schob ihn unbarmherzig weiter.

„Stell dich nicht an. Fünfzehn Schläge fehlen noch." Er lachte heiser und erneut pfiff die Rute durch die Luft.

Caspar zwang sich, einen Fuß vor den anderen zu setzen, seinen Blick starr auf das geöffnete Lechtor und die dahinterliegende Brücke gerichtet. Er bekam kaum Luft durch seine gebrochene Nase. Das Tosen des Lechs, der gerade das erste Schmelzwasser der Berge mit sich führte, übertönte die gehässigen Zurufe aus der Menge, die hier schon weniger gedrängt stand.

Der neununddreißigste und letzte Schlag am Ende der Brücke zwang ihn endgültig in die Knie. Schritte hasteten dicht an seinem Ohr vorbei, als sich die Menge auflöste. Die Menschen beachteten ihn nicht mehr. Das Schauspiel war vorüber. Er versuchte, sich aufzurichten, schwankte und ging erneut zu Boden.

Hände packten ihn kraftvoll unter den Achseln und zogen ihn auf die Beine. Caspar wandte den Kopf. „Du schon wieder", krächzte er. Doch er war zu schwach, um den Stadtphysikus wegzuschieben, der ihm gerade einen Becher an die Lippen setzte. Der intensive Geruch nach Branntwein belebte den Weinhändler. Gierig trank er leer, während der Stadtphysikus ihm einen wärmenden Umhang um die Schultern legte.

„Der aufgeschirrte Wagen mit deinem Hab und Gut steht gleich da vorne. Ich habe dir noch einen Sack mit Essen draufgepackt." Er griff in seine Ledertasche und reichte ihm einen kleinen Tiegel. „Mit dieser Kräuterpaste heilen deine Wunden besser. Wenn du willst, bestreiche ich sie noch."

Er schlug dem Physikus die Paste aus der Hand. „Ich brauche dein Mitleid nicht. Du und diese Mitterhuber-Schlampe, ihr habt mich doch verpfiffen."

„Ich wusste nichts von dem doppelten Boden in deinem Wagen und den Schmuggeleien", wehrte Moritz ab. „Landrichter Vogt hat sowieso noch Gnade vor Recht ergehen lassen. Du kannst von Glück sagen, dass er dich nicht bis zum Galgen hin hat auspeitschen lassen. Dort endet eigentlich der Landsberger Etter, aus dem du nun für die nächsten fünf Jahre und einen Tag verbannt bist." Er steckte den Tiegel zurück in seine Tasche. „Ich sehe schon, bei dir ist Hopfen und Malz verloren. Behüt dich Gott." Ohne ihn noch eines Blickes zu würdigen, ging er über die Brücke zurück in die Stadt.

Caspar schleppte sich zu seinem Wagen, sein Rücken brannte wie eine einzige Wunde. Für einen flüchtigen Moment bedauerte er, die Salbe nicht angenommen zu haben. Doch was sollte's. Der Schmerz ließ sich genauso gut mit Wein betäuben. Auf seinem Weg gab es noch den einen oder anderen, der ihm wegen der Schmuggelware einen Gefallen schuldig war und ihm sicher Unterschlupf bot.

stand er doch die Sehnsucht der Täufer nach Freiheit und Gerechtigkeit. In ihren Augen war diese Freiheit nichts anderes, als ein gerechter Wandel, der durch das prophezeite Jüngste Gericht zu ihnen kam. Dafür lohnte es sich, alles aufs Spiel zu setzen. Er selbst jedoch war zu feige dafür. Deshalb musste er so schnell als möglich aus Augsburg verschwinden, denn angesichts seines Verrats, konnte er den Täufern nicht mehr in die Augen schauen.

Kapitel 58

Den ganzen Weg von Memmingen hatte sich Lenz den Kopf zerbrochen, wie er nach Augsburg hineinkommen sollte. Wegen seiner Narbe machte er sich keine Sorgen; die hatte er gut mit Moritz' Paste abgedeckt. Aber unterwegs sprachen alle Reisenden davon, dass die Stimmung in der Reichsstadt aufgeheizt war. Ohne triftigen Grund ließ man niemanden mehr in die Stadt. Als einzelner Reiter würde ihn die Wache sicher ansprechen.

Eine Meile hinter dem Dorf Oberottmarshausen *an der Straß* war er schließlich auf die Fuhrleute eines Augsburger Gewürzhändlers getroffen, deren Wagen liegen geblieben war. Mit vereinten Kräften hatten sie die zerbrochene Vorderachse notdürftig repariert. Zum Dank hatten Laux und Naz ihn zum Nachtmahl eingeladen und seine Übernachtung bezahlt, denn Oberottmarshausen verfügte über einen heimeligen Gasthof.

Gleich beim ersten Hahnenschrei waren sie am Morgen gemeinsam aufgebrochen. Nun war sein Pferd hinten angebunden und er fuhr seit drei Stunden auf dem Kutschbock mit.

Der ältere Naz wirkte wie ein Eigenbrötler, während der junge Blondschopf Laux ein fröhlicher Kerl war, der Lenz immer wieder aus seinen trüben Gedanken riss. Trotzdem wuchs seine Anspannung mit jeder Meile, mit der sie dem Augsburger Stadttor näherkamen.

Langsam zuckelten sie auf die imposante Silhouette der Reichsstadt zu, aus der der Turm der *Ulrichskirche* wie ein mahnender Finger hervorragte. Die aufsteigende Sonne stand schon über dem Lechrain und beschien sie von hinten. Allmählich rückte das Haunstetter Tor näher heran, und man erkannte bereits die beiden Torhäuschen der Brücke. Sie waren noch eine Viertelmeile entfernt, als sie sich in eine Schlange wartender Menschen und Kutschen einreihen mussten.

Naz rief einem Mann vor ihnen zu: „Was ist denn da los? Warum geht es nicht weiter?"

Der Mann zuckte ratlos mit den Schultern und wandte sich abrupt ab.

Laux fluchte, sprang vom Wagen und trottete nach vorne zum nächsten Fuhrwerk. Mit besorgtem Gesichtsausdruck erklärte er wenig später: „Die Wachen kontrollieren jeden, der in die Stadt hinein will. Darum staut sich alles."

Genau davor hatte sich Lenz gefürchtet. Er versuchte, beiläufig zu klingen, als er fragte: „Weißt du warum?"

„Anscheinend quillt die Stadt über vor Geflüchteten aus Baiern."

„Wir haben selbst kaum genug für alle. Diese Hungerleider aus dem Moos sollen bleiben, wo sie herkommen." Naz spuckte die Worte förmlich aus.

Laux schüttelte den Kopf, als ob er gänzlich anderer Meinung war als sein Kamerad. Trotzdem erwiderte er nichts. Stattdessen erklärte er: „Der Rat hat an der Afrabrücke über den Lech und hier am Haunstetter Tor strenge Kontrollen angeordnet."

Quälend langsam rückten sie vorwärts. Die Anspannung nagte fast unerträglich an Lenz' Nerven. Doch ein Zurück gab es nicht. Er spürte, dass Anna und Ignaz in Gefahr waren.

Die Glocke von *Ulrich und Afra* schlug zehn Mal, als sie endlich die Torbrücke erreichten. Der seltsame Kerl, der ihnen vorhin kein Wort geschenkt hatte, gehörte zu einer Gruppe von acht Personen. Nach einem kurzen, scharfen Wortwechsel mit ihnen brüllte der Wachsoldat nach Verstärkung. Zwei Büttel eilten herbei und peitschten ohne Vorwarnung auf die zerlumpten Gestalten ein. Die stoben auseinander und rannten panisch die Rottstraße zurück. „Verpisst euch, ihr dreckigen Ketzer, sonst bekommt ihr vierzig Hiebe am Pfahl!", schrie ihnen einer der Büttel nach.

Laux senkte die Stimme: „Du bleibst am besten bei uns auf dem Kutschbock. Die Wachen kennen uns und werden dich in Ruhe lassen."

Und tatsächlich, Augenblicke später winkte man den Wagen mit der wertvollen Fracht durch. Das Stampfen der eisenbeschlagenen Hufe über die hölzerne Brücke beruhigte Lenz' aufgeregten Herzschlag. Drin waren sie schon mal. Eine Achtelmeile hinter dem Tor sprang er vom Wagen.

Laux rief ihm zu: „Wir licfcrn dic Ware im Kontor ab. Sehen wir uns später? Wir bleiben über Ostern in der Stadt."

Lenz zögerte. Naz hatte ihn während der Fahrt immer wieder von der Seite her beobachtet. Schließlich stimmte er zu. „Gerne. Ich nehme mir eine kleine Kammer im Gasthof *Zum Schwarzen Ross*. Lasst uns später dort etwas essen. Heute haben wir noch nichts zwischen die Zähne bekommen."

Die Zeit bis zum Mittagsläuten wollte Lenz nutzen, um mit Anna zu sprechen, die ihn erst für morgen erwartete. Mit schnellen Schritten durchmaß er Spitalgasse und Bäckergasse, um anschließend dem plätschernden Schwalllech zu folgen. Doch schon beim Laienkloster lungerten Soldaten in dcn Farben der Stadt Augsburg herum. Was, wenn sie ihn aufhielten und befragten? Er musste es riskieren. Ungeachtet ihrer argwöhnischen Blicke klopfte er in der Hinteren Lechgasse beim Färber-Jos.

Anna öffnete ihm die Tür. Mit schreckgeweiteten Augen starrte sie auf die Stadtwachen. Ohne ein

Wort zog sie ihn in den Flur des Färberhauses. „Was machst du hier?"

„Dich abholen."

„Doch erst morgen ..."

„Draußen stehen Büttel und beobachten das Haus. Und du ..." Ihm fehlten die Worte.

Eine steile Falte erschien zwischen ihren Augenbrauen. „Heute Abend ist die Taufe der Flüchtlinge, die beim Jos wohnen. Und morgen feiern wir die Auferstehung des Herrn. Ich will dabei sein. Du kannst gerne mitkommen."

Wut kochte in Lenz hoch. „Ich fasse es nicht! Verdächtige Ketzer werden am Stadttor mit Peitschen fortgeschlagen. Die Stadt ist ein Pulverfass, bereit zu explodieren! Es hat sich bis zu uns nach Memmingen herumgesprochen, dass der Augsburger Rat bald zuschlagen wird. Denkst du auch an Ignaz? Was wird aus ihm, wenn sie dich verhaften?"

Sie musterte ihn trotzig.

Er legte die Hand auf sein Herz. „Ich liebe dich und Ignaz. Deshalb finde ich auch erst Ruhe, wenn ihr beide sicher in Memmingen seid."

Mit Tränen in den Augen hob sie die Arme, um ihn festzuhalten, ließ sie dann jedoch wieder sinken. „Lenz, ich ..." Sie verstummte, wischte sich über die Augen. Stieß die Luft aus.

„Ich warte morgen wie vereinbart im *Schwarzen Ross* in der Spitalgasse auf euch. Das Wirtshaus liegt gleich beim Haunstetter Tor, damit wir schnell aus der Stadt kommen." Mit diesen Worten schlüpfte Lenz aus dem Haus des Färber-Jos'. Er zog sich seine Kapuze tief ins Gesicht und schritt weiter bis zum Ende der Hinteren Lechgasse, wo das Daucher-Anwesen lag. Auch hier waren auffällig viele Bewaffnete, die sich unauffällig herumdrückten. Überall, wo er hinkam, dasselbe Bild. Die Spannung, die über der Stadt lag, war mit Händen zu greifen. Der Rat der Stadt musste alles mobilisiert haben, was er nur konnte. Stadtwachen, Büttel, Nacht- und Feuerwächter patrouillierten durch die Gassen des Lechviertels und verwandelten es in seinen Augen in ein kriegerisches Heerlager.

Über den Eisenberg erreichte er die Bürgerstadt, wo er im Gegensatz zum Viertel der Lechkanäle kaum auf Bewaffnete traf. Hier wohnten diejenigen, die über den Zweifel der Ketzerei erhaben waren. Hier gab es nur Lutherische und Altgläubige. Vorbei am Palais der Familie Rehlinger nahm er den Predigerberg zurück zu seiner Unterkunft, wo er im Schankraum des *Schwarzen Rosses* auf Laux und Naz wartete. Mittlerweile bereute er es, sich auf ein Treffen mit den beiden Fuhrleuten eingelassen zu haben. Das Gespräch mit Anna hatte ihn zutiefst aufgewühlt, und nun hatte er eigentlich keine Lust mehr auf Gesellschaft.

Schlag zwölf tauchten die beiden Fuhrknechte auf. Laut schnaubend ließ sich Laux auf die Bank neben

Lenz fallen. „Man traut sich ja kaum, einen Schritt zu machen, weil dir die Büttel hinterhersehen."

„Ach was", entgegnete Naz. „Das ist schon gut so. Wie mir der Kontorist vorhin erzählt hat, versucht der Rat lediglich, die öffentliche Ordnung aufrechtzuerhalten. Man munkelt, dass die Wiedertäufer einen Umsturz planen."

„Einen Umsturz? Wie soll das gehen? Werfen die mit Bibeln nach den hohen Herren?", spottete Laux. Naz schlug mit der flachen Hand auf den Tisch. „Ohne funktionierende Ordnung bricht das Chaos aus."

„Du musst es ja wissen", spottete Laux. „Jahraus, jahrein fährst du Gewürze. Überlass die Politik lieber den hohen Herren."

Lenz rief nach der Bedienung, bevor das Geplänkel der beiden in einen handfesten Streit mündete: „Drei Bier für uns und drei gebratene Forellen." An die beiden Fuhrleute gewandt erklärte er: „Heute bezahle ich. Dank euch haben mich die Wachen unbehelligt in die Stadt gelassen."

„Hätten sie denn einen Grund gehabt, dich aufzuhalten?" Naz' Frage war mehr, als nur neugierig – sie war durchzogen von einem kaum verhohlenen Misstrauen.

„Vielleicht ist Lenz auch ein Ketzer", witzelte Laux, aber der Scherz vermochte die angespannte Stimmung nicht wirklich zu entschärfen.

„Jetzt sag schon, warum bist du hier? Geschäfte können es ja wohl kaum sein." Naz' Stimme war schneidend.

Lenz fühlte sich in die Enge getrieben. Er war sprachlos, unfähig, eine Antwort zu geben, die Sinn machte. Schweiß lief ihm über den Rücken und sein Nacken wurde hart, wie ein Brett. Die Bedienung brachte das Essen und verschaffte ihm etwas Zeit zum Überlegen, während ihn Naz unbeirrt anstarrte.

Er versuchte ein Grinsen. Schließlich hob Lenz seinen Krug mit einer Mischung aus Anspannung und Entschlossenheit. „Ihr könnt mich beglückwünschen. Morgen hole ich meine zukünftige Frau zu mir."

Jetzt grinste auch Naz. „In dem Fall geht der nächste Krug auf mich."

Kapitel 59

11. April Anno Domini 1528, Karsamstag,
Augsburg

Schweißperlen rannen Peutinger über das feiste Gesicht. „Meiner Seel, Rehlinger. Beim Treppensteigen spüre ich jedes einzelne meiner 62 Jahre in den Knochen." Er schluckte hart und fügte vorwurfsvoll hinzu: „Was gibt es so Wichtiges, das Ihr nicht bei der letzten Ratsversammlung ansprechen konntet?"
Bürgermeister Rehlinger eilte an die Treppe, um den Stadtschreiber zu stützen. Die Bemerkung, dass es vermutlich eher die 250 Pfunde waren, die Peutinger belasteten, verbiss er sich. „Doctor Peutinger, bitte entschuldigt. Das, was ich erfahren habe, ist erst einmal nur für Eure Ohren bestimmt. Da benötige ich Rat von jemandem wie Euch, der sowohl das weltliche als auch das kanonische Recht studiert hat. Nicht umsonst eilt Euch der Ruf voraus, einer der fähigsten Politiker des deutschen Reiches zu sein."
Peutinger seufzte und schlurfte in die feudal eingerichtete Wohnstube. Beim Anblick vom Pfettner Christof fuhr er auf: „Was macht der Schulleiter hier?"

„Wie Ihr wisst, ist Magister Pfettner auch mein Hauskaplan und Vertrauter. Zudem hat er heute wertvolle Informationen für uns."

Peutinger brummte etwas Unverständliches und ließ sich schwer atmend auf einen Stuhl am Tisch nieder, wo ein geräucherter Fisch und frisches Brot verführerisch duftctcn. „Ich schc, Ihr kennt meine Vorlieben. Aber ich bin nicht bestechlich!"

„Das liegt mir fern. Es ist auch nur eine Kleinigkeit. Am Tag der Grabesruhe des Gekreuzigten verbietet sich jegliche Schlemmerei." Rehlinger griff nach einem Krug. „Deshalb kredenze ich Euch nur verdünntes Bier anstatt Wein." Er schenkte die Becher voll, bevor er sich selbst setzte. „Lasst uns etwas essen, bevor wir das besprechen, was mir seit Tagen auf der Seele brennt."

„Jetzt macht Ihr mich aber doch neugierig, Bürgermeister. Ich kann mich schon etwas stärken, während Ihr mir Euer Anliegen erläutert."

Rehlinger senkte den Kopf und murmelte ein Tischgebet, um noch etwas Zeit zu schinden. Peutinger war zugänglicher, wenn er etwas im Magen hatte. Zögerlich begann er: „Es geht um die öffentliche Ordnung in der Stadt."

„Da erzählt Ihr mir nichts Neues", murmelte der Stadtschreiber zwischen zwei Bissen. „Deshalb wurden auf Beschluss des Rates auch die Wachmannschaften verstärkt, weil immer mehr dieser Wiedertäufer in die Stadt drängen. Ihr habt das Lechviertel ja in einen regelrechten Belagerungszustand versetzt."

„Aber das reicht nicht!" Christof, der bisher geschwiegen hatte, platzte dazwischen.

Eine steile Falte bildete sich zwischen den hochgezogenen Augenbrauen von Peutinger, der Christof misstrauisch musterte. „Euch steht nicht zu, in dieser Angelegenheit die Stimme zu erheben. Mit Eurer Hetze gegen den Maurermeister Kießling letzten Sommer habt Ihr schon genug angerichtet. Es hat mir in der Seele wehgetan, einen so fähigen und angesehenen Meister aus der Stadt zu verbannen, nur weil er ein Anhänger der Täufer war."

„Er war ein Wiedertäufer, der unsere Bürger aufgestachelt hat", antwortete der Bürgermeister gereizt. „Habt Ihr ganz vergessen, dass er einer der Organisatoren dieses *Conciliums* war? Damit hat das ganze Unheil doch erst begonnen."

„Ehrlich gesagt, hatte ich damals kurz den Verdacht, dass es bei der Verhaftung von Kießling um persönliche Animositäten Eures Hauskaplans ging. Schließlich hat ihn der Prediger Denck bei der Disputation im Haus von Kießling kräftig vorgeführt." Peutingers höhnisches Grinsen verriet, was er von Christof hielt.

„Dagegen verwehre ich mich auf das Äußerste", rief Christof wutentbrannt.

Der Bürgermeister warf seinem Hauskaplan einen warnenden Blick zu. Es fehlte ihm gerade noch, dass der Jähzorn seines ehrgeizigen Günstlings alles zum Scheitern brachte. „Mein lieber Doctor Peutinger. Wie bereits gesagt: Es geht einzig und allein um die öffentliche Ordnung in unserer Stadt."

„Es wundert mich nicht, das von einem Spross der berühmten Kaufmannsfamilie Rehlinger zu hören. Von dieser öffentlichen Ordnung profitiert Ihr am meisten, wenn ich mich nicht irre", schnaubte Peutinger. „Eure Geschäfte laufen doch gut, wie man so hört. Immerhin wollt Ihr sogar eine Niederlassung in Danzig gründen."

Feine Schweißperlen rannen über Rehlingers Stirn. Er bemühte sich, äußerlich ruhig zu bleiben, obwohl er innerlich vor Wut kochte. „Was meine Geschäfte betrifft: Danke, sie laufen im erwartbaren Rahmen. Die Verträge mit der Familie Honold über den Handel mit deren Kontor in Venedig sind erneuert und unsere noch junge Niederlassung in Danzig etabliert sich zusehends." Er wischte sich den Schweiß vom Gesicht und fuhr fort: „Aber das, was gerade vor sich geht, beeinflusst nicht nur *meine* Geschäfte, sondern die der ganzen Stadt. Und zwar nicht zum Guten. Ich habe Euch deshalb in meiner Eigenschaft als Bürgermeister zu diesem Gespräch gebeten und nicht als Privatmann." Er deutete auf Christof. „Mein Hauskaplan ist über jeden Zweifel erhaben und er hat recht, dass die Wachen allein zur Abschreckung dieser Wiedertäufer nicht reichen."

„Wie meint Ihr das?" Peutinger legte sein Messer zur Seite. Die Ablehnung in seinem Gesicht wich einem besorgten Ausdruck.

„Ich dachte anfangs auch, dass der Beschluss des Rates ausreicht, um diese Ketzer abzuschrecken. Aber das Gegenteil ist mittlerweile der Fall. Obwohl wir tagtäglich viele von ihnen an unseren Stadttoren abweisen, ja sogar mit Prügel drohen, werden es immer mehr. Sie treffen sich nicht mehr nur heimlich. Ihre Taufen finden vor den Augen der Öffentlichkeit am Lech statt. Sie sind eine gefährliche Sekte, die wir ein für alle Mal zerschlagen müssen, wollen wir nicht einen Aufruhr riskieren, der sich zum neuerlichen Rathaussturm aufschaukelt. Denkt an den Schilling-Aufstand '24. Damals entlud sich der Zorn des Mobs an den weltlichen und geistlichen Obrigkeiten. Davon sind wir nicht mehr weit entfernt." Rehlinger brachte das Aufbegehren des Franziskanermönches bewusst zur Sprache. Der Bürgermeister wusste, dass der Schreck darüber dem Stadtschreiber auch nach Jahren noch immer in den Knochen steckte. Letzten Endes mit ein Grund, dass er den Verhaftungen der Wiedertäufer letzten Sommer zugestimmt hatte. Rehlinger bedeutete Pfettner, zu sprechen.

Christof nickte feierlich. „Durchlauchtigster Doctor Peutinger ..."

„Ich habe mich nicht hier heraufgequält, um mir von Euch Honig ums Maul schmieren zu lassen", polterte der Stadtschreiber. „Sagt, was Ihr zu sagen habt, und stehlt mir nicht meine Zeit."

Erneut warf Rehlinger seinem Günstling einen mahnenden Blick zu.

Christof räusperte sich. „Ich habe Kenntnis erlangt, dass die Sekte, die sich der Wiedertaufe verschrieben hat, einen Umsturz plant."

„Bei uns in Augsburg? Wer behauptet das?" Die Sorge in Peutingers Stimme war deutlich vernehmbar.

Der Bürgermeister frohlockte innerlich. Sein Plan ging auf. Ein drohender Aufstand brachte sogar den Stadtschreiber mit seiner humanistischen Gesinnung ins Wanken. Für gewöhnlich ließ er die Leute eher gewähren. Immerhin versorgte er die Ketzer, die seit letztem Sommer im Gefängnis saßen, regelmäßig mit Wein. Auch hatte er ihnen lutherische Prediger geschickt, die sie von ihrem Irrglauben abbringen sollten. In den Augen des Bürgermeisters war das der Gipfel.

Anstelle von Christof fuhr er fort: „Mein geschätzter Hauskaplan hat es als Einziger geschafft, einen Spitzel *in* die Reihen dieser Ketzer einzuschleuscn. Während ihrer Winkelpredigten verbreiten sie dieselben Fantastereien, wie es dieser gefährliche Hut getan hat. Ihr habt ihm selbst den Prozess gemacht letzten Dezember."

„Bevor wir ihn richten konnten, hat er sich selbst gerichtet." Peutinger bekreuzigte sich. „Dieser Mensch war ein verwirrter Geist. Ein gefährlicher verwirrter

Geist. Für ihn kam nur die Hinrichtung in Frage. Habt Ihr konkrete Beweise?"

Rehlinger nickte so heftig, dass er sein Bier verschüttete. „Wir haben Augen- und Ohrenzeugen. Mehrere! Und alle berichten davon, dass in den Augen der Wiedertäufer das Weltengericht nahe ist und die Auserwählten mit dem Schwert in der Hand Rache üben werden an den Herrschenden und falschen Predigern."

Peutinger ließ die Schultern sinken. Sein Gesicht wirkte auf einmal um Jahre gealtert. „Das klingt in der Tat nach diesem Hut. Was schlagt Ihr vor?"

Christof meldete sich wieder zu Wort: „Euer Gnaden, wie Ihr selbst wisst, sind seit Oktober letzten Jahres Winkelpredigten und Rottierungen verboten. Ebenso dürfen Wiedertäufer weder verpflegt noch beherbergt werden. Auf dieser Basis können wir heute Abend oder morgen Versammlungen ausheben."

Der Bürgermeister ergänzte: „Die Auswärtigen können wir einfach aus unserem Etter verbannen. Vorausgesetzt sie revocieren. Wenn nicht, werden sie mit Ruten aus der Stadt geschlagen. Aber die Augsburger Bürger unter diesen Ketzern müssen wir härter anfassen, um dieses falsche Gewächs mit Stumpf und Stiel auszurotten."

„Gemach, gemach", fiel ihm Peutinger ins Wort. Die Stimme des Stadtjuristen klang wieder kräftiger.

„Wenn ein Bürger der Stadt widerruft, so mag er mit einer empfindlichen Geldstrafe davonkommen."

Rehlinger rang die Hände. „Euer Humanismus in allen Ehren. Aber meiner Kenntnis nach sind die meisten Anhänger der Täufer einfache Handwerker und Tagelöhner. Wie soll so jemand eine Geldstrafe bezahlen?"

„Dann müssen wir eben ein Exempel statuieren", ereiferte sich Christof. „Wer nicht revociert oder nicht bezahlen kann, muss durch die Backen gebrannt werden. So einfach ist das."

„Tatsächlich?", ätzte Peutinger und warf Christof einen vernichtenden Blick zu.

Der Bürgermeister ging dazwischen. „Mit Eurem geschätzten Einverständnis nehmen wir in den nächsten Tagen die Versammlungen aus. Ihr befragt unvoreingenommen die Leute und fällt *das* Urteil über sie, das *Euch* gerecht erscheint. Solltet Ihr der Auffassung sein, dass jemand unschuldig ist, sprecht Ihr ihn frei."

Peutinger wiegte den Kopf. „Und woher wisst Ihr, wo die Versammlungsorte sind? Wir können ja nur Verhaftungen vornehmen, wenn wir jemanden auf frischer Tat ertappen."

„Das lasst meine Sorge sein", beruhigte ihn Christof. „Mein Spion und ich kümmern uns darum, dass alles wie geplant verläuft."

Kapitel 60

Das Treffen fand dieses Mal im Haus des Fischer
Gall statt, der sich gerade mit dem Schleifer Claus
unterhielt. Anna sah sich um. Die vielen Kerzen und
Öllampen warfen flackernde Schatten an die Wände. Leise Gespräche und gedämpftes Gelächter erfüllten den Raum. Eine gespannte Erwartung lag in
der Luft. Waren diese Zusammenkünfte für sie anfangs nur Treffen unter Gleichgesinnten gewesen, so
spürte sie mehr und mehr die tiefe Verbundenheit,
gestärkt durch einen unerschütterlichen Glauben
und der Hoffnung auf Freiheit und Gerechtigkeit.
Gleichzeitig durchdrang sie eine tiefe Traurigkeit.
Wie sehr sehnte sie sich nach Lenz an ihrer Seite,
um all das hier mit ihm teilen zu können. Er war
enttäuscht und zornig gewesen, weil sie und Ignaz
nicht gleich in seine Unterkunft mitgekommen waren. Doch sie wollte heute noch dabei sein. Morgen
musste sie sich entscheiden. Erneut vertrösten lassen würde Lenz sich nicht.
Die Adolfin und Jörg traten ein. Hinter ihnen die
Flüchtlinge, die beim Färber-Jos Zuflucht gefunden
hatten und jetzt getauft wurden. Schlagartig wurde
es still, nur das Knistern des Feuers war zu hören.

Anna richtete ihren Blick auf den Schleifer Claus, der die einleitenden Worte sprach: „Es ist mir eine große Freude, euch alle hier als neuer Gemeindevorstand begrüßen zu dürfen."

Vereinzelt wurde geklatscht. In den vergangenen Monaten war die Gemeinschaft der Täufer so stark gewachsen, dass ein zusätzlicher Vorstand notwendig geworden war.

„Zur Taufzeremonie durch unseren geschätzten Prediger, den Sedlmaier Jörg, möchte ich noch einige Worte sagen."

Ungehaltenes Gemurmel war zu hören, dem Gastgeber Gall sofort Einhalt gebot.

„Viele von euch verstehen nicht, warum die Taufe nicht wie sonst im Lech stattfindet. Schließlich wird durch das Untertauchen erst die zeichenhafte Bedeutung von Reinigung und Neuanfang deutlich."

Zustimmendes Nicken von einigen.

„Aber Jörg und ich waren uns einig, dass es momentan klüger ist, dem Rat der Stadt keine weiteren Angriffsflächen zu bieten. Wir wissen, dass seine Spione um uns sind."

Sofort fiel Annas Blick auf Hubertus, der alleine in einer Ecke stand. Seine Miene wirkte wie versteinert. Als er bemerkte, dass sie ihn beobachtete, senkte er den Kopf.

Jörg trat nach vorne und fuhr fort: „Seit einigen Tagen werden immer mehr Flüchtlinge aus dem Umland an den Toren der Stadt abgewiesen. Und wie ihr sicher schon bemerkt habt, patrouillieren seit Wochen vermehrt Büttel in den Straßen und Gassen."

„Wir haben keine Angst!", rief der Färber-Jos dazwischen.

Und die Adolfin, die neben ihm stand, pflichtete ihm bei. „Wir sind mittlerweile viele. So einfach wie damals, als dieser Pfettner den Kießling und seine Getreuen verhaften ließ, machen wir es ihm nicht mehr."

Jubel brandete auf. Aber Anna sah an den Gesichtern der Umstehenden, dass nicht alle diese Meinung teilten. Jörg ließ ihren Einwurf unbeantwortet und bat mit gefalteten Händen um Ruhe. Als es endgültig still war, nahm er eine Schüssel vom Tisch, die er dem neuen Vorsteher reichte. Dann wies er den ersten Täufling an, den Kopf über die Schüssel zu neigen. Aus dem ebenfalls bereitgestellten Krug goss er Wasser über dessen Haupt und besiegelte die Taufe mit den Worten: „Im Namen des Vaters und des Sohnes und des Heiligen Geistes."

Anna stimmte in das laute Amen der Gemeinde mit ein.

Dieses kurze Ritual wiederholte Jörg noch viermal, bevor er alle Anwesenden zu einer kleinen Stärkung in die Kuchl nebenan bat.

Anna wollte sich anschließen, sah jedoch, wie Hubertus heftig auf Jos und die Adolfin einredete. Ihre angespannten Mienen verrieten ihr sofort, dass etwas nicht stimmte. Mit einem unbehaglichen Gefühl in der Brust eilte sie zu ihnen. „Was ist passiert?", fragte sie besorgt.

Der Färber-Jos fuhr herum, seine Augen funkelten vor Wut. „Das soll dir Hubertus selbst erklären", knurrte er. „Ich bin zutiefst enttäuscht. Ich habe mich bei allen für ihn eingesetzt, habe ihn verteidigt und jetzt tritt er mein Vertrauen mit Füßen. Ich ertrage seinen Anblick nicht mehr. Ich muss hier weg." Seine Stimme zitterte vor Zorn. Anna hatte ihn noch nie so erschüttert gesehen.

Mit einem knappen Kopfnicken wies die Adolfin Anna an, mit Hubertus zu sprechen, bevor sie entschlossen Jos hinterhereilte.

„Was meint Jos damit?"

Hubertus sah an ihr vorbei ins Leere. „Christof hat von Anfang an geplant, dass ich euer Vertrauen gewinne und ihr mich zu euren Zusammenkünften einladet. Ich sollte euch allen glaubhaft vermitteln, dass ich ebenfalls ganz in der Nachfolge Christi leben will. So wie ihr."

„Ich fasse es nicht. Du hast uns von Anfang an bespitzelt! Selbst dein Sturz vor unserem Haus ... Alles gespielt?"

„Ich bin wirklich ausgerutscht."

„Ja", höhnte sie. „Nur um dich dann mit einem Geschenk bei mir anzubiedern und weiter herumzuschleichen, bis dich der Jos erwischt hat. Du hast uns alle getäuscht. Ich war anfangs auch misstrauisch, aber als du uns an Fastnacht gewarnt hast ..." Sie stockte und lachte bitter. „Vermutlich auch eine Lüge. Der Pfettner war gar nicht im Lechviertel, habe ich recht? Du konntest uns diesen Bären nur aufbinden, weil er unter der Maske sowieso nicht zu erkennen gewesen wäre." Anna wandte sich ab. Ihre Knie zitterten.

„Bitte warte!" Hubertus hielt sie am Arm fest. „Christof war tatsächlich verkleidet im Lechviertel unterwegs, weil er *dir* unerkannt nachstellen wollte. Wenn ihr mit dem Karren dort aufgetaucht wärt, hätte er zwei Ziele mit einem Pfeil getroffen: Der Färber-Jos, Jörg und die Flüchtlinge in eurem Haus wären verhaftet worden; dich und Ignaz dagegen hätte er *gerettet*, damit du aus Dankbarkeit sein Weib wirst."

Anna konnte das soeben Gehörte nicht fassen. „Aber wieso hast du uns dann gewarnt?"

„Ich wollte euch alle nicht in Gefahr bringen."

„Das verstehe ich nicht."

„Christof ist von Ehrgeiz zerfressen. Er setzt alles daran, mit einem neuen Schlag gegen die Täufer beim Rat zu glänzen. Er hat mich unter Druck gesetzt, damit ich für ihn spioniere."

Warum der Pfettner Hubertus in der Hand hatte, wollte Anna gar nicht wissen. „Weiter!", drängte sie.

„Meine Warnung an Fastnacht war uneigennützig. Dass ich dadurch auch das Vertrauen von euch allen gewinne, war nicht beabsichtigt. Ihr lebt nach dem, was ihr predigt. Auch wenn ich nicht an das Jüngste Gericht glaube, so erkenne ich doch eure Fürsorge für die Armen und Verfolgten an."

„Trotzdem hast du uns verraten."

„Ich hatte keine Wahl", jammerte Hubertus.

Anna war ratlos, was sie darauf erwidern sollte.

„Ich bin heute nur hier, weil mir euer Schicksal nicht egal ist. Ich weiß aus sicherer Quelle, dass der Rat der Stadt etwas plant. Deshalb bitte ich euch inständig, eure Versammlungen in den nächsten Tagen abzusagen. Ihr seid alle in großer Gefahr!"

In diesem Augenblick hörte Anna, wie Jörg im Nebenraum die Stimme erhob und um Aufmerksamkeit bat. Gedämpft hörte sie ihn sagen: „Meine lieben Brüder und Schwestern! Wir haben heute die Aufnahme von neuen Glaubensgeschwistern in den Kreis der Auserwählten erleben dürfen. Das erfüllt mich mit tiefer Dankbarkeit."

Zustimmendes Gemurmel erhob sich.

Die Adolfin sprach: „Morgen, am Ostersonntag wollen wir die Auferstehung des Herrn feiern. Da mein Mann die nächsten Tage immer noch in Wien ist, lade ich euch alle herzlich zu mir ein. Wir beginnen Schlag acht."

Hubertus sah Anna flehend an. „Das ist Wahnsinn! Rede du noch einmal mit ihnen."

„Wir sind alle in Gottes Hand", erwiderte Anna trotzig. Doch ihre eigenen Worte erschienen ihr in diesem Moment wie eine leere Hülle. In ihrem Inneren brodelte eine Mischung aus Angst und Zweifeln. Sie wusste nur zu gut, dass die Adolfin und der Färber-Jos die Auferstehungsfeier niemals absagen würden – ihr Glaube war unerschütterlich. Sie würden auch nicht verstehen, wenn Anna nicht dabei war. Anna wusste, dass sie die Enttäuschung der beiden darüber nicht ertragen würde. Doch was wurde aus Ignaz, wenn sie im Augsburger Kerker endete? Der Gedanke daran schnürte ihr die Kehle zu.

Kapitel 61

12. April Anno Domini 1528, Ostersonntag,
Augsburg

Es war noch stockfinstere Nacht, als sie aufbrachen, doch bereits jetzt waren gedämpfte Marschbefehle und Waffenklirren zu hören. Aus allen Gassen strömten die Gläubigen, um am Ostermorgen die Auferstehung des Herrn zu feiern. Um Trost und Hoffnung bei einer höheren Macht zu suchen, die den Schleier des Todes zerrissen hatte.

Die halbe Nacht hindurch hatten sie disputiert, ob Hubertus mit seiner eindringlichen Warnung nicht übertrieben hatte. Das massive Aufgebot an Stadtwachen überall im Lechviertel bestätigten seine Worte.

„Wir sollten lieber umkehren." Die Stimme des Sedlmaier Jörg klang unsicher.

Der Färber-Jos blieb abrupt stehen und drehte sich zu ihm um. „Wir waren uns doch einig, dass wir uns nicht einschüchtern lassen und all dem hier ...", er deutete auf zwei Büttel in der Nähe, „... die Stirn bieten. Was meinst du, Anna?"

„Wir gehen zur Adolfin, wie ausgemacht." Doch auch ihr jagten die Bewaffneten Angst ein. Sie bemühte sich, ihrer Stimme einen festen Klang zu geben, als sie weitersprach. „Wenn wir jetzt klein beigeben, verraten wir alles, was uns in den letzten Monaten wichtig geworden ist."

„Wohl gesprochen", brummte Jos und stapfte weiter. Jörg folgte ihnen widerwillig.

Die Tür zum Daucher-Haus war nur angelehnt. In der großen Werkstatt ging es zu wie in einem Taubenschlag. Inmitten von mindestens acht Dutzend Täufern stand Hubertus auf einem Hocker. Er gestikulierte wild und seine Stimme überschlug sich vor Erregung. „Bitte hört mir zu! Ich weiß aus sicherer Quelle, dass der Rat der Stadt heute etwas plant. Ihr habt doch selbst die vielen Bewaffneten vor dem Haus gesehen. Sie werden euch alle verhaften! Verlasst diese Versammlung, bevor es zu spät ist!"

Abfällige Bemerkungen mischten sich mit zustimmendem Raunen.

„Bitte!" Er rang verzweifelt die Hände.

In diesem Moment ging die Adolfin dazwischen. Mit einer Handbewegung gebot sie ihm zu schweigen und richtete anschließend das Wort an alle Anwesenden. „Es steht euch natürlich frei, zu gehen. Aber dann sind wir nicht besser als Jesu Jünger, die ihn verraten und in seiner schwersten Stunde am Ölberg alleine gelassen haben. Ich werde zusammen mit meinen zwei Buben hierbleiben und Ostern feiern. Was danach kommt, liegt in Gottes Hand."

Hubertus stieg vom Stuhl. Mit gesenktem Kopf kämpfte er sich durch die dichte Menge. Einige wichen ihm aus, als hätte er die Pest, während andere ihm verabschiedend auf die Schulter klopften. Ein paar folgten ihm.

Als er an Anna vorbeikam, sah sie die tiefe Verzweiflung in seinen Augen. Kurzentschlossen hob sie Ignaz hoch, der sich ängstlich an ihr Bein klammerte. „Ich bleibe, egal was passiert. Aber bitte bring meinen Neffen in den Gasthof *Zum Schwarzen Ross* in der Spitalgasse und übergib ihn dort einem Kirchperger Lenz."

Als sie die Bibelstelle lasen, in der die Frauen das leere Grab entdeckten, brach die Hölle los. Bewaffnete drängten in die Werkstatt wie eine unerbittliche Flut, die jeden Widerstand ertränkte. Türen wurden eingetreten, die irdenen Töpfe aus den Regalen zerbrachen scheppernd am Boden. Schmerzensschreie gellten durch die Luft und das ängstliche Greinen der Kinder durchdrang Annas Herz wie ein scharfes Messer.

Ein junger Büttel mit einem pickeligen Gesicht packte sie an den Haaren und drückte sie an die Wand. Sie wehrte sich mit aller Kraft, doch sein Griff war eisern. Er band ihre Hände mit einem Strick auf den Rücken und schleifte sie nach draußen. Anna wurde grob zu einer Reihe von Gefangenen gestoßen, die bereits gefesselt auf dem Boden knieten. Ihr Blick suchte sofort die Gesichter ihrer Freunde, doch in dem Durcheinander konnte sie sie nicht entdecken.

Jemand bellte einen lauten Befehl über die Gasse und ihre Glaubensbrüder und -schwestern wurden mit Stößen genötigt, aufzustehen und sich in Bewegung zu setzen. Aneinandergefesselt schleppten sie sich vorwärts. Ihre Gesichter von Schlägen entstellt und tiefer Hoffnungslosigkeit gezeichnet. In manchen Augen wiederum brannte eine entschlossene Wut, ein unerschütterlicher Wille gegen die Unterdrückung anzukämpfen. Anna war wie gelähmt. Die Bilder der grausamen Hinrichtung ihres Bruders tauchten wie ein wiederkehrender Alptraum in ihrem Gedächtnis auf. Drohte ihr das gleiche Schicksal? Gott sei Dank war Ignaz in Sicherheit. Ein heftiger Ruck am Seil riss sie aus ihren Gedanken.

Als sie zum Platz zwischen dem Gefängnis und der Barfüßerkirche kamen, kämpfte sich die Morgensonne durch die dräuenden Regenwolken. Zahlreiche Augsburger strömten gerade aus der Messe. Einige musterten sie mit einer tiefen Befriedigung. Anderen dagegen waren das Entsetzen und die Fassungslosigkeit über das Geschehen ins Gesicht geschrieben. Mit diesen Verhaftungen starb gerade für viele die Hoffnung auf Gerechtigkeit.

Lenz hatte die ganze Nacht kein Auge zugemacht. Als die ersten Sonnenstrahlen den Raum durchfluteten, stand er auf und trat ans Fenster. Draußen begrüßten die Vögel mit fröhlichem Gezwitscher den Ostermorgen. Doch das sanfte Licht vermochte die Dunkelheit in seinem Herzen nicht zu vertreiben. Seine Entscheidung stand fest. Er würde zwar wie vereinbart warten, aber tief in seinem Innersten wusste er, dass sich Anna gegen ihn und für die Täufer entschieden hatte. Der Gedanke, dass er nichts mehr tun konnte, lastete schwer auf ihm.

Schwere Stiefelschritte und immer lauter werdendes Geschrei drangen aus der Gasse tief unter seiner Kammer zu ihm herauf und entfernten sich wieder. Er steckte den Kopf aus der Dachluke, doch niemand war zu sehen. Mit einer düsteren Vorahnung eilte er nach unten. In der Schankstube schimpfte der Wirt gerade mit einer jungen Bedienung. „Das habt ihr nun davon!", war alles, was er verstand. Grummelnd verschwand der Wirt in der Küche und die junge Frau kam zu ihm an den Tisch. Sie weinte. „Was ist los?", fragte Lenz.

Die Frau wischte sich Rotz und Tränen mit dem Ärmel ab. Schließlich ließ sie alle Vorsicht fahren und erzählte stockend: „Der Rat lässt alle Täufer verhaften."

Lenz zog sie zu sich auf die Bank. „Woher weißt du das?"

„Ich habe es selbst gesehen. Die Stadtwache hat ...“
Ein tiefer Schluchzer ließ ihren Körper erbeben. „Sie
hat im Haus der Adolfin viele Brüder und Schwestern verhaftet. Man hat sie alle in Ketten gelegt und
ins Gefängnis hinter dem Rathaus gebracht.“

Das war der Albtraum, vor dem sich Lenz seit Monaten fürchtete. In seinem Kopf tobte ein Sturm;
klare Gedanken waren unmöglich. Plötzlich stand
ein Bärtiger wie aus dem Boden gewachsen vor dem
Tisch. In seinen Armen der kleine Ignaz, bleich und
reglos. Seinen Holzlöffel fest an sich gedrückt. Lenz
sprang auf. „Wer seid Ihr?“

Noch bevor der Fremde etwas antworten konnte,
streckte Ignaz flehend die Ärmchen nach Lenz aus
und klammerte sich dann wie ein Ertrinkender an
seinen Hals. Lenz bestellte bei der schluchzenden
Bedienung einen gesüßten Getreidebrei.

„Ich bin Hubertus Culinula. Ich war bei der Adolfin ...“

„Ihr wart dort?“, fiel ihm Lenz ins Wort.

„Ja. Ich wollte sie alle warnen, weil ich von dem geplanten Zugriff wusste. Aber niemand hörte auf
mich. Die Adolfin und der Färber-Jos haben alle in
ihren Bann gezogen.“

„Und dann?“

„Die Schuster Anna glaubte mir und übergab mir
ihren Neffen, damit ich ihn zu Euch bringe. Sie
selbst weigerte sich, mitzukommen.“

Lenz hatte es geahnt: Anna blieb den Täufern bis zum bitteren Ende treu.

Während Ignaz seinen Brei löffelte, sprach Culinula weiter. „Ich war kaum aus dem Haus, als schon ein Trupp Büttel dort aufmarschierte. Nur weil ich den Jungen auf dem Arm trug, haben sie mich durchgelassen. Dann ging alles ganz schnell. Wie gemeine Verbrecher hat man sie abgeführt."

„Wisst Ihr, wie es jetzt weitergeht?"

Culinula atmete hörbar aus, bevor er antwortete: „Man wird sie morgen einem Richter vorführen. So weit ich weiß, will man diejenigen, die keine Bürger sind, schnell aus dem Augsburger Etter ausweisen."

„Oh Gott!", entfuhr es Lenz lauter als beabsichtigt.

Ignaz sah ihn mit angstgeweiteten Augen an. „Tante Anna?", fragte er mit seinem kindlichen Stimmchen. Sofort strich ihm Lenz beruhigend über die dunkelblonden Haare. „Alles wird gut, Ignaz. Iss erst einmal deinen Brei fertig."

Culinula senkte die Stimme: „Diejenigen, die nicht dem falschen Glauben abschwören, sollen aus der Stadt geschlagen werden. Ich fürchte, dass die Schuster Anna zu diesen Verweigerern gehören wird."

„Wir müssen Anna dort rausholen."

Kapitel 62

12. April Anno Domini 1528, Ostersonntag,
Augsburg

Der launische April zeigte gerade seine andere Seite. Der blaue Himmel von heute Morgen war hinter dunklen Wolken verschwunden. Der Regel lief Hubertus in Strömen über das Gesicht, als er vom Gasthof *Zum Schwarzen Ross* zum Haus der Rehlingers hastete. In den Gassen waren nur noch wenige unterwegs. Die Verhaftungen hatten sich mittlerweile wie ein Lauffeuer in Augsburg verbreitet. Viele Bürger blieben aus Angst in ihren Häusern.

Das Hausmädchen der Rehlingers öffnete erst auf mehrmaliges Klopfen. Grußlos eilte er an ihr vorbei hoch in Christofs Wohnung. Er riss die Tür auf und fand Christof mit einem Becher Wein am Tisch sitzend. „Ah, der Herr genehmigt sich seinen Wein schon früh am Morgen. Feierst du deinen Erfolg?", blaffte er.

„An dem du auch einen Anteil hast, mein Lieber, wenn auch einen geringen. Immerhin war es mein Bericht an den Rat, der die Erkenntnisse deiner Spionage schlüssig zusammengefasst hat. Als brillanter Prediger weiß ich schließlich, welche Schwerpunkte ich setzen muss, damit der Rat handeln kann." Er stand auf. „Ich hole dir auch einen Becher. Dann stoßen wir zusammen auf den Sieg an."

Hubertus stürmte auf ihn zu, packte ihn grob und warf ihn zurück auf den Stuhl. „Mir wird schlecht, wenn ich dich so reden höre. Hast du keinen Funken Mitleid mit diesen armen Menschen? Sie wurden gefesselt wie Schlachtvieh zur *Stadtmetzg* abgeführt."

„Sie verdienen es nicht anders!" Christof sprang auf und stellte sich mit drohend erhobenen Fäusten vor Hubertus. „Wenn du mir noch einmal so unverschämt kommst, sorge ich dafür, dass du keinen Fuß mehr in deine Universität bekommst."

„Deine leeren Drohungen kannst du dir sparen. Ich gehe nicht mehr nach Ingolstadt zurück."

Christof sah aus, als wäre er gerade geschlagen worden. „Wie meinst du das?"

„So, wie ich es sage. Ich habe vor einer Woche eine Zusage von der Universität in Wittenberg erhalten! Mit meinen Kenntnissen der Mathematik bin ich dort sehr willkommen." Er machte eine rhetorische Pause, bevor er fortfuhr: „Hätte ich es früher gewusst, hättest du mich nicht erpressen können. Bürgermeister Rehlinger dagegen weiß sicher nicht, was *du* im Fürchelmoos verbrochen hast."

Verräterische rote Flecken zogen sich von Christofs Hals hoch in sein Gesicht. Seine Augen flackerten.

„Es interessiert ihn bestimmt auch, dass Annas Neffe deinen Löffel hat, den du *angeblich* irgendwo verloren hast."

„Solche Löffel gibt es viele", zischte Christof.

„Stimmt, aber nur einer hat deine eingravierten Initialen am unteren Rand des Stiels. Ganz klein nur und für einen Nichteingeweihten kaum von der Maserung des Holzes zu unterscheiden. Eine zusätzliche Eigenheit zu der wertvollen Einlegearbeit, mit der du in Ingolstadt immer geprahlt hast. Ganz vergessen? Unser gemeinsamer Studienkollege Sättelin erinnert sich sicher daran. Ihn wolltest du doch angeblich bitten, im Fürchelmoos nach Anna Ausschau zu halten. Schließlich ist er dort als altgläubiger Pfarrherr eingesetzt, wie *ich* letzten Sommer für *dich* herausgefunden habe."

Die roten Flecken im Gesicht wichen einer geisterhaften Blässe.

Hubertus bohrte weiter. „Soll ich dir sagen, wie es wirklich war? Du bist selbst nach Hürben geritten, um Anna zu suchen. Dabei war dir ihre Schwägerin im Weg und kaltblütig wie du bist, hast du sie einfach umgebracht."

„So war es nicht!", stammelte Christof und ließ sich auf den Stuhl sinken.

„Das glaube ich dir nicht. Ich bin sicher, dass der Sättelin meinen Verdacht bestätigt. Gegen eine entsprechende Entlohnung singt er wie ein Zeising im

Frühjahr. Dann bist du dran." Hubertus wandte sich zum Gehen.

„Warte!", jammerte Christof. „Der Sättelin ist ein tumber und geldgeiler Tor. Ich hatte ihm tatsächlich einen Brief geschrieben, dass er Lenz als Ketzer verraten soll. Die unschuldige Anna sollte er in Frieden lassen. Aber er ließ sich von den verlogenen Anschuldigungen von Annas bigotter Schwägerin täuschen. Auch Anna betrachtete er als Ketzerin, für die er sich ebenfalls eine Belohnung ergaunern wollte. Das musste ich verhindern, wollte ich doch Anna zur Frau. Also machte ich mich als altgläubiger Pfarrer verkleidet selbst auf den Weg. Ich hatte Glück. Ihr Mann war in Augsburg. Eindringlich versuchte ich die Schusterin zu überzeugen, dass Anna eine gute Christin sei. Doch sie raste wie eine Furie auf mich los. Ich stieß sie weg, und dabei stürzte sie mit dem Kopf gegen ein Regal. Sie war sofort tot. Erst später bemerkte ich, dass sie mir den Löffel abgerissen hat."

Hubertus schüttelte den Kopf. „Ich fasse es nicht. Warum hast du sie dann wie ein Stück Dreck liegenlassen und ihr Kind seinem Schicksal preisgegeben?"

„Habe ich nicht! Ich bin sofort zum Sättelin geritten, damit er nach ihr sieht."

„Und der Trottel hat keinen Verdacht geschöpft?"

„Ich glaube nicht. Er hat mir geglaubt, dass ich mich wegen ihrer Schwangerschaft um sie sorge. Nachdem ich ihm das versprochene Silber für seine Mühen bezahlt habe, war er zufrieden. Du kennst ihn ja. Seitdem habe ich nichts mehr von ihm gehört."

„Und Anna?"

„Zu dieser Zeit arbeitete sie als Magd auf dem Hof des Bauern Sedlmaier. Aber nachdem ihre Schwägerin tot war, konnte ich dort nicht so einfach auftauchen. Deshalb bin ich unverrichteter Dinge wieder zurück nach Augsburg."

„Unverrichteter Dinge", murmelte Hubertus entsetzt. „Du hast einen Mord auf dem Gewissen."

„Das war ein Unglück!", erwiderte Christof trotzig.

„Selbst wenn du das beweisen könntest, der Rehlinger braucht sicher keinen Hauskaplan mit einem angekratzten Leumund. Deine Predigerstelle kannst du dann auch vergessen." Hubertus' Stimme troff vor Hohn. Endlich konnte er es Christof heimzahlen. „Es sei denn ..."

„Was ...?"

„Es sei denn, du hilfst mir, Anna zu befreien. Du wolltest sie doch immer für dich und hast vermutlich schon einen Plan."

„Wie stellst du dir das vor?" Christof starrte ihn ungläubig an. „Die Sache ist nicht so einfach. Der Rat will ein Exempel statuieren und wenn sie als Auswärtige nicht widerruft, dann ..."

„Das ist deine Sache. Du holst sie da raus. Rehlinger verrät dir sicher, was mit den Gefangenen geschieht.

Wage es nicht, mich zu hintergehen. Sonst bist du fällig!"

Kapitel 63

13. April Anno Domini 1528, Ostermontag, Augsburg

In ihren Gedanken saß Anna in der strahlenden Mittagssonne am Ufer des Finsterbachs. Ein leichter Wind zog durch die Bäume und trug den betörenden Duft von Kräutern und Blumen der angrenzenden Wiese mit sich. Zu ihren Füßen plantschte Ignaz in dem leise vor sich hin gurgelnden Bach.

Das erneute Zuschlagen einer Kerkertür riss sie aus ihren Träumen und brachte sie zurück in die harte Wirklichkeit der düsteren Zelle, die nur durch schwaches Licht aus einem Schacht erhellt wurde. Rings um sie herum war lautes Wehklagen und leises Weinen zu hören. Die Adolfin saß in sich zusammengesunken mit dem Rücken an die rauchgeschwärzten Steine gelehnt, an denen Wassertropfen perlten. Ihr Gesicht war so blass wie das kalte Mondlicht einer Winternacht. Anna kroch auf sie zu und nahm ihre Hand. „Wie geht es dir?"

„Mach dir keine Sorgen." Ihre Stimme klang kraftvoll und entschlossen und stand im Widerspruch zu ihrer hinfälligen Erscheinung. Die Adolfin sah sich um. „Du wirst bei den nächsten Frauen dabei sein, die zum Verhör geholt werden. Wirst du revocieren?"

Die Frage kam unvermittelt und Anna wusste im ersten Moment nicht, was sie darauf antworten sollte. Ihr Bruder und seine Freunde hatten in Landsberg widerrufen und wurden deshalb nicht dem Feuer, sondern *nur* dem Schwert übergeben. Doch kurz bevor der Henker sein blutiges Handwerk an ihm vollstrecken konnte, hatte Gebhart aufbegehrt und lauthals seinen Glauben bekannt. Die toten Augen in seinem abgeschlagenen Kopf, der direkt vor ihr auf den Boden fiel, suchten sie in ihren Träumen immer noch heim. Sie zuckte mit den Schultern. „Ist das noch wichtig? Wir werden so oder so verurteilt."

„Du bist keine Bürgerin dieser Stadt", hielt die Adolfin dagegen. „Man will dich und die anderen Auswärtigen vermutlich so schnell wie möglich loswerden. Wie eure Strafe aussehen wird, kann ich nicht sagen. Wir Augsburger werden nicht so glimpflich davonkommen. Aber das ist mir egal. Ich werde weder meine Taufe noch meinen wahren Glauben verleugnen. Mich treibt nur die Sorge um meinen Mann und meine Kinder um. Ich bete dafür, dass sie ihm wenigstens die Werkstatt und unsere Söhne lassen, wenn ich nicht mehr bin. Das Haus und das gesamte Vermögen vom Kießling sind auch an die Stadt gegangen. Ohne meine Unterstützung müsste seine Frau betteln gehen, nur um etwas zu essen zu kaufen."

Anna war entsetzt über das Gehörte. „Aber das ist doch etwas völlig anderes. Lenz' Meister war der Gemeindediakon bei uns Täufern. Dein Mann dagegen ist überzeugt lutherisch. Er teilt deine Anschauungen nicht im Geringsten und war bei der gestrigen Versammlung gar nicht dabei. Wer passt eigentlich auf deine Buben auf, bis er aus Wien zurück ist?"

„Ich hoffe, dass sie bei der Nachbarin untergekrochen sind und auch die Kinder der anderen Mütter eine freundliche Seele gefunden haben, die sich um sie kümmert. Genaueres weiß ich nicht. Aber noch einmal zu meiner anfänglichen Frage: Wirst du revocieren?"

Anna stieß einen leisen Seufzer aus. „Ich verdanke dir und dem Jos sehr viel."

Susanna unterbrach sie mit einer heftigen Handbewegung. „Es geht hier nicht um Dankbarkeit uns gegenüber. Es geht einzig und allein darum, unserem Herrn und Gott nachzufolgen. Du bist ein getauftes Mitglied unserer Gemeinschaft. Du gehörst zum Kreis der Auserwählten, die an Pfingsten endlich die göttliche Gerechtigkeit erfahren. Bedeutet dir das gar nichts?" Die Stimme der Adolfin wurde mit jedem Wort lauter. Das Weinen ringsum verstummte und einige der Frauen kamen näher und setzten sich zu ihren Füßen.

Anna senkte den Kopf. Hubertus Culinula hatte bei dem letzten gemeinsamen Treffen mit seinen bohrenden Fragen nach Hut den Samen des Zweifels in ihrem Herzen gesät. Der überflutete sie jetzt, wie der Finsterbach die Wiesen im Frühjahr. Sie sah

Lenz vor sich. Die Liebe zu ihr und gleichzeitig die Angst um sie in seinem Blick. An seiner Hand Ignaz, der vertrauensvoll zu ihr aufsah. Ihr Neffe liebte sie mehr als seine verstorbene Mutter. Wollte sie das alles aufs Spiel setzen? Oder den Verheißungen des Hut Hans nachlaufen, der unerbittlich gegen sich und andere gewesen war, die nicht seine Anschauung teilten? „Woher weißt du, dass der Hut Hans recht hat? Seine Berechnungen habe ich nie gesehen. Vielleicht sind seine Prophezeiungen ebenso wertlos wie die Versprechen der Pfaffen auf das Paradies nach dem Tod." Auch Anna hatte nun ihre Stimme erhoben und die augenblickliche Stille war mit Händen zu greifen.

Die Adolfin erhob sich mühsam. Mit einer Hand stützte sie ihren Bauch. Ihr Blick suchte den von Anna, bevor sie sich zu den anderen Frauen wandte: „Wissen, wissen! Wir müssen glauben! Mein Freund Hans hat Seite an Seite mit Müntzer gekämpft. Für ihn war das Schlachtfeld in Frankenhausen die menschengemachte Hölle. Er musste miterleben, wie sein bester Freund, sein Vorbild, der Müntzer Thomas grausam gestorben ist. Trotzdem hat er nie an der Gerechtigkeit Gottes gezweifelt. Im Gegenteil. In den ganzen Ereignissen hat er die Handschrift Gottes erkannt, die ihn noch tiefer in das Geheimnis des Glaubens geführt hat." Die Adolfin hielt kurz inne und sprach Anna direkt an: „Du hast auch den Denck Hans bei der Disputation letzten Sommer erlebt."

Anna nickte. Seine bedächtige Art hatte sie sofort in ihren Bann gezogen und für die Täufer begeistert.

„Er hat unsere Gemeinschaft überhaupt erst aufgebaut. Für ihn sollte alles, was mit dem Glauben zusammenhängt, freiwillig und ungezwungen zugehen. Aber ihm fehlte das innere Feuer, das den Hut Hans antrieb. Hans hat trotz der schweren Folter seine Überzeugungen nie verraten und sie letztendlich mit dem Leben bezahlt. So wie unser Herr Jesus." Sie ließ sich zurück auf den Boden sinken und faltete die Hände zum Gebet. „Lasst uns mit einem *Vater unser* um Kraft für uns und unsere Lieben beten. Aber auch für alle, die sich lebensbedrohenden Herausforderungen nicht stellen wollen."

Anna wusste nicht, ob die Adolfin sie selbst meinte, oder auf den Sedlmaier Jörg anspielte, dem gestern die Flucht gelungen war. Der Färber-Jos, der mit den anderen Männern in den Zellen unter ihnen eingekerkert war, hatte ihr das im Vorbeigehen zugeflüstert.

Als der Schlüssel im Schloss der Kerkertür erneut quietschte, wusste Anna, was zu tun war.

Kapitel 64

14. April Anno Domini 1528, Augsburg

Lenz hielt, wie ausgemacht, seit einer geschlagenen Stunde vor dem Portal der Barfüßerkirche Ausschau nach Hubertus Culinula. Der Platz zwischen der Kirche des Franziskanerkonvents und dem Gefängnis wimmelte vor Menschen. Unter ihnen waren besorgte Angehörige und Unterstützer, die auf Nachrichten von Verhafteten hofften, sowie Schaulustige, die gespannt auf eine Urteilsverkündung gegen die Ketzer warteten. Das Gefängnis platzte aus allen Nähten, weil man am Ostermontag noch einmal mehrere Dutzend Täufer verhaftet hatte. Vermutlich aufgrund von unter der Folter erzwungenen Aussagen aus den ersten Verhören vom Sonntag.

Die Sorge um Anna ließ ihn nicht stillstehen. Aufgeregt lief er auf und ab. Ignaz hatte er in seiner Verzweiflung der Obhut der jungen Schankkellnerin im *Schwarzen Ross* überlassen. Er wollte sich nicht ausmalen, was mit dem Jungen geschah, sollte ihr Vorhaben scheitern. Denn er zweifelte daran, dass Christof ihnen helfen würde.

Unvermittelt erkannte er Culinulas bärtiges Gesicht in der Menge, dort wo die Eisenberggasse in den Platz mündete. Sofort eilte er zu ihm. „Habt ihr was erfahren?", platzte es aus ihm heraus.

„Christof hat Wort gehalten und mit dem Bürgermeister Rehlinger gesprochen."

„Und?"

Culinula zog ihn in die Eisenberggasse, wo es ruhiger war. Trotzdem senkte er die Stimme: „Er sagt, dass man gestern alle Gefangenen, die keine Augsburger sind, abgeurteilt hat."

„Ist Anna auch unter ihnen?"

„Ja. Insgesamt sitzen 43 Auswärtige im Gefängnis, die weder Rechte als Beisitz noch als Bürger in der Stadt haben. Sie werden alle für einhundert Jahre und einen Tag verbannt. Außerdem schickt der Rat einen Brief mit den Urteilen nach München zu Herzog Wilhelm. Wenn sie aus Baiern sind, droht ihnen dort die Todesstrafe. Sie müssen sich irgendwo im Schwäbischen in Sicherheit bringen." Er trat näher an Lenz heran. „Der Prozess gegen die Einheimischen beginnt übermorgen. Bei seinen eigenen Bürgern wird der Rat wohl abschreckende Urteile fällen, um die Bewegung der Täufer in Augsburg ein für alle Mal zu zerschlagen."

„Das sind keine guten Nachrichten. Besonders für den Färber-Jos und die Adolfin. Aber wenigstens Anna kommt glimpflich davon."

Hubertus sah aus, als ob er gleich in Tränen ausbrechen würde. „Nein. Anna ist eine von zwölf auswärtigen Gefangenen, die zugegeben haben, getauft worden zu sein." Er hielt kurz inne. „Das ist noch nicht alles."

Lenz wusste sofort, was er meinte. „Sie hat sich geweigert zu revocieren, habe ich recht?"

Hubertus nickte traurig. „Sie gehört zu einer Gruppe von fünf Beschuldigten, die sich weigern zu widerrufen. Deshalb werden sie mit Weidenruten aus der Stadt geschlagen."

Lenz schlug die Hände vors Gesicht. Er wusste, dass diese Strafe nicht selten einem Todesurteil gleichkam. Entzündeten sich die Striemen, konnte man schnell auf dem Gottesacker landen. Er rang um Fassung. Schließlich fragte er mit belegter Stimme: „Wann wird das Urteil vollstreckt?"

„Zur zweiten Stunde nach dem Mittagsläuten. Der Beschluss wird gerade am Rathaus ausgehängt. Die Gerichtsdiener rufen es demnächst überall in der Stadt aus."

„Dann bleiben uns noch knapp vier Stunden. Wie sollen wir Anna vor diesem grausamen Schicksal bewahren?"

„Wir treffen uns um elf mit Christof in der *Sankt-Anna-Kirche*. Er hat einen Plan."

Als Lenz seinen ehemaligen Freund traf, stürmte er zornig auf los. Er packte ihn am Kragen und stieß ihn rüde gegen einen Paramenten-Schrank in der Sakristei. „Du machst jetzt dein Maul auf und sagst uns sofort, was du vorhast. Gnade dir Gott, wenn du uns täuschst."

Hubertus trat entschlossen dazwischen. „Lass ihn los! Wir dürfen jetzt nicht die Beherrschung verlieren. Denk an Anna."

Widerstrebend folgte Lenz der Aufforderung.

Christof sah ihn wütend an, während er seine Kleidung richtete. „Mein Plan ist einfach. Wir erzeugen einen Tumult."

„Einen Tumult? Was ist das für eine verblödete Idee?"

Christof verzog keine Miene. „Meine Schüler vom *Sankt-Anna-Gymnasium* werden losstürmen, sobald Anna das Gefängnis verlassen hat."

Ungläubig fragte Hubertus nach. „Wieso sollten sie das tun? Das wäre tollkühn."

„Weil ich allen einen Batzen Silber versprochen habe, wenn sie dem Henker und seinen Knechten die Ruten entreißen. Für diese Halbwüchsigen ist es ein Abenteuer. Eine Mutprobe, wenn ihr so wollt."

„Bist du von Sinnen? Der erste, den sie erwischen, wird ihnen berichten, dass du dahintersteckst. Dann kannst du dich gleich neben Anna stellen", stänkerte Lenz.

„Das entspricht vermutlich der Wahrheit. Nur dass ich dann schon auf dem Weg nach Württemberg bin."

„Was willst du denn dort?", entfuhr es Lenz.

„Ich breche meine Zelte in Augsburg ab. Der Bürgermeister hat mir ein Empfehlungsschreiben ausgestellt. Damit finde ich im Württembergischen eine Anstellung als lutherischer Pfarrer."

Hubertus musste neidlos anerkennen, dass Christof die für ihn einzige Möglichkeit gewählt hatte, um selbst unbeschadet aus der ganzen Sache herauszukommen. Auch, wenn der Tod der Schusterin ein Unglück gewesen war, Hubertus hätte nicht gezögert, Christof zu verraten. Der Löffel, den Annas Neffe wie einen Schatz hütete, war das Faustpfand für ihre Rettung. Gleichzeitig gab Christof mit dieser Entscheidung das auf, was ihm selbst am wichtigsten war: Den Wunsch, Anna als sein Weib zu besitzen. Mit dieser Besessenheit, verbunden mit seinem krankhaften Ehrgeiz, hatte er nicht nur Unglück über Lenz und Anna, sondern auch über die Täufer in Augsburg gebracht.

„Den Augenblick des Durcheinanders müsst ihr nutzen", sagte Christof, während er sich zum Gehen wandte. „Rettet Anna und bringt sie aus der Stadt, bevor es zu spät ist."

Grobschlächtige Hände holten Anna zusammen mit den vier anderen Verweigerern aus ihrer Zelle. Der picklige Büttel, der sie verhaftet hatte, schob sie unsanft vorwärts. „Heute geht es nach Hause, Lumpenweib. Dein Ehemann wird dich Demut lehren, wenn er dich wieder zurückbekommt."

Jokl, einer der Köhler, die an Weihnachten zusammen mit dem Sedlmaier Jörg geflohen waren, drehte sich um. „Lass sie in Ruhe ..."

Weiter kam er nicht, denn der Büttel schlug ihm mit der flachen Seite seiner Hellebarde auf den Hinterkopf. „Halt dein dreckiges Maul, du Kuhgeher. Gleich werden wir sehen, wie lange du es noch aufreißt, wenn dir der Züchtiger das Fell gerbt."

Jokl strauchelte.

Anna stützte ihn, doch der Büttel zerrte sie grob weg. „Weiter!"

Anna stolperte die schmalen Stufen nach oben. Die kalte Luft kroch durch ihr dünnes Hemd und ließ sie erschaudern. Das grelle Tageslicht blendete sie und sie hielt sich schützend die Hand vor die Augen. Sie erkannte nun auch den Henker, umgeben von seinen Knechten, ihre Gesichter von den Schatten der Kapuzen verdeckt. Mit geübten Griffen zerrten sie den Verurteilten die Wämser und Hemden vom Leib. Doch kein Winseln nach Gnade war zu hören. Als sie sich Anna näherten, schlug ihr Herz vor Angst schneller.

„Halt! Die Dirn kann ihr Kleid anbehalten. Anordnung des Rates." Die Stimme des Züchtigers klang kalt und unmenschlich.

Eine massige Gestalt in edler Robe eilte herbei und musterte die Verurteilten mit einem prüfenden Blick, der gleichzeitig tiefes Mitleid ausdrückte. „Ich sehe, die Delinquenten sind bereit. Züchtiger, walte deines Amtes."

„Sehr wohl, Herr Doctor Peutinger." Der Henker wandte sich an seine Knechte: „Ihr kennt das Procedere. Stellt euch hinter die Delinquenten! Denkt daran, sie bekommen vierzig Streiche. Damit dieses von alters her festgelegte Maß nicht überschritten wird, zählt bis neununddreißig."

Anna starrte auf die bullig wirkenden Männer; in ihren Händen frisch geschnittene Ruten, in denen die Kraft des Frühjahrs steckte. Kein Schlag vermochte es, sie zu brechen. Sie würden ihren Rücken zerfetzen. Anna faltete die Hände und wappnete sich für den ersten Streich. In diesem Moment stürmte laut schreiend eine Horde junger Scholaren in die Gasse. Der Henker und seine Knechte waren genauso überrascht wie die Gefangenen selbst. Ehe sie sich versahen, wurden die Staatsdiener auf das Kieselpflaster geworfen. In einem wilden Gemenge versuchten die Burschen, den Vollstreckern ihre Ruten zu entreißen.

Ohne Vorwarnung packte eine kräftige Hand die ihre und zog sie fort. Anna war so überrumpelt, dass sie nicht reagieren konnte. Heftig atmend zwang sie sich, mit dem Unbekannten Schritt zu halten, dessen Kapuze tief ins Gesicht gezogen war. Ihre Beine brannten nach dem langen Sitzen in der Zelle, doch die lauten Flüche und Schmerzensschreie hinter ihr trieben sie an, noch schneller zu laufen.

Erst am Haus der Adolfin in der Schleifergasse hielten sie an. Überrascht erkannte sie Hubertus, der ein Pferd am Zügel hielt. Hinter sich vernahm sie das bedrohliche Klackern eisenbeschlagener Stiefel, das unaufhaltsam näher kam – die Büttel hatten die Verfolgung aufgenommen. Bevor Anna etwas sagen konnte, packte ihr Retter sie an den Hüften und hob sie kraftvoll in den Sattel, bevor er selbst aufsprang. Hubertus ließ den Zügel los und rannte fort. Gerade rechtzeitig, bevor die Bewaffneten um die Ecke stürmten. „Halt! Stehen bleiben!"

Der unbekannte Retter schlug dem Pferd die Hacken in die Seite. Mit einem kraftvollen Satz sprang das Tier vorwärts. Die mächtigen Hufe stoben Funken auf dem Lechkieselpflaster. Anna krallte sich in der Mähne fest. Eine starke Hand umschlang sie, während sie im wilden Galopp die Verfolger schnell abhängten. Erst am *Schwall* ließ der Reiter den Zelter im Schritt gehen.

Jetzt erst wagte es Anna, sich umzudrehen. „Lenz!" Ihre Stimme bebte. „Wo ist Ignaz?"

Lenz atmete tief durch. „Er ist in Sicherheit. Wir sind bereits auf dem Weg zu ihm."

Erleichterung durchflutete Anna, aber gleichzeitig überkam sie ein Gefühl tiefer Schuld. „Du hast dein Leben für mich riskiert!", flüsterte sie.

Lenz schwieg, doch sein liebevoller Blick war Antwort genug, und Anna fragte sich, warum sie nicht gleich am Samstag mit ihm gegangen war.

Sie erreichten die Spitalgasse. Im Hof des *Schwarzen Rosses* wartete eine Frau mit Ignaz an der Hand. Er riss sich los und rannte ihnen entgegen. Anna glitt aus dem Sattel und schloss ihren Neffen erleichtert in die Arme. Dann musterte sie die junge Frau, die Lenz einen Beutel überreichte.

„Ich kenne dich! Warst du nicht schon einmal bei einer Zusammenkunft?"

„Ja, bei der Adolfin. Ich habe euch etwas zu essen und zu trinken mitgebracht. Das sollte fürs Erste ausreichen." Tränen liefen ihr über das Gesicht.

Anna nahm sie gerührt in den Arm. „Danke, auch dafür, dass du dich um meinen Neffen gekümmert hast. Gott beschütze dich."

Lenz hob Ignaz aufs Pferd. „Wir müssen los, bevor die Wachen alarmiert werden, dass verurteilte Ketzer geflohen sind. Wenn uns jemand fragt: Wir besuchen Verwandte in Wehringen."

Anna nickte und ließ sich von ihm in den Sattel helfen. Sofort klammerte sich Ignaz an sie. Sie hoffte und betete, dass sie unbehelligt aus der Stadt kamen. Die kurze Strecke zum Haunstetter Tor kam ihr diesmal unendlich lang vor. Das Klacken der Hufe auf dem Pflaster wechselte mit dem dumpfen Pochen auf der Brücke, als sie endlich dort ankamen. Mit unerschütterlicher Ruhe führte Lenz das Pferd am Zügel, während Annas Herz vor Angst raste und fast aus der Brust zu springen drohte. Drei Wachleute standen an der Torbrücke und redeten wild gestikulierend aufeinander ein. Anna hielt den Atem an, doch sie ließen sie unbehelligt passieren, denn sie suchten eine einzelne Frau und keine Familie. Lenz sprang aufs Pferd. Über eine Meile ritten sie an einer Schlange aus Menschen und Fuhrwerken vorbei, die nach Augsburg hineinwollten. Mit jeder weiteren Meile fühlte sich Anna sicherer. Doch gleichzeitig plagte sie die Sorge um Susanna und Jos. Sie mochte sich gar nicht ausmalen, was ihnen bevorstand. Allein der Gedanke daran trieb ihr die Tränen in die Augen. Der Sedlmaier Jörg kam ihr in den Sinn. Wo er jetzt wohl war? Sie hoffte, dass er irgendwann und irgendwo eine neue Heimat finden möge. So wie sie und Ignaz. Anna spürte, wie die Dankbarkeit darüber in ihr aufstieg wie die ersten warmen Sonnenstrahlen nach einer frostigen Nacht. Die Erinnerung jedoch würde sie noch lange heimsuchen.

Kapitel 65

21. April Anno Domini 1528, Augsburg

Der Adolfin war speiübel, doch sie konnte den Blick nicht abwenden. In der Zelle neben ihr – nur getrennt durch ein rostiges Eisengitter – lag die Schleifer Barbara. Ihr Gesicht und ihr Kleid waren schwarzbraun von getrocknetem Blut. Weil sie das Gericht und den Ankläger Peutinger beschimpfte, hatte man ihr die Zunge herausgeschnitten. Barbara hatte einen hohen Preis für ihre Überzeugungen gezahlt. Ewige Stummheit! Die Adolfin schloss die Augen.

Ihr war bewusst, dass auch ihr ein hartes Urteil drohte. Sie rang mit der Angst, die sich wie ein feuriger Lindwurm in ihre Eingeweide grub. Jeder Atemzug war von diesem nagenden Gefühl durchdrungen, das sich tief in ihrem Inneren festgesetzt hatte. Doch sie weigerte sich, diese Furcht Oberhand gewinnen zu lassen. Entschlossen ballte sie die Fäuste. Sie würde kämpfen, bis auch die anderen das Licht der Wahrheit erkannten. Bald würde man sie zum Verhör holen und zum Mittagsläuten war ihr Schicksal vielleicht schon entschieden. Sie kniete sich auf den harten Steinboden, um sich mit einem letzten Gebet für das Kommende zu wappnen. Kaum dass das „Amen" über ihre Lippen gekommen war, stapften schwere Stiefel die Treppe herunter und blieben vor ihrer Zelle stehen. Sie war bereit.

Die Adolfin wurde in den bis auf den letzten Platz gefüllten Sitzungssaal des Rathauses geführt. Nach der Kälte der Gefängniszelle empfing sie hier eine feuchtwarme, dicke Luft. Ihre Knie zitterten, dennoch versuchte sie, aufrecht zu gehen. Sie sah sich um. Vor ihr saßen Vertreter des Stadtrates an einem langen Tisch. Diese Männer in ihren kostspieligen Roben würden über sie zu Gericht sitzen. Rechts von ihr nahm der Jurist Peutinger seinen Platz ein und maß sie mit gestrengem Blick. Die Adolfin reckte stolz das Kinn, um ihre Verunsicherung nicht zu zeigen. In diesem Augenblick trat sie das Ungeborene in ihrem Leib kräftig in die Seite, sodass sie zusammenzuckte.

Sofort wies Peutinger einen der Gerichtsdiener an, ihr einen Stuhl zu bringen. Sie setzte sich und legte die Hände auf ihren deutlich sichtbaren Bauch.

Peutinger sah sie nun mit einem Ausdruck tiefen Mitgefühls an. „Wie geht es dir, Adolfin?"

Schlagartig wurde es so still, dass man eine Nadel hätte fallen hören.

Die Adolfin blickte sich um. Hinter ihr hatten die Stadtwachen ein Seil gespannt, um die Schaulustigen einzuhegen. Neben den Wohlhabenden aus der Bürgerstadt waren auch die Bedürftigen da, die sie mit Essen versorgt hatte. Mit einem Seufzer entgegnete sie: „Wie soll es mir schon gehen? Ihr habt mich ins Gefängnis werfen lassen. Mich und mein Ungeborenes."

Peutingers Blick wurde wieder hart. „Es liegt ganz bei dir, Adolfin. Widerrufe deinen Irrglauben durch Schwören auf die Bibel und du kommst glimpflich davon."

„Ihr wisst genau, dass wir Täufer den Eid ablehnen, weil er des Teufels ist."

Ein Raunen erhob sich hinter ihrem Rücken.

Peutinger rang die Hände. „Nimm Vernunft an, Adolfin! Wenn schon nicht um deinetwillen, dann wenigstens für das ungeborene Kind in deinem Leib."

Sie erwiderte nichts.

„Die meisten derer, die an Ostern in deinem Haus verhaftet wurden, haben revociert." Peutinger nahm ein Schriftstück zur Hand und suchte mit einem Lesestein nach einer Stelle. „Sogar der mit dir befreundete Färber Josef Thoma hat widerrufen."

Die Adolfin schnaubte. „Der Färber-Jos soll widerrufen haben? Das glaube ich nicht."

„So ist es aber. Er hat zehn Gulden Strafe bezahlt und die üblichen Schandstrafen akzeptiert. Er wird ein Jahr lang das graue Büßergewand tragen."

Ihre Lippen bebten und Tränen traten ihr in die Augen. Dabei schüttelte sie kaum merklich den Kopf.

Peutinger fuhr fort: „Aber er wohnt wieder in seinem Haus im Lechviertel."

„Ihr lügt", presste sie hervor. „Das würde Jos nie tun."

„Er hat am Ende Vernunft angenommen und damit großen Schaden von sich abgewendet."

„*Ich* fürchte keine Strafe, die mir ein irdisches Gericht aufbürden könnte." Die Adolfin gab sich kämpferisch, obwohl ihr elend zumute war.

Das Raunen steigerte sich zu hitzigen Wortgefechten zwischen den Zuhörern im Saal.

Peutinger ließ missmutig den Blick über die Menge schweifen. „Ich dulde hier keine Zwischenrufe. Von keiner Seite. Ansonsten lasse ich den Saal räumen." Er wandte sich wieder der Adolfin zu. „Es geht nicht nur um dich. Es geht auch um deinen Mann. Er könnte alles verlieren. Der arme Kerl ist noch in Wien, aber wenn er zurückkommt, könnte er zum *Habnit* werden. Ist es das wert?"

„Wert? Gottes Reich ist nicht von dieser Welt", spie sie ihm entgegen. „Darin zählen andere Werte als Gold und Silber. Ich habe nichts Unrechtes getan."

Peutinger schüttelte den Kopf. „Da muss ich dir widersprechen. Wir haben mehrere Urgichten vorliegen, die besagen, dass du dich letztes Jahr zusammen mit deiner Schwester Maxentia hast taufen lassen. Widerrufe, Adolfin." Als sie nicht darauf antwortete, setzte er nach: „Du könntest deine Kinder verlieren, wenn du nicht widerrufst und Reue zeigst vor diesem Gericht."

Die Erwähnung ihrer Kinder ließ die Adolfin erschüttert zurückweichen. Mit ungläubigem Blick starrte sie Peutinger an. Fast hätte sie ihrem Zögern nachgegeben, doch dann blitzte die Verheißung des Weltengerichts in ihrem Geist auf wie ein strahlender Stern den Weisen aus dem Morgenland. „Soll ich etwa Gott verleugnen, während ich über das Schicksal meiner Kinder nachdenke?", antwortete sie verzweifelt. „Ist es das, was Ihr von mir wollt? Wir Täufer haben lediglich gemeinsam in der Bibel gelesen und gebetet. Nichts anderes als das, was auch Ihr in den Messen mit Euren Pfaffen macht. Sei es in den altgläubigen oder lutherischen Gemeinden. Das kann doch wohl niemandem schaden."

„Bedenke es noch einmal", bat Peutinger.

„Ich ..." Sie setzte an, rang nach Worten. Schließlich schüttelte sie energisch den Kopf.

Die Glocke im Perlachturm nebenan schlug zehn Mal. Als der letzte Schlag verklungen war, erhob sich Peutinger ächzend aus seinem Sessel. Unvermittelt verstummte das Stimmengewirr im Sitzungssaal. Dem Juristen war bewusst, dass mindestens die Hälfte der Anwesenden mit der Adolfin sympathisierte. Nicht nur im Lechviertel, sondern in der ganzen Stadt war sie als Engel der Armen bekannt und jeder nannte sie nur beim Vornamen ihres Ehemanns. Mit belegter Stimme fragte er: „Hast du uns noch etwas zu sagen, Adolfin?"

Die Adolfin schien zu überlegen, ihr Mienenspiel ein Abbild ihrer inneren Zerrissenheit. Erneut schüttelte sie den Kopf.

„Nun denn, dann kann ich nichts mehr für dich tun." Peutinger winkte einem Schreiber, der ihm ein Dokument brachte. Er nahm es entgegen, hielt es nahe an seine Augen, las es. Schließlich seufzte er und setzte schwungvoll seine Unterschrift darunter. Er sah auf, suchte den Blick der Adolfin. Die starrte ihn an wie ein Lamm den Schlachter.

Der Schreiber nahm das Papier wieder an sich und wartete ergeben.

Ohne den Blick von der Adolfin zu nehmen, bedeutete Peutinger dem Mann, es vorzulesen.

„Susanna Daucher, genannt Adolfin von Augsburg, hat gegen die getreue Warnung, die der ehrbare Rat der Stadt Augsburg hat verkünden und an-

schlagen lassen, die besagt, dass niemand die Wiedertaufe annehmen sollte, dass zusammenkommen und sich versammeln von Wiedertäufern verboten ist und mit Leibes- und Lebensstrafen bestraft wird, die Wiedertaufe angenommen." Der Mann hob kurz den Blick. Sein Gesichtsausdruck war ernst und gespannt, bevor er mit markanter Stimme weiterlas. Dabei bewegten sich seine Hände in weiten Bögen, um so die Dramatik des Textes zu unterstreichen. *„Sie hat Wiedertäufern zu essen gegeben, sie mit Speis und Trank versorgt, in ihrer Wohnung hat sie eine verbotene Versammlung zugelassen und Versammlungen an anderen Orten besucht. Darum hat dieser Rat beschlossen, dass sie mit dem Brand auf ihren Backen bezeichnet ..."*

Weiter kam er nicht, denn eine wahre Kakophonie setzte ein. Alle schrien durcheinander.

Obwohl er diese Reaktion erwartet hatte, fuhr Peutinger der Schreck in die Glieder. Sofort sah er sich zurückversetzt in den August '24, als ein aufgebrachter Mob das Rathaus gestürmt hatte. Panisch rief er den Stadtwachen zu, sie mögen ihn schützen. Zwei Männer stellten sich vor ihn, während die anderen die lautesten Schreier aus dem Saal schlugen.

Peutinger wischte sich den Schweiß von der Stirn. „Fahrt fort mit der Verlesung des Urteils."

Der Schreiber räusperte sich und seine Stimme klang nun angespannt, als er weiterlas: *„... dass sie mit dem Brand auf ihren Backen bezeichnet werden* *sollte. Da sie aber schwanger ist, wurde sie begna-digt, damit sie aus der Stadt geführt werde. Ihr Le-ben lang darf sie nicht mehr in dasselbe Gebiet kommen, auch nicht in einen Umkreis von sechs Meilen. Danach habe sich jedermann zu richten. Gegeben am 21. April Anno 1528."*

Wieder wurden die Zuhörer unruhig, doch die erhobenen Hellebarden der Stadtwachen verhinderten einen neuerlichen Tumult.

„Und meine Kinder? Was geschieht mit meinen Kindern?", schrie die Adolfin tränenüberströmt.

Peutinger hob die Hände, um die Versammlung zum Schweigen zu bringen. Es dauerte lange, bis er endlich antworten konnte: „Adolfin, deine Kinder werden vorerst unter die Pflegschaft des Rates gestellt. Ich bedauere, aber du kannst sie nicht mitnehmen."

„Kann – sie wenigstens – mein Mann – zurückbekommen?" Sie schluchzte nun derart, dass sie kaum sprechen konnte.

„Dein Mann wird sämtlichen Besitz verlieren und kann sie nicht mehr versorgen." Peutinger winkte zwei Stadtwachen herbei. „Bringt die Adolfin runter auf den Fischmarkt. Sie wird dort bis zur zweiten Stunde nach dem Mittagsläuten an den Pranger gestellt. Dann wird sie der Henker zum Haunstetter Tor führen."

Vor dem Rathaus lauerte eine große Menschenmenge auf das mit Spannung erwartete Urteil gegen die bekannte Adolfin aus dem Lechviertel. Mit tief ins Gesicht gezogener Kapuze stand auch der Sedlmaier Jörg dort. Sein Vordermann stank nach ranzigem Fett, vermischt mit Schweiß und unwillkürlich wich Jörg zurück. Dabei trat er einer Frau hinter sich auf den Fuß.

„Heh, du Bauerntrampel!"

Er wandte sich um und starrte in das empörte Gesicht einer Bürgersfrau in rotem Überkleid und mit weißer Haube. „Verzeiht!", war alles, was er herausbrachte.

„Du bist sicher auch einer dieser Hurenflüchtlinge aus dem Baierischen", zischte sie ihn an.

Erschrocken wandte er sich ab und suchte sich einen Platz weit entfernt von der Rathaustür. Die Stadt glich derzeit einem brodelnden Topf, der kurz vor dem Überkochen stand. Diese aufgeheizte Stimmung war auch für ihn gefährlich. Keiner war mehr vor Beschuldigung sicher. Für den Augenblick war er wieder beim Färber-Jos untergekommen. Sein Freund war nur noch ein Schatten seiner selbst. Der erzwungene Widerruf hatte ihn gebrochen.

Bewegung kam in die wartende Menge. Mehrere Büttel verließen das Rathaus. In ihrer Mitte die Adolfin! Flankiert von den Männern in den Augsburger Farben Grün, Weiß und Rot schwankte sie wie eine Trunkene. Jörg streckte sich, um besser sehen zu können. Die Adolfin sah furchtbar aus. Ihre Augen waren gerötet. Sie trug nicht wie sonst eine akkurat sitzende Haube; ihr langes Haar war zerzaust. Er suchte nach einem Brandmal im Gesicht, doch da war keines. Zumindest das Brennen der Backen hatte man ihr erspart. Auf den Augsburger Märkten erzählte man sich wahre Schauergeschichten über die Gefangenen. Einigen hatte man mit einem heißen Eisen ein Kreuz in die Backen gebrannt. Einer Frau hatte man sogar die Zunge herausgeschnitten. Denjenigen, die abgeschworen hatten, wurden Geld- und Schandstrafen auferlegt.

Die Büttel hielten am Pranger vor dem Rathaus und ketteten die Adolfin an den Pfahl. Ein Gerichtsdiener trat vor und verlas das Urteil.

Die versammelte Menge wurde unruhig. Vereinzelte Schreie hallten über den Rathausplatz.

„Ungerecht!"

„Ihr Pfeffersäcke!"

„Sie ist der Engel von Augsburg!"

Bürgermeister Rehlinger erschien und auf sein Zeichen drängten die Büttel mit ihren Hellebarden die Menge zurück. Ein heftiges Schieben und Stoßen setzte ein. Jörg stolperte, schlug panisch um sich und klammerte sich an seinem Hintermann fest, aus Angst niedergetrampelt zu werden. Er atmete erleichtert auf, als die Menge zum Stillstand kam.

Er hielt den erbarmungswürdigen Anblick der Adolfin nicht mehr aus und schloss die Augen. Sie hatte nichts mehr, genau wie er. Auch für ihn gab es kein Zurück. Sein Zuhause, der Sedlhof in Hochdorf, war unwiederbringlich verloren. Bei den Perwangern in Günzlhofen konnte er auch nicht mehr unterkriechen. Die beiden Brüder Augustin und Christoph waren in München hingerichtet worden. Er dachte an Anna, die man angeblich aus der Stadt geschlagen hatte, wenngleich sich hartnäckige Gerüchte hielten, dass ihr die Flucht gelungen sei. So oder so, er würde sie nie wieder sehen. So, wie die Gemeinschaft der Täufer. Hatte Jörg sich anfangs noch gesträubt, als Missionar und Prediger zu wirken, so hatte ihm diese Aufgabe zunehmend Freude bereitet. Trotz der Angst, die ihn ständig begleitet hatte. Ihm war klar, dass die Verhaftungswelle den Täufern hier und im Umkreis einen tödlichen Schlag versetzt hatte, von dem sie sich nie mehr erholen würden. Was blieb ihm jetzt noch? Eine Anstellung in einem der Lagerhäuser der Rehlingerin? Ein heiseres Schluchzen entrang sich seiner Kehle. Vom Großbauern zum Knecht. Vom angesehenen Prediger zum Vogelfreien. Was für ein Werdegang! Warum das alles? Warum all das Leid von so vielen Auserwählten, bevor Gott seine Gerechtigkeit zeigen konnte?

Kapitel 66

Die bedrückende Enge des Hauses, in dem Magdalena seit Wochen wie eine Gefangene eingesperrt war, schnürte ihr die Kehle zu. Selbst der kleine Garten hinter dem Haus war ihr untersagt. Zu groß war die Sorge ihrer Verwandten, dass die Nachbarn ihren auffallend dicken Bauch erblicken könnten. Der verzweifelte Drang, zu entkommen, wurde unerträglich. Sie wusste, dass sie den Verstand verlieren würde, wenn sie nicht bald hier herauskonnte. Sie mochte sich gar nicht ausmalen, was nach der Geburt auf sie zukam. Sie selbst hatte der Tante vorgeschlagen, als Amme für das Kind dazubleiben. Rückblickend ein schwerer Fehler, den sie bitter bereute. Hinzukam, dass diese Anna wieder aus Augsburg zurück war. Für Magdalena ein deutliches Zeichen dafür, dass sich die dürre Ziege offenbar von ihr nicht mehr einschüchtern ließ. Die Hochzeit mit Lenz sollte bereits Anfang Mai stattfinden. So zumindest hatte es der Weber erzählt. Und Magdalena saß hier fest und konnte nichts dagegen unternehmen. Die Überlegung, Anna beim Zunftmeister zu verleumden, hatte sie verworfen, da sie momentan nichts gegen dieses Weib in der Hand hatte.

Sie musste hinter das Geheimnis der beiden kommen! Nicht umsonst hatte sich Lenz in Landsberg im Schuppen versteckt, wo er doch im Haus seines Vaters willkommen gewesen wäre. Das war ihr in den letzten Tagen immer klarer geworden.

Magdalena ballte die Fäuste. So kampflos würde sie nicht aufgeben. Das Spiel war noch nicht zu Ende. Von ihren eigenen Überlegungen beflügelt, stand sie auf und ging in die Kuchl hinunter. Gerade als sie die Tür öffnete, überrollte sie eine Welle des Schmerzes, die ihr den Atem raubte. Das warme Wasser zwischen ihren Beinen ließ keinen Zweifel zu. Das Kind kam.

26. April Anno Domini 1528, Memmingen

Das grelle Nachmittagslicht brach sich in den tanzenden Wellen der Memminger Ach. Fische glitten in eleganten Bewegungen durch das in der Südstadt noch klare Wasser. Ignaz, der dicht neben ihr stand, strahlte vor Freude. Gott sei Dank hatte er die Flucht aus Augsburg gut verkraftet.

Der Waldhauser Thomas war kurz nach ihr in Memmingen angekommen. Er hatte so wie der Färber-Jos revociert und war ohne Schläge ausgewiesen worden. Der Memminger Rat wusste davon, weshalb er unter strenger Beobachtung stand. Vom Waldhauser wusste sie auch, welches Urteil über die

Adolfin gefällt worden war. Der Gedanke daran zerriss ihr das Herz und raubte ihr den Schlaf. Ohne Lenz' lebensgefährlichen Einsatz wäre sie ebenfalls ihrer Strafe nicht entgangen. Wahrscheinlich läge sie jetzt wie ein waidwundes Tier irgendwo im Unterholz, zerschlagen von den Ruten der Henkersknechte.

„Dachte ich mir doch, dass ich euch hier finde." Anna war froh, dass Lenz sie aus ihren düsteren Gedanken riss. Sofort sprang Ignaz an ihm hoch.

Lachend nahm er ihn auf den Arm. „Ich habe gute Neuigkeiten: Unserer Hochzeit in drei Wochen steht nichts mehr entgegen. Der Lodweber will sogar einen Brief nach Landsberg schicken. Vielleicht können mein Vater, meine Großmutter und der Stadtphysikus Moritz auch kommen. Schließlich haben sie dazu beigetragen, Magdalenas Intrigen aufzudecken."

Anna nickte. Lenz hatte ihr das niederträchtige Spiel in allen erschreckenden Einzelheiten ausführlich geschildert. Der Gedanke daran beunruhigte sie immer noch zutiefst. Würde diese Frau jemals Ruhe geben? Dennoch bemühte sie sich, ihre Stimme ruhig und gefasst erscheinen zu lassen: „Sie müsste doch demnächst entbinden?"

„Das hat sie schon", sprudelte es aus Lenz heraus. „Einen kleinen Buben, den der Weber stolz als seinen Stammhalter ausgibt. Er hat beim *Bolz-Wirt* so-

gar eine Runde Wein spendiert. Aber das Beste ist ...
Magdalena ist weg!"

„Wie weg?"

„Sie ist gestern mit einem Salzfuhrwerk zurück nach
Landsberg gefahren, weil dort angeblich ihr Bräutigam sehnsüchtig auf sie wartet."

„Und wer versorgt das Kind?"

„Der Weber erzählt, dass das eine Amme macht,
weil bei seiner Frau leider keine Milch fließt."

Anna konnte das Gehörte kaum fassen. „Das passt
zu Magdalena. Den Webern wird das sicherlich
nicht gefallen. Die Amme macht das ja nicht umsonst."

Lenz zuckte mit den Schultern. „Was sollen sie tun?
Vermutlich hat Magdalena ihnen gedroht, die Wahrheit über die tatsächliche Mutterschaft preiszuge-
ben. Damit hat sie sie in der Hand."

Anna atmete erleichtert auf. Und trotzdem konnte
sie sich nicht richtig freuen. Magdalena war so unberechenbar wie das Wetter im April. Momentan
leckte sie noch ihre Wunden, aber sie war eine Frau,
die nicht klaglos die Waffen streckte. Was, wenn sie
in Landsberg Nachforschungen anstellte, warum
sich Lenz im Schuppen verstecken musste? Der nar-
bengesichtige Ketzer Lenz wurde vielleicht immer
noch gesucht? Ihr war bewusst, dass sie selbst sich
im Herzogtum Baiern auch nicht mehr blicken lassen konnte.

Die geistliche und weltliche Macht würde dort nie mehr zulassen, dass die noch vorhandenen Glutnester der Täufer einen neuen Flächenbrand entfachten. Die Angst würde Anna wohl nie ganz aus ihren Krallen lassen. Zuviel hatte sie in den letzten Monaten erfahren und durchlebt. Sie hatte begriffen, dass wahrer Glaube mit Freiheit und diesseitiger Gerechtigkeit einhergehen musste. Ohne fiebrige Prophezeiungen und dem brennenden Wunsch nach Rache an Andersdenkenden. Deshalb hatte sie *nicht* revociert. Dass sie nun zusammen mit denen, die sie liebte, hier in Memmingen leben durfte, betrachtete sie dankbar als göttliche Fügung.

Mit einem lauten Jubelschrei schleuderte Ignaz den Holzlöffel mit der silbernen Einlegearbeit in den Stadtbach. Anna wusste immer noch nicht, woher er ihn hatte. Für einen kurzen Moment tanzte er auf den Wellen, bevor ihn dieser mit sich nahm.

Nachwort

Weil der Täuferprediger Hans Leupold schon im August 1527 aus Augsburg ausgewiesen worden war und sich am 25. März 1528 weigerte zu revocieren, stand sein Todesurteil fest: *„.... wird er vom Leben zum Tod befördert"*, deklamierte der Gerichtsdiener bei der Urteilsverkündung. Doch Leupold blieb standhaft und antwortete trotzig: *„Nit also ihr Herren von Augsburg, sondern aus dem Tod zum Leben!"* Mit diesen Worten endete die kurze, aber intensive Hochphase der Täufer in Augsburg 1527/28. Die überwiegende Anzahl der verhafteten Täufer dagegen hatte den geforderten Widerruf geleistet. Dennoch gab es weiterhin ketzerische Glutnester in der Stadt. Man weiß von Versammlungen im Zunfthaus der Schäffler, aber auch außerhalb, beispielsweise in Stadtbergen oder Gersthofen.

Das vom baierischen Herzog Wilhelm IV. am 13. November 1527 erlassene Täufermandat war die Grundlage für die Ernennung des Großinquisitors Martin Pasenseer am 17. November desselben Jahres. Er bezog sein Hauptquartier in Jesenwang, sozusagen im Zentrum des „durchseuchten" Gebiets. Ihm unterstand zur Gänze der herzogliche Verwaltungsapparat zur Fahndung nach Ketzern.

Nach wie vor besonders hart ging man im Landgericht Landsberg gegen die Täufer vor. Nach den Verhaftungen im September und November 1527 gelang es dem Landsberger Pfleger Gregor von Egloffstein und seinen Amtleuten im April 1528 erneut, drei Täufer zu verhaften: Jörg Kastner von Steinbach (Hofmark Hofhennaberg), Hans Karpf von Schmiechen (Hofmark Schmiechen) und Gastl Knoller, einen ledigen Gesellen aus Brunnen (Hofmark Brunnen). Nachdem der Landsberger Henker alle peinlich befragt hatte, schickte man die Urgichten wieder nach München, von wo postwendend der Befehl kam, alle hinzurichten. Wieder ohne eine Gerichtsverhandlung! Auch diese drei widerriefen, weshalb man sie zum Tod durch Enthaupten begnadigte. Sie wurden am 15. Mai 1528 in Landsberg hingerichtet. Mit diesem erneut kompromisslosen Urteil endete die kurze Geschichte der Täufer im Bereich des Landgerichts Landsberg.

Das Pfingstfest in Augsburg kam am 31. Mai 1528, ohne dass etwas Spektakuläres vorgekommen wäre. Der Morgen des Pfingsttages graute, die Sonne stieg hinauf zum Himmel und am Abend, kurz nachdem die Uhr im Perlachturm acht Mal geschlagen hatte, ging sie wieder unter. Nichts war geschehen. Das Jüngste Gericht war ausgeblieben. Die Prophezeiung Hans Huts hatte sich als falsch herausgestellt. Das von ihm „errechnete" Datum für das Strafgericht der 144.000 Gerechten fand nicht statt.

Am 29. Juni 1528, am Tag des *Peter und Paul*, ging ein Meteoritenschauer über Augsburg nieder. Manch einer dachte schon, dass sich das Jüngste Gericht um einen Monat verspätet hätte. Doch das war nicht der Fall.

Im August 1528 schließlich befahl Herzog Wilhelm IV. dem Landsberger Gerichtsschreiber, eine Inventarliste des Eigentums der verurteilten Täufer zu erstellen. Der neue Landsberger Landrichter Konrad Vogt musste anschließend die Anwesen an den jeweils Meistbietenden verkaufen. Darunter war auch das Sechzehntel-Gütl mit Schustergerechtigkeit, auf dem unsere Protagonistin Anna und ihr Bruder Gebhart in Hürben gelebt hatten. Ebenso der Sedlhof in Hochdorf. Dieses ehemalige Rittergut wurde für 100 Rheinische Gulden verkauft.

Mit den drastischen Maßnahmen gegen die Täufer und alles Lutherische konnte die Reformation für mindestens zwanzig Jahre von Baiern ferngehalten werden.

Im Jahr 1530 verschärfte sich die Lage in Augsburg wieder, als Kaiser Karl V. einen Reichstag in die Fuggerstadt einberief. *Er* hielt nun Gericht über

Täufer und vermeintliche Ketzer. Während des Reichstages ließ er 146 Personen hinrichten, unter ihnen 40 aus Augsburg. Darum verbarg der Rat der Stadt auch vor dem zornigen Kaiser, dass mit Jakob Dachser, Sigmund Salminger und Jakob Groß seit September 1527 immer noch drei Täuferführer im Gefängnis saßen. Als letzter von ihnen revocierte übrigens Jakob Groß im Juni 1531 und wurde freigelassen.

Am 17. April 1535 wurde das letzte Mal eine größere Anzahl verhafteter Wiedertäufer aus Augsburg ausgewiesen. Damit hoffte der Rat, die Bewegung der „Gartenbrüder" ein für alle Mal zerschlagen zu haben.

In diesem Zusammenhang müssen wir in eigener Sache revocieren: Es wurde nicht der Schleifer Barbara an Ostern 1528 die Zunge herausgeschnitten, sondern der bedauernswerten Heggenmiller Elisabeth. Wir wollten nicht noch einen Namen in die Romanhandlung einführen.

Vierzehn Jahre später suchte Herzog Wilhelm IV. nach einem Auskommen für seinen unehelichen Sohn Georg. Er schlug dann zwei Fliegen mit einer Klappe: Zum einen belehnte er ihn mit der Hofmark Hofhennaberg. So war Georg versorgt und Wilhelm bekam obendrein einen vertrauenswürdigen Verwalter im unruhigen Fürchelmoos. Damit begründete Herzog Wilhelm das Geschlecht der Dux-Hegnenberger, das erst Anfang des 20. Jahrhunderts erlöschen sollte.

Für die Figur des Christof Pfettner stand der Theologe Arsacius Seehofer (1505 – 1545) Pate. Seehofer war der Sohn eines reichen Münchner Handwerkers und studierte in Ingolstadt Theologie. Nach seinem Baccalaureus hielt er sich in Wittenberg auf, wo er bei Professor Melanchthon studierte. Er kam danach in Konflikt mit Professor Johannes Eck, dem erbittertsten Widersacher Martin Luthers. Nach Beilegung dieses Streits wurde Seehofer zum Magister promoviert und hielt selbst Vorlesungen in Ingolstadt, bis er wegen einer lutherischen Auslegung der Paulusbriefe denunziert wurde. Ihm wurde der Prozess gemacht, worauf man ihn ins Kloster Ettal sperrte. Von dort konnte er fliehen. Zeitweise war er Lehrer am reformatorischen Gymnasium *Sankt Anna* in Augsburg und später Pfarrer in Leonberg und Winnenden bei Stuttgart.

Der Gelehrte Hubertus Culinula ist dem wahren Leben entlehnt. Er ist keine historische Persönlichkeit, sein Professor Petrus Apianus dagegen schon. Die

Figur des Hubertus Culinula ist sozusagen ein Geburtstagsgeschenk für den echten Mathematikprofessor Dr. Hubert Kiechle gewesen. Kiechle kann als „kleine Küche" bezeichnet werden, also auf Latein: *Culinula*.

Das Konstantinische Bündnis zwischen Kirche und Staat wird auch das Bündnis zwischen Thron und Altar genannt. Es begann streng genommen im Jahr 312, als Konstantin seine Widersacher in der Schlacht an der Milvinischen Brücke besiegte. Zunächst wurde das Christentum toleriert (313), um 380 Staatsreligion zu werden, was es bis zur Säkularisation im Jahre 1803 blieb.

Dieses Bündnis überdauerte auch die Reformationszeit im 16. Jahrhundert, weil sich Martin Luther auf die Seite der Fürsten schlug. Die Täufergemeinschaften dagegen kündigten das seit Kaiser Konstantin bestehende Bündnis zwischen Kirche und Obrigkeit auf. Nur an Christus sollte sein Leib – die Kirche – sich orientieren. Die Gemeinde als Corpus Christi sollte nur aus Menschen bestehen, die sich für die Nachfolge Christi entschieden hatten und nicht mehr unterschiedslos als Kinder getauft wurden.

Auch die Beteiligung an staatlicher Gewalt und die Praxis des Eides gegenüber der Obrigkeit wurde aus der Perspektive der Nachfolge Jesu fragwürdig.

Christen sollten aus Sicht der Täufer das Schwert der Staatsmacht überlassen. Die Aufkündigung dieses Bündnisses war der Grund, warum die Täufer so unerbittlich verfolgt wurden.

„In einer sich ständig wandelnden, unverständlichen Welt hatten die Massen den Punkt erreicht, an dem sie gleichzeitig alles und nichts glaubten. Alles für möglich und nichts für wahr hielten. Die Massenpropaganda entdeckte, dass ihr Publikum jederzeit bereit war, das Schlimmste zu glauben, egal wie absurd es auch sein mochte, und nicht besonders dagegen war, hintergangen zu werden, weil es sowieso jede Aussage für eine Lüge hielt.“ Diese klugen Sätze hat Hannah Arendt 1955 geschrieben in ihrem Werk *Elemente und Ursprünge totaler Herrschaft.* Ihr Text bezog sich auf das Dritte Reich und wie Ausgrenzung und Entmenschlichung funktionieren. Im Fall der sogenannten Wiedertäufer und ihrer Verfolgung kann man gut nachvollziehen, dass es diese Themen schon vor 500 Jahren gab. *„Die Geschichte lehrt dauernd, aber sie findet keine Schüler“*, konstatierte Ingeborg Bachmann dazu. Der Buchdruck hat nicht nur der Reformation zum Durchbruch verholfen, er hat auch die Ausgrenzung Andersdenkender, wie der Täufer, vorangetrieben.

Das ist vermutlich einer der Gründe, warum beim Augsburger Religionsfrieden 1555 vor allem die Täufer ausdrücklich ausgeschlossen wurden.

Glossar – historische Begriffe

Maier oder Meier

War ein Großbauer (von mâjor, dem Komparativ von mâgnus = der Größere). Vollbauer (Hufner) wurde jemand genannt, weil er eine volle Hufe bewirtschaftete. In Baiern waren das meist 30 Tagwerk Land. Ein Tagwerk entsprach im Lechrain ungefähr 3.400 Quadratmetern.

Huber

War ein Halbbauer, der eine halbe Hufe oder ca. 15 Tagwerk bewirtschaftete.

Lehner, Lechner oder Leitner

Lehner kommt von Lehen. War ein Viertelbauer, der eine viertel Hufe mit 7 – 8 Tagwerk bewirtschaftete.

Achtelbauer

Saß auf einer achtel Hufe, oder 3 – 4 Tagwerk. Sein Hof wurde oft als Gütl oder Sölde bezeichnet. Der Wert eines Gütls hing von der Steuerkraft ab, die der Dorfvierer schätzte.

Meist lag hier eine Handwerksgerechtigkeit auf dem Hof, beispielsweise als Schneider, Schmied oder Kistler, sozusagen als „Ökonomie des Notbehelfs".

Sechzehntelbauer

Bewirtschaftete eine sechzehntel Hufe, beziehungsweise 1 bis 2 Tagwerk. Solch ein Hof war ein Gütl im Sprachgebrauch. Der historisch fassbare Gebhart Schuster verfügte zwar über 12 Tagwerk Land (Wiesen, Wald, Acker), aber nur ein gutes Tagwerk davon war für den Anbau von Getreide tauglich. Daneben betrieb er das Handwerk eines Schusters.

Sedlmaier, Sedlhof

Ein Sedlhof, wie der von Jörg Sedlmaier, war ein früherer Herrenhof. Das heißt, dass der Bauernhof früher einem Ritter gehörte. Ein solcher Hof verfügte über 40 – 80 Tagwerk Land.

Amtmann oder Scherge

War ein Beamter, der einem Amt vorstand (Hofmark, Dorf, Burg, Bezirk). Er unterstand dem Landgericht, residierte im Amthaus, trieb die Steuern ein und sorgte mit einer kleinen bewaffneten Einheit für Sicherheit. Ein Amtmann wie Hanns Schaller war meist ein niederer Adliger, ein Scherge wie Utzen Bucherle eher nicht.

Pfleger

Heute würde man sagen, Pfleger Gregor von Egloffstein war der *Landrat*. Er war die Exekutive und im Gerichtsbezirk auch für die Polizeigewalt zuständig.

Landrichter

War vergleichbar mit dem heutigen *Amtsgericht*. Der Landsberger Landrichter Hanns Haidenbucher hatte während der Zeit unseres Romans als Kastner nur vertretungsweise dieses Amt inne und wurde von Konrad Vogt abgelöst. Er verfügte über die Blut- oder Malefizgerichtsbarkeit im gesamten Gerichtsbezirk Landsberg (heutige Landkreise Landsberg und teilweise Fürstenfeldbruck, bzw. Aichach-Friedberg).

Kastner

Das Kastenamt entsprach dem heutigen *Finanzamt*. Dort wurden die Steuern erhoben und eingetrieben, ebenso die Naturalabgaben, die dem Herzog geschuldet waren.

Rentmeisterämter

Entsprach etwa unseren heutigen *Regierungsbezirken*. Zur Zeit des Romans gab es in Baiern vier Rentmeisterämter: München (dazu gehörte der Gerichtsbezirk Landsberg), Burghausen, Landshut und Straubing.

Lebzelter

Lebkuchenbäcker (wie Xaver Hirschauer im Roman), auch Pfefferküchler genannt.

Fürchelmoos

Hochmoor zwischen Augsburg und Fürstenfeldbruck. Heutiges Haspelmoor.

Holzhey

Waldhüter bzw. Forstaufseher (wie der Michael Rätzl), der einen Forstbezirk überwachte.

Haspelwald

Waldgebiet im Osten von Althegnenberg (Hennaberg), das einen herzoglichen Forst darstellt. Der Name Haspel leitet sich von *Habsberg* oder Habichtsberg ab. Durch den Namen eines Beizvogels wurde der Herrschaftsanspruch des Herzogs gegenüber dem gemeinen Mann deutlich gemacht.

Rapier

Schwertähnliche Hieb- und Stichwaffe aus dem frühen 16. Jahrhundert. Es verfügt über eine zweischneidige, gerade Klinge von rund tausend Millimeter Länge.

Batzen

Münze, die einen Wert von 16 Silberpfennigen bzw. 4 Kreuzern hatte.

Feel

Junges Mädchen im allgäuerisch-baierischen Dialekt.

Revocieren

Bedeutet, sein Wort oder eine Äußerung zurückzunehmen, zu widerrufen.

Etter

Bannmeile – Ursprünglich stand Etter für die Einfriedung eines Ortes, Anwesens, herrschaftlichen Gehöftes oder Brunnens.

Beisitz oder Beisasse

Bürger einer Stadt im Mittelalter und der frühen Neuzeit, der über eingeschränkte Bürgerrechte verfügte. Nur ein (Voll-)Bürger hatte das Recht, an Wahlen teilzunehmen, politische Ämter zu bekleiden, Eigentum zu besitzen und andere grundlegende Rechte auszuüben. Ein Beisitz oder Beisasse verfügte nicht über diese Rechte. Er konnte allerdings in eine Zunft aufgenommen werden – ja, es war sogar Vorbedingung für eine Zunftmitgliedschaft. Er genoss trotzdem Schutz und Schirm der Stadtgemeinschaft.

Urgicht

Als Urgicht (von altdeutsch *gichten* = sagen, gestehen, bekennen) oder gichtiger Mund („geständiger Mund") bezeichnet man das Geständnis als Verfahrenselement der mittelalterlichen und frühneuzeitlichen Gerichtsbarkeit.

Kistler

Alte Bezeichnung für Tischler und Schreiner.

Zeidler

Honigsammler bzw. Waldimker. Sammelt den Honig wilder Bienen.

Moos

Bezeichnet im Bayerischen ein Moor, genauer gesagt ein Niedermoor. Dieser Moortyp speist sich aus Bächen, Flüssen, verlandeten Seen oder der Grundwasserspiegel ist hoch.

Filz

Bezeichnet im Bayerischen ein Hochmoor, das sich ausschließlich aus Regenfällen speist. Darüber wächst im Laufe der Zeit eine „verfilzte" Schicht, die oft begehbar ist.

Ungeld

Vergleichbar mit der heutigen Mehrwertsteuer.

Habnit

Steuerpflichtiger im Spätmittelalter und der frühen Neuzeit, der nur über ein begrenztes Vermögen verfügte (maximal 60 Pfund Pfennige). Bis zu diesem Betrag zahlte man die pauschale Habnit-Steuer.

Danksagung

Zunächst einmal möchten wir uns bei den Menschen bedanken, die uns zu Beginn dieses Projektes bei der Recherche unterstützt haben. Da wäre zu allererst der mittlerweile leider verstorbene Klaus Müntzer zu nennen. Auf der Suche nach möglichen Nachfolgethemen zum „Baumeister von Landsberg" hatten wir auf seine Anregung hin die Reformationszeit ins Visier genommen. Unterlagen hierfür fanden wir unter anderem in der Bibliothek des Historischen Vereins Landsberg. Wir sind dann auf Frau Dr. Barbara Kink aufmerksam geworden, die Leiterin des Fürstenfeldbrucker Stadtmuseums. Ihre Dissertation „Die Täufer im Landgericht Landsberg 1527/28" lieferte den Anstoß zum vorliegenden Roman. In einem persönlichen Gespräch hat sie uns freundlicherweise viele weitere Hinweise gegeben. Vor allem zu den wirtschaftlichen und gesellschaftlichen Umwälzungen in unserer Heimat in der Frühphase der Reformation. Insbesondere hat sie uns anschaulich erläutert, wie ein Dorf der frühen Neuzeit im Lechrain organisiert war.

Ein großer Dank gebührt auch dem ehemaligen Kreisheimatpfleger des Landkreises Fürstenfeldbruck, Herrn Toni Drexler. Er ist gebürtiger Hörbacher (Hürbener) und hat uns das dörfliche Leben

„im Moos" zur damaligen Zeit lebendig geschildert. Er selbst hat die Geschichte der vier hingerichteten Täufer recherchiert, die aus seinem Heimatdorf stammen. Zum Gedenken an die Hörbacher Opfer der herzoglichen Strafmaßnahmen im Herbst 1527 hat er einen Brunnen gestiftet. Dieser sogenannte Täuferbrunnen erinnert nun vor der Pfarrkirche St. Andreas an *Mathes Hoffmair*, *André auf der Stelzen*, *Christof Jos* und *Gebhart*.

Herr Drexler hat uns empfohlen, Kontakt zur mennonitischen Gemeinde in Augsburg aufzunehmen. Diese Gemeinde versteht sich in der Nachfolge der damaligen Täufer. Der engagierte Prediger Wolfgang Krauß hat uns die Sprengkraft der Täuferlehre mit dem Aufkündigen des konstantinischen Bündnisses bildhaft erläutert. Besonders in Erinnerung bleibt uns ein eiskalter Januartag, an dem er uns die Stätten der Augsburger Täufer gezeigt hat.

Last, but not least möchten wir uns bei Herrn Christoph Engelhard bedanken, dem Leiter des Memminger Stadtarchivs und Vorsitzenden des Historischen Vereins der früheren Reichsstadt. Mit großer Anschaulichkeit hat er uns viele Details des Lebens in Memmingen der Jahre 1527/28 erklärt. Viel von seinem fundierten Hintergrundwissen ist in den zweiten Band mit eingeflossen.

Ein großer Dank gebührt auch all den Menschen, die uns bei der Herstellung des Buches unterstützt haben. Zuvorderst natürlich die Betaleser, die sich durch den unlektorierten Text gekämpft haben. Jede(r) hat anschließend mit uns seine unverblümte Ersteinschätzung des noch jungen Werkes geteilt: Ingrid Maier, Alois Handwerker und Toni Drexler.

Danke auch an unsere Lektorin, Frau Karin Schweiger. Sie hat uns immer wieder bestärkt, die Erzählperspektiven konsequent durchzuhalten und für die Handlung entbehrliche Charaktere einfach zu streichen. Außerdem hat sie uns in ihrer unnachahmlichen Art auf logische Fehler hingewiesen. Chapeau!

An der Entstehung des wunderbaren Covers haben mehrere Menschen mitgewirkt. Unsere Schwiegertochter Lisa Pfaffeneder ist in die Rolle der Anna Schuster geschlüpft, unser Sohn Jakob hat fotografiert und Max Braun von der gleichnamigen Agentur aus Fürstenfeldbruck hat unsere Ideen zu diesem Cover gekonnt umgesetzt. Vielen Dank euch allen!

Ein paar Worte in eigener Sache: Als wir uns im Sommer 2020 (mit Masken) mit Frau Dr. Kink trafen, konnten wir nicht ahnen, wie sehr uns dieses Thema in Beschlag nehmen würde. Wir stellten fest, dass es viele Parallelen zur heutigen Zeit gibt.

Die Recherche erwies sich als umfangreich, und die Ausarbeitung glaubhafter Figuren war eine Herausforderung. Mehr als einmal haben wir einzelne Handlungsstränge überarbeitet, da unsere Protagonisten im Laufe der Geschichte ein Eigenleben entwickelten. Sollten Ihnen trotz intensiver Überarbeitung noch Fehler auffallen, bitten wir an dieser Stelle um Entschuldigung. Gerne können Sie uns auch schriftlich unter www.liccaratur-verlag.de oder persönlich bei einer Lesung kontaktieren. Termine sowie weitere Neuigkeiten und Veröffentlichungen finden Sie ebenfalls auf unserer Website.

Literaturempfehlungen

Falls jemand selbst tiefer in die Materie eintauchen will:

Die Täufer im Landgericht Landsberg 1527/28
Barbara Kink, St. Ottilien, EOS-Verlag, 1997
Dissertation, ISBN 3-88096-887-X

Die „gegenreformatorische" Politik der bayerischen Herzöge 1522-1528, unter besonderer Berücksichtigung der Bauern- und Wiedertäuferbewegung
Rüdiger Pohl, Friedrich-Alexander-Universität Erlangen-Nürnberg, 1972, Dissertation

Die verlorenen Welten – Alltagsbewältigung durch unsere Vorfahren und weshalb wir uns heute so schwer damit tun
Arthur E. Imhof, München, Verlag C.H. Beck, 1984
ISBN 978-3-406-30270-1

Unterfinning – die ländliche Welt vor Anbruch der Moderne
Rainer Beck, München, Verlag C.H. Beck, 1993
ISBN 978-3-406-37756-4

Die Täufer in Augsburg – Ihre Geschichte und ihr Erbe
Hans Guderian, Pfaffenhofen, W. Ludwig Verlag, 1984
ISBN 978-3-7787-2063-5

Althegnenberg – Hörbach – Beiträge zur Geschichte
Toni Drexler und Angelika Fox,
St. Ottilien, EOS-Verlag, 1996
Keine ISBN

Gewagt! 500 Jahre Täuferbewegung 1525 – 2025
Herausgeber: 500 Jahre Täuferbewegung 2025 e.V., Frankfurt / Main, Themenheft 2020
Keine ISBN

Memminger Geschichtsblätter Jahresheft 1968 - Die Reichsstadt Memmingen und die Reformation
Wolfgang Schlenck, Memmingen,
Verlagsdruckerei GmbH, Memmingen, 1969

**Memminger Geschichtsblätter
Jahresheft 1969
Memmingens Ausgetretene 1525**
Philipp L. Kintner, Memmingen,
Verlagsdruckerei GmbH, Memmingen 1971

**Memminger Geschichtsblätter
Jahresheft 1980 – Die Einführung der
Reformation in Memmingen**
Barbara Kroemer, Memmingen,
Verlagsdruckerei GmbH, Memmingen, 1981

**Das Haspelmoor
Geschichte(n) einer Landschaft und
ihrer Bewohner**
Toni Drexler, Wissner-Verlag, Augsburg, 2018
ISBN 978-3-95786-176-4

**Die Perwanger von Günzlhofen und Vogach
Zeitschrift Amperland**
Toni Drexler, heimatkundliche Vierteljahresschrift
für die Kreise Dachau, Freising und Fürstenfeldbruck, Dachau, 2006, Seite 279 ff.

Die Geschichte der Stadt Memmingen
Von den Anfängen bis zum Ende der Reichsstadt
Peter Blickle, Stuttgart, Konrad Theiss Verlag, 1997
ISBN 3-8062-1315-1

(Rad-) Wandertouren

Während unserer Recherchen haben wir einige sehr interessante Ausflüge unternommen, von denen wir Ihnen drei ans Herz legen möchten.

TOUR 1 – Augsburger Täuferorte

Diese Tour können Sie gut zu Fuß bewältigen. Wir beginnen unsere Entdeckungsreise zu den meist nicht mehr sichtbaren Spuren der Augsburger Täufer auf dem Augsburger Rathausplatz.

Zwischen dem Perlachturm und dem Rathaus lag der Fischmarkt. Der kleine Platz war auch die Hinrichtungsstätte für zwei Webermeister (Hans Kag und Hans Speiser), die während des Schilling-Aufstandes 1524 als Rädelsführer für den Sturm auf das Rathaus ausgemacht worden waren. Um Fürbitten und Eingaben der Bevölkerung zugunsten der Delinquenten zuvorzukommen, wurde das Todesurteil schon im Morgengrauen des 13. August 1524 vollstreckt.

Zurück zum Perlachturm, den man erst im Jahr 1526 auf seine heute imposante Höhe brachte. Weitere 90 Jahre später setzte der berühmte Augsburger Baumeister Elias Holl dem Turm ein Oktagon auf und gab ihm sein heutiges Aussehen.

Der Platz vor dem Rathaus besaß in den Jahren 1527/28 nur ungefähr ein Drittel seiner heutigen

Größe. Dort verkauften Händler im 16. Jahrhundert Butter, Geflügel und Eier, weshalb er im Volksmund lange Zeit *Eiermarkt* hieß. Aufgrund der massiven Kriegsschäden konnte der Platz nach dem 2. Weltkrieg erweitert werden.

Vor dem Rathaus verkündete man im April 1528 das Todesurteil gegen den Täuferprediger Hans Leupold. Leupold war nach dem Täufer-Concilium im August 1527 verhaftet und im Oktober desselben Jahres zusammen mit Hans Kießling wieder freigelassen und der Stadt verwiesen worden. Im März 1528 schlich er sich zurück nach Augsburg und wurde dort an Ostern mit 88 Gleichgesinnten im Haus der Adolfin (Susanna Daucher) erneut verhaftet. Weil er schon einmal ausgewiesen worden war und sich weigerte, zu revocieren, stand sein Todesurteil fest: „... wird er vom Leben zum Tod befördert." Doch selbst hier bewies er seine Standhaftigkeit: „*Nit also ihr Herren von Augsburg, sondern aus dem Tod zum Leben!*", war seine Antwort.

Der Weg rechts am Rathaus vorbei nach unten heißt Eisenberg, weil er zum Gefängnis führte, das hinter dem Rathaus lag. Es ist nicht mehr vorhanden, dort erstreckt sich heute der Elias-Holl-Platz. Im Gefängnis saßen die führenden Täufer nach ihrer Verhaftung im August und September 1527 ein. Die Stadt Augsburg engagierte lutherische Prediger wie Urbanus Rhegius, um mit den Täufern zu disputieren. In diesem Gefängnis starb Hans Hut nach einem Brand in seiner Zelle am 5. Dezember 1527.

Erst drei Jahre später gaben die Täuferführer auf und revocierten auf Druck ihrer Ehefrauen.

Über das Sterngässchen und die Mittlere Lechgasse erreichen wir die Barfüßerkirche, die direkt an der Barfüßerstraße liegt. Man sieht nur noch einen Teil der alten Kirche, der Rest wurde im 2. Weltkrieg zerstört. 1221, noch zu Lebzeiten des Heiligen Franziskus, kamen die ersten franziskanischen Brüder nach Augsburg. In diesem (Barfüßer-) Kloster wurden im 16. Jahrhundert reformatorische Gedanken schnell aufgenommen, weshalb man vor allem in dieser Kirche die ersten evangelischen Predigten Augsburgs gehalten hatte. In der Barfüßerkirche kam es 1524 zum Eklat, als die Messbesucher einem Priester die Bibel aus der Hand rissen und ins Taufbecken warfen. Hier predigte auch der Franziskanermönch Schilling, was zum Schilling-Aufstand 1524 führte.

An der Kreuzung der Barfüßerstraße – Jakoberstraße – Oberer Graben lag früher der Rossmarkt. Hier war einer der Versammlungsorte des Täufer-Conciliums (Märtyrersynode) im August 1527: das Haus eines Säckler-Meisters.

Wir gehen zurück zur Barfüßerkirche und weiter Richtung Lechviertel. Über die Mittlere Lechgasse und das links abzweigende Schleifergässchen erreichen wir die Hausnummer Hinterer Lech 2. Dort steht noch das Haus der Familie Daucher. Im Jahr 2013 wurde dort eine Gedenktafel enthüllt zum Andenken an die verhängnisvolle Versammlung der Täufer an Ostern 1528.

Wir folgen dem Hinteren Lech und gelangen hinein ins Lechviertel. In den Romanen wohnen dort in der Nähe der Hausnummer 12 der Maurer Kießling und weiter unten bei der Hausnummer 42 liegt die Werkstatt des Färber-Jos. Beide Orte sind historisch nicht fassbar, passen aber gut in die Nachbarschaft des Daucheranwesens. Am Ende der Hinteren Lechgasse erreichen wir das Dominikanerinnen-Kloster, das zur Zeit der Romane ein Laienkloster war. Wir folgen der Gasse „Bei St. Ursula" bis zum Schwall. Von hier sind es nur ein paar Schritte bis zur Bäckergasse, wo Hubertus Culinula im Gasthof *Zum Weißen Adler* (heutige Hausnummer 23) wohnte.

Wir gehen die Bäckergasse zurück bis zum Predigerberg und folgen dieser Straße bis zur Heilig-Grab-Gasse, die uns zur heutigen Maximilianstraße führt. Diese Straße war früher der Weinmarkt, wo reiche Patrizier ihre prachtvollen Anwesen hatten. Das Schaezlerpalais, heutige Hausnummer 46 lässt einen die Pracht erahnen, in der Familien wie die Fugger oder Rehlinger lebten. Nur wenige Schritte weiter auf der linken Seite steht das Hotel-Restaurant *Maximilians*, das zur Zeit des Romans das „Drei Mohren" war. Hier trank Christof Pfettner seinen geliebten Tiroler Wein und schmiedete düstere Pläne.

Wir gehen die Maximiliansstraße zurück zum Rathausplatz und weiter hinauf in die Bischofsstadt. Augsburg bestand damals aus drei Teilen: der Bischofsstadt mit eigener Stadtmauer, der Bürgerstadt und aus dem niedriger gelegenen Lechviertel der Handwerker und Tagelöhner.

Wir erreichen die heutige Residenz des Augsburger Bischofs im Hohen Weg 18. Links auf der anderen Straßenseite im Römerpark steht die Gedenkbüste des Pfarrers Max Josef Metzger, der von den Nazis 1944 zum Tod verurteilt wurde. Er hatte sich in einem Brief mit dem Zitat des Hans Leupold verabschiedet (*vom Tod zum Leben*).

Von hier aus nehmen wir die Peutinger-Straße und erreichen das Wohnhaus des Konrad Peutinger. Peutinger war Jurist, Humanist und Antiquar. Als Augsburger Stadtschreiber war er einer der wichtigsten Politiker der Reichsstadt in der Reformationszeit. Er war Berater von Kaiser Maximilian I. und dessen Nachfolger Kaiser Karl V. und Stadtschreiber von 1497 bis 1534. Erst 1534, als nach dem Scheitern seiner Politik, die auf einen Ausgleich zwischen den streitenden Religionsparteien zielte, die

Reformation in Augsburg eingeführt wurde, trat er von seinem Amt als Stadtschreiber zurück.

Wir gehen weiter durch den Fronhof zum abgegangenen Heilig-Kreuz-Tor. Es war ein Stadttor zwischen der alten Bischofsstadt und der Bürgerstadt und befand sich am Schnittpunkt der heutigen Straßen Heilig-Kreuz-Straße, Kasernstraße, Theaterstraße, Beim Hafnerberg und Ludwigstraße.

Während des Bauernkriegs 1525 war Götz von Berlichingen der Anführer der Odenwälder Bauern. Nach dem Krieg wurde er angeklagt und rechtfertigte sich mit der Begründung, er habe durch diese Anführerschaft nur Schlimmeres verhindern wollen. Im Mai 1528 wurde er auf Betreiben des Schwäbischen Bundes gezwungen, sich zu stellen. Er folgte der Aufforderung und wurde in Augsburg festgenommen. Vom 30. November 1528 bis zum 1. März 1530 saß er im Turm des Heilig-Kreuzer-Tors gefangen (Gedenktafel Heilig-Kreuz-Straße 4) und kam nur gegen die Verpflichtung frei, seine Burg Hornberg nicht wieder zu verlassen.

Neben dem Kreuztor wohnte Hans Denck während seiner Zeit als Gemeindevorstand der Gartenbrüder in Augsburg 1526. Hier stehen auch die beiden Kirchen evangelisch Hl. Kreuz und katholisch Hl. Kreuz in heute einträchtiger Nachbarschaft.

Zurück im Lechviertel beherbergt das Brechthaus ein interessantes Museum. Von hier sind es nur ein paar Schritte zurück zum Rathausplatz. Die Tour ist 4 km lang und erfordert eine reine Gehzeit von einer Stunde. Sie sollten jedoch 2-3 Stunden einplanen, je nachdem, welche Sehenswürdigkeiten sie besuchen möchten.

TOUR 2 – Memminger Altstadt

Die Tour folgt im Wesentlichen einer Route des Memminger Fremdenverkehrsamtes, der *roten* Tour. Dafür gibt es eine interessante „Lauschtour" von Mirko Drotschmann zum Herunterladen. Allerdings haben wir die Spuren der Romanhandlung mit integriert und die Tour umgestellt. Sie können in einem der Memminger Parkhäuser (z.B. Schwester- oder Krautstraße) ihr Fahrzeug abstellen.

Wir beginnen in der Kalchstraße gegenüber dem Bahnhof. Hier stand zur Zeit der Romanhandlung das Kalchtor, das auch Augsburger Tor genannt wurde. Durch dieses Tor betraten Lenz und Anna im Oktober 1527 die Stadt. Wir folgen der Kalchstraße und biegen beim Gasthof *Zum Schwanen* links ab. Vor uns sehen wir den ehemaligen Salzstadel, der Memmingen mit Landsberg verbindet. Hier lagerte die wichtigste Ware der Stadt, das weiße Gold. Wenn wir die Maximilianstraße erreichen, wenden wir uns nach rechts.

Keine 100m weiter sehen wir rechter Hand das ehemalige Kreuzherrenkloster, das zur Zeit des Romans bereits unter städtischer Verwaltung stand. Wenig später erreichen wir den Weinmarkt, den wohl geschichtsträchtigsten Ort der ehemaligen Reichsstadt. Hier waren mehrere Zunfthäuser angesiedelt. Neben dem Zunfthaus der Weber, der Zimmerer, der Metzger, der Merzler (Kleingewerbetreibende) vor allem das der Kramer. In der Kramerzunft wurden im März 1525 die Zwölf Artikel vom Theologen Dr. Christoph Schappeler und dem Kürschnergesellen Sebastian Lotzer aufgeschrieben. Deshalb steht auf diesem Platz auch der Memminger Freiheitsbrunnen. Entsprechend einer ausgeklügelten Symbolik besteht er aus zwölf Platten. Sie symbolisieren die Fragilität der Freiheit, die jederzeit in sich zusammenstürzen kann.

Nach links folgen wir der Stadtführungsroute hinein ins Stadtviertel *Primo Wepach*, wo der Meister von Lenz, Hans Lodweber, in der heutigen Kreuzstraße wohnte. Direkt gegenüber in der Kramerstraße liegt die ehemalige Einhornapotheke. Unter dem Einhorn soll sich der Karfunkelstein befunden haben, der ewiges Leben bedeutet – Harry Potter lässt grüßen.

Wenn wir weitergehen, erreichen wir den Theaterplatz mit dem Landestheater Schwaben. Im Theater sind noch Reste des alten Nonnenklosters vorhanden, das hier früher stand. Die Wandmalereien sind sehenswert.

Wir biegen links ab und gehen weiter bis zum Ende des Theaterplatzes. Hier biegen wir rechts ab in den Gerberplatz. Schon nach wenigen Schritten erreichen wir das pittoreske Siebendächerhaus, das den Gerbern als Trockenspeicher diente. Es wurde 1611 erbaut und steht trotz Bombenangriffen immer noch. In südlicher Richtung überqueren wir eine kleine Brücke über den Stadtbach. Danach geht es rechts weiter zur Stadtkirche *Unser lieben Frauen.* Hier predigte mit Simprecht Schenck ein Zwinglischüler, weshalb Lenz' Meister hierher zur Messe ging. Man muss vielleicht erwähnen, dass zur Zeit des Romans alle Kirchen von verschiedenen Konfessionen genutzt wurden. In *Unser lieben Frauen* waren mehrere altgläubige Prediger aktiv, sodass hier neben Messen im alten Ritus auch reformierte nach Zwingli gelesen wurden.

Überhaupt war die Reformation nach Zwingli lange Zeit bedeutender in der Stadt, als die nach Luther. Diese Kirche hat eine sehr schöne Uhr und vor ihr steht ein Einhorn. Dieses Fabelwesen steht hier als Symbol für die Jungfrau Maria.

Wir gehen weiter nach Nordwesten zum Schrannenplatz. Am Fischerbrunnen steht ein Mann mit einem *Bären*, einem Netz, mit dem die Memminger am Fischertag ihren Stadtbach leerfischen. Die herrliche Fassade der Weinstube zum *Goldenen Löwen* enthält auch ein Relikt an den Dreißigjährigen Krieg, als Memmingen massiv von den Kaiserlichen bombardiert wurde. Finden Sie heraus, um was es sich handelt?

Jetzt gehen wir nach Norden die obere Bachgasse am Stadtbach entlang bis zum Rossmarkt. Dieser Bach wird von der Memminger Ach gespeist und wurde vor über 800 Jahren gebaut, um die Wirtschaft der Stadt mit Wasser und Wasserkraft zu versorgen. Weil jeder seinen Dreck reinwarf, musste der Bach wenigstens einmal im Jahr gereinigt werden. Dazu wurde er zunächst leergefischt – das war die Geburtsstunde des wichtigsten Memminger Feiertags: des Fischertags. Ende Juli springen (jucken) 1.300 Memminger in den Bach, um die Fische herauszufangen.

Wenn wir zurück zum Weinmarkt kommen, erreichen wir das rote Zunfthaus der Kramer. Im zweiten Stock des Gebäudes hatten sich 1525 ca. 50 Abgesandte aus drei Bauernhaufen dort getroffen, um die *Zwölf Artikel für die Bauernschaft* zu formulieren. Diese verbreiteten sich in Windeseile im ganzen Reich, was den Bauernkrieg noch einmal anfachte. Die Artikel wurden letztendlich zum Fundament der deutschen Verfassungsgeschichte.

Wir gehen Richtung Schweizerberg; auf dem Weg passieren wir den Rossmarkt und den Schweinemarkt, den Berg hinauf nach Westen bis zum Fuggerbau (großes graues Gebäude). Er war eine Filiale der Fugger. Hier bezog 1630 im Dreißigjährigen Krieg Wallenstein, der kaiserliche General und Feldmarschall, sein Hauptquartier. Im Norden finden wir das Antoniter-Kloster. Hier lag ein Hospital, das spezialisiert war auf die Krankheit *Antoniusfeuer*. Heute sind die Stadtbibliothek und zwei Museen dort untergebracht.

Vor uns liegt die zweite wichtige Pfarrkirche Memmingens, die zur Zeit des Romans lutherische Martins-Kirche. Auch hier gab es altgläubige Prediger der angrenzenden Klöster. Zwischen uns und der Kirche liegt rechter Hand ein Hospital mit einem interessanten Fresko. Darin hat der Maler Antonius verewigt und die Tiere der Menschen, die der Heilige segnet. Mit dabei ein Ferkel – ein sogenanntes Antoniusschwein. Es brachte Glück, das Schwein zu füttern. Noch heute schenken wir uns zu Neujahr kleine Marzipanschweine, die uns ebenfalls Glück bringen sollen. Neben dem Turm der Martinskirche liegt das Stadtmuseum der Memminger.

Wir gehen weiter bis zur *Blauen Saul*, einer blaugefärbten Säule, einem der Memminger Wahrzeichen. Jetzt geht es zum Marktplatz, auf dem Anna zuerst bemerkt, dass die Magd Vev gar nicht nach Amendingen geht, sondern zu einem Täufertreffen.

Hier gibt es sieben Zugänge, aber man sieht nicht heraus. Das Rathaus ist neu und stammt aus dem 18. Jahrhundert. Das alte Rathaus ist abgebrannt.

Rechts daneben liegt das prächtige Haus der Großzunft. Hier war die eigentliche Machtzentrale der Reichsstadt – die reichen Händler und Patrizier tagten hier. Das große gelbe Haus mit der auffälligen Bemalung (erbaut 1495) ist das Steuerhaus. Die farbige Ausgestaltung stammt aber erst aus dem 20. Jahrhundert.

Wenn man rechts am Rathaus vorbeigeht, gelangt man in die frühere Schlossergasse. Rechter Hand lagen Schmieden und am Ende taucht links ein Turm auf. Der Hexenturm, der frühere Gefängnisturm, ein beliebtes Fotomotiv. Vor der Stadtmauer bei diesem Turm lag der Tummelplatz, wo auch die Schützenbruderschaft für den Ernstfall übte.

Von hier direkt nach Osten führt die Krautstraße, die zur Zeit des Romans nördlichste Straße in Memmingen. Zur Linken liegen heute das Fundamt und das Parkhaus Krautstraße. Doch 1527 lagen hier kleine Häuser mit an die Stadtmauer gedrängten Gärtchen. Hier lebten und arbeiteten Weber, wenngleich die Mehrheit dieser Berufsgruppe in der Südstadt anzusiedeln sein dürfte.

Wenn man der Krautstraße bis zur Gießergasse folgt, ist man schnell wieder am ehemaligen Kalchtor, wo unsere Tour begonnen hat. Diese Tour ist in 90 Minuten gut zu Fuß zu bewältigen. Hinterher können Sie in eines der vielen Memminger Cafés oder Restaurants einkehren.

Rad-TOUR 3
Rund um das Fürchelmoos

Diese Radtour führt an die Orte der Täufer im Lechrain, beziehungsweise rund um das Fürchelmoos (Haspelmoor), das 1527/28 noch deutlich größer war, als heutzutage.

Wir starten in Günzlhofen beim Sportplatz in der Jahnstraße 1. Günzlhofen ist die Heimat der musikalischen Großfamilie Well, aus der die *Biermösl-Blosn* und die *Wellküren* hervorgegangen sind. Der nordöstliche Teil des Fürchelmooses hieß Biermoos. Daher der Name „Biermösl".

Seit 1507 waren in Günzlhofen die Brüder Augustin und Christoph Perwanger die Hofmarksherren. Als sie sich über ihren Pfarrer beschwerten, gerieten sie ins Visier Herzog Wilhelms IV. Trotzig schlossen sie sich den Täufern an. Obwohl sie Adelige waren, fielen auch sie im Januar 1528 den herzoglichen Strafmaßnahmen zum Opfer. An die beiden hingerichteten Brüder erinnert eine rotmarmorne Inschrift in der Pfarrkirche St. Margareta in Günzlhofen. Ebenso zwei Epitaphe in einer Seitenkapelle an deren Eltern.

Von hier radeln wir nach Süden. Über Mammendorf erreichen wir Jesenwang am Südrand des früheren Fürchelmooses. Hier residierte in Gebäuden, die dem Kloster Fürstenfeld gehörten, der Großinquisitor Martin Pasenseer. Er war ein Amtmann aus Dachau und organisierte in den Jahren 1527/28 von hier aus die „Jagd" auf Wiedertäufer, Lutherische und sonstige Aufrührer.

Wir fahren weiter zum Flugplatz Jesenwang, wo wir im Restaurant *Fly-in* eine Rast einlegen können.

Gestärkt geht es Richtung Norden nach Adelshofen und weiter nach Grunertshofen. Diese Hofmark besaß zur Zeit der Romane der Landsberger Pfleger Gregor von Egloffstein und Grunertshofen. Egloffstein war ein fränkischer Ritter und heiratete in die Hofmark ein. Später erwies er sich als harter Hund gegenüber aufständischen Bauern, an denen er am 10. Mai 1525 ein Massaker verüben ließ in Kleinkitzighofen. Genauso unerbittlich verfolgte er die Täufer im Landgericht Landsberg, dessen „Landrat und Polizeichef" er war.

Wir radeln weiter über Luttenwang nach Hörbach, dem früheren Hürben. Vor der Pfarrkirche St. Andreas erinnert der von Toni Drexler gestiftete Täuferbrunnen an *Mathes Hoffmair*, *André auf der Stelzen*, *Christof Jos* und *Gebhart*.

Weiter geht es nach Althegnenberg, dem früheren Hennaberg. Wir überqueren die Bahnlinie und fahren südlich der Bundesstraße B2 nach Osten in den Haspelwald. In diesem Wald verbarg sich im Roman Jörg Sedlmaier. Der Wald, der früher Habichtswald, später Habswald und schließlich Haspelwald hieß, zeigt schon im Namen an, dass er ein Wald des Herzogs war. Nur der durfte nämlich mit dem Habicht jagen.

Von diesem imposanten Wald geht es über Hattenhofen zurück nach Günzlhofen. Hattenhofen gehörte zur Zeit des Romans zur Hofmark Günzlhofen und lag inmitten des Fürchelmooses. Hier taufte Jörg Sedlmaier im Winter 1527/28 viele Anhänger der Täuferlehre.

Die Tour hat ungefähr eine Länge von 30 Kilometern und ist in zwei Stunden reiner Fahrzeit gut zu bewältigen.

Weitere im Liccaratur-Verlag erschienene Titel:

Krimi-Anthologien / Wettbewerbe

Die Spur führt an den Lech
226 Seiten, 2013
ISBN 978-3-944810-00-3 / 12,95 €

15 spannende Kriminalgeschichten mit Lokalkolorit des Landsberger Autorenwettbewerbs 2012/13

Ein geschickter Profikiller teilt uns sein Erfolgsrezept mit, ein Landsberger Gastronom wird in der Kirche ermordet und keiner trauert. Geschichten, die durch ihre interessante Erzählperspektive fesseln.
Alexandra Lutzenberger,
Landsberger Tagblatt, Kulturredaktion

Das Geheimnis des blutroten Kamms. Ha(h)nebüchener Psychothriller.
Ingrid Asam, BuchHansa, Landsberg

Sanft rauscht der Lech vorbei an bekannten Schauplätzen; der eiskalte Schauer packt einen bei dem, was sich in Landsberg ereignen könnte ...
Mathias Neuner, ehemaliger Oberbürgermeister der Stadt Landsberg am Lech

Sagenhafte Verbrechen aus dem Lechrain

236 Seiten, 2016
ISBN 978-3-944810-02-7 / 12,95 €

15 spannende Sagen- und Gruselgeschichten des Landsberger Autorenwettbewerbs 2015/16

Hojemännlein, der Goggolori, das Wilde Gejäg, Hexen, Geistererscheinungen und Räuberbanden haben den Landstrich geprägt, der im wesentlichen den Landkreis Landsberg am Lech repräsentiert. Die Anthologie enthält 15 spannende Kriminalgeschichten mit Bezug zur Sagenwelt des Lechrains. Urheber dieser sagenhaften Kriminalfälle sind die Preisträger des Landsberger Autorenwettbewerbes 2016. Aufgewertet wird das Werk durch 24 eindrucksvolle Schwarzweiß-Aufnahmen namhafter Fotografen. Diese zeigen neben Szenen aus den Kurzkrimis auch schöne Orte aus dem Landkreis Landsberg. Als Zuckerl obendrauf gibt es auch eine Zusammenstellung der im Buch kolportierten Sagen aus dem Lechrain.

Er fand ein schauriges Grab in der Teufelsküche. Wer ist dafür verantwortlich? Etwa der Goggolori, das Issinger Schlossfräulein, das Hojemännlein oder gar der Engel von Rott? Sagenhafte, gespenstisch schöne Geschichten zwischen Ammersee und Lech.
Thomas Eichinger,
Landrat Landreis Landsberg am Lech

Anthologie

Jahreszeiten zwischen Lech und Ammersee
226 Seiten, 2019
ISBN 978-3-944810-04-1 / 12,95 €

16 wunderbare Geschichten aus dem Landkreis zwischen Lech und Ammersee, unter anderem mit der Bestsellerautorin Nicola Förg, die am Lech südlich des Landkreises Landsberg lebt.

Der bekannte Bestsellerautor Oliver Pötzsch, Schöpfer der Henkerstochter-Saga, hat ein Vorwort verfasst, das zum Nachdenken anregt.

Die Geschichten ... spiegeln in der Tat das Geschehen zwischen Lech und Ammersee auf eine spannende und höchst interessante Weise wider. Mein Hinweis: Lesen, lernen, sich vergnügen.
Alois Kramer
Ehemaliger Chefredakteur Ammersee Kurier, Dießen

Historische Romane

Der Baumeister von Landsberg
596 Seiten, 2014
ISBN 978-3-944810-01-0 / 14,95 €

Im Spätmittelalter ist Landsberg am Lech durch seine strategisch günstige Lage zu einer bedeutenden Stadt herangewachsen. Der Salzhandel hat Landsberg reich gemacht und ein zunehmend selbstbewusstes Bürgertum scheut auch Konflikte mit seinem Landesherrn nicht mehr. Durch den Neubau einer Kirche will man zudem dem Patronat des Klosters Wessobrunn entfliehen. Die neue, prächtige Basilika soll aufkeimenden Bürgerstolz demonstrieren.

Bereits als Lehrling ist der Steinmetz Veit Maurer am Bau des neuen Gotteshauses beteiligt. Fortan widmet er sein Leben der Baukunst und sein Weg führt ihn durch halb Europa. Er erlebt Freundschaft, Liebe, Krieg und nicht erwarteten Verrat. Doch stets bleibt sein persönliches Schicksal mit Landsberg und dem dortigen Kirchenbau verbunden.

Tauchen Sie ein in die Geschichte einer Stadt an der Schwelle vom Mittelalter zur Neuzeit.

Die Schwester des Ketzers
Die Auserwählten (Teil 1)
508 Seiten, 2022
ISBN 978-3-944810-07-2 / 15,90 €

1527 - Anna Schuster ist die Tochter eines armen Klein-
häuslers im Lechrain. Eines Nachts belauscht sie eine ge-
heimnisvolle Versammlung, an der ihr Bruder Gebhart
teilnimmt. Ein Fremder beschwört das nahe Strafgericht
Gottes. Ihr Lauschen bleibt nicht verborgen. Der unbekannte Prediger bietet ihr kurz darauf eine Stelle als
Magd in seiner Färberwerkstatt in Augsburg an. Sie geht
das Wagnis ein und ihr Mut zahlt sich aus. Sie genießt die
Freiheiten der liberalen Reichsstadt, wo sich ihr Wunsch
Lesen zu lernen, erfüllt. Als Lenz Kirchperger in ihr Leben tritt, scheint das Glück vollkommen, auch wenn seine
Erlebnisse aus dem Bauernkrieg zwischen ihnen stehen.
Eine neue Glaubensheimat finden sie in der Gemeinschaft der Gartenbrüder, die Kirche und staatliche Macht
in Frage stellen. Das bleibt nicht ohne Folgen, denn der
bisher tolerante Augsburger Stadtrat fürchtet um die öffentliche Ordnung. Er beschließt, diese neue Sekte der
Wiedertäufer zu zerschlagen. Anna und Lenz sind in Gefahr.

Eine junge Frau sucht ihren Weg im Leben und im Glau-
ben – eine spannende Geschichte über die Wiedertäufer
und ihre grausame Verfolgung.
Ingrid Zeilinger, Münchner Merkur

Kriminalromane

Entwurzelte Schatten

332 Seiten, 2017
ISBN 978-3-944810-03-4 / 14,25 €

Selahattin Barzani ist als syrischer Flüchtling in der kleinen Stadt Landsberg am Lech gestrandet. Beim morgendlichen Joggen führt ihn sein Weg an einen Ort, den die Menschen Teufelsküche nennen. Dort holen ihn kurz vor Weihnachten die Schatten seiner Vergangenheit ein. Bei seiner panischen Flucht rennt er beinahe den pensionierten Kriminalhauptkommissar Martin Viertaler um. Der findet am Tatort eine kopflose Leiche und ein Handy, mit dem zuletzt seine gute Bekannte Gertrud Maier, Selahattins ehrenamtliche Betreuerin, angerufen wurde.

Da die ehemaligen Kollegen Viertalers schnell den Flüchtling verdächtigen, versucht er zusammen mit Gertrud, dessen Unschuld zu beweisen. Dabei verstrickt sich das ungleiche Ermittlerduo immer tiefer in diesen mysteriösen Fall. Der Mord in der *Thomasnacht*, der ersten der mystischen Raunächte, entfesselt ein Spiel der Schatten, in das nicht nur der Flüchtling Selahattin, sondern auch alteingesessene Bürger hineingezogen werden.

Letzten Endes gerät Gertrud Maier, für die Viertaler zunehmend mehr empfindet, selbst in tödliche Gefahr.

Täter – Opfer – Schuld

408 Seiten, 2020
ISBN 978-3-944810- 05-8 / 14,95 €

Am Lumpigen Donnerstag wird in der Stadtpfarrkirche Mariä Himmelfahrt in Landsberg am Lech ein Pfarrer getötet.

Die Staatsanwaltschaft sucht den Täter im Umfeld der Kemptener Mafia. Die junge Kommissarin Antonia Buck aus Fürstenfeldbruck aber ist überzeugt, dass die Tat ihre Ursache in den letzten Kriegstagen hat, als die Landsberger Außenlager des Konzentrationslagers Dachau geräumt wurden. Sie bittet den pensionierten Kommissar Martin Viertaler um Hilfe.

Der alte Ermittler wird erneut mit der Frage konfrontiert, wer ist Täter, wer ist Opfer und wer trägt Schuld? Doch in diesem Fall ist nichts so, wie es auf den ersten Blick scheint.

Ein Mordfall lässt Geschichte aufleben. In der Kulisse Landsbergs am Lech verschmelzen Fiktion und Wirklichkeit zu einer ebenso spannend wie detailreich erzählten Mixtur aus regionalem Weltkriegsgeschehen samt topaktueller Folgen, kriminellen Machenschaften und persönlichen Schicksalen.

Alexander Weber, Münchner Merkur, Ressort Politik

Tierkrimi

Wo ist Nr. 245?
Veröffentlichung November 2022
ISBN 978-3-944810-08-9 / 14,95 €

Eine Entführung.

Zwei Diebe.

Drei tierische Freunde auf der Suche.

Nach einem Einbruch in ein Forschungslabor fehlt nicht nur ein Serum, sondern auch der Versuchshund Nr. 245: Alma. Ihr Käfignachbar und Freund Sam nimmt die Spur auf und gelangt nach Landsberg am Lech. Bei seiner Suche steht ihm eine bunte Truppe zur Seite: der tollpatschige Rabe Bora, der Macho-Kater Ronaldo und weitere unerwartete Helfer.

Können sie Alma finden, bevor ihr ein überehrgeiziger Wissenschaftler und seine Auftraggeberin das gestohlene Serum in tödlicher Dosis verabreichen?

Ein Tierkrimi voll witziger Dialoge und berührender Szenen.

Zehn Autoren, eine Geschichte: ein Projekt der Schreibwerkstatt in der VHS Landsberg.

Ein Euro pro verkauftem Buch geht an das Tierheim Landsberg.